A LISTA DO JUIZ

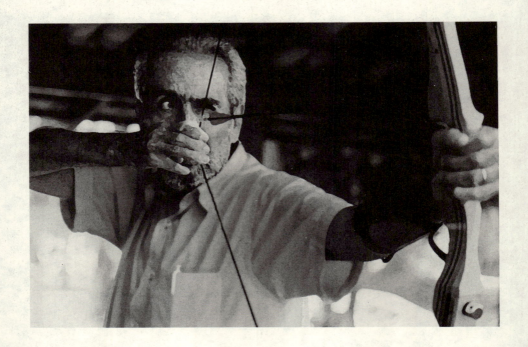

O Arqueiro

GERALDO JORDÃO PEREIRA (1938-2008) começou sua carreira aos 17 anos, quando foi trabalhar com seu pai, o célebre editor José Olympio, publicando obras marcantes como *O menino do dedo verde*, de Maurice Druon, e *Minha vida*, de Charles Chaplin.

Em 1976, fundou a Editora Salamandra com o propósito de formar uma nova geração de leitores e acabou criando um dos catálogos infantis mais premiados do Brasil. Em 1992, fugindo de sua linha editorial, lançou *Muitas vidas, muitos mestres*, de Brian Weiss, livro que deu origem à Editora Sextante.

Fã de histórias de suspense, Geraldo descobriu *O Código Da Vinci* antes mesmo de ele ser lançado nos Estados Unidos. A aposta em ficção, que não era o foco da Sextante, foi certeira: o título se transformou em um dos maiores fenômenos editoriais de todos os tempos.

Mas não foi só aos livros que se dedicou. Com seu desejo de ajudar o próximo, Geraldo desenvolveu diversos projetos sociais que se tornaram sua grande paixão.

Com a missão de publicar histórias empolgantes, tornar os livros cada vez mais acessíveis e despertar o amor pela leitura, a Editora Arqueiro é uma homenagem a esta figura extraordinária, capaz de enxergar mais além, mirar nas coisas verdadeiramente importantes e não perder o idealismo e a esperança diante dos desafios e contratempos da vida.

John Grisham

A LISTA DO JUIZ

Título original: *The Judge's List*

Copyright © 2021 por Belfry Holdings, Inc.
Copyright da tradução © 2022 por Editora Arqueiro Ltda.

Todos os direitos reservados. Nenhuma parte deste livro pode ser utilizada ou reproduzida sob quaisquer meios existentes sem autorização por escrito dos editores.

Esta é uma obra de ficção. Nomes, personagens, lugares e acontecimentos são fruto da imaginação do autor ou foram usados de forma fictícia. Qualquer semelhança com pessoas reais, vivas ou mortas, eventos ou localidades é mera coincidência.

tradução: Bruno Fiuza e Roberta Clapp
preparo de originais: Beatriz Ramalho
revisão: Luiz Felipe Fonseca e Pedro Staite
diagramação: Ana Paula Daudt Brandão
capa: Raul Fernandes
imagem de capa: © Nilufer Barin | Trevillion Images
impressão e acabamento: Associação Religiosa Imprensa da Fé

CIP-BRASIL. CATALOGAÇÃO NA PUBLICAÇÃO
SINDICATO NACIONAL DOS EDITORES DE LIVROS, RJ

G888L

Grisham, John
   A lista do juiz / John Grisham ; [tradução Bruno Fiuza , Roberta Clapp]. - 1. ed. - São Paulo : Arqueiro, 2022.
   320 p. ; 23 cm

   Tradução de: The judge's list
   ISBN 978-65-5565-395-3

   1. Ficção americana. I. Fiuza, Bruno. II. Clapp, Roberta. III. Título.

22-79437   CDD: 813
       CDU: 82-3(73)

Gabriela Faray Ferreira Lopes - Bibliotecária - CRB-7/6643

Todos os direitos reservados, no Brasil, por
Editora Arqueiro Ltda.
Rua Funchal, 538 – conjuntos 52 e 54 – Vila Olímpia
04551-060 – São Paulo – SP
Tel.: (11) 3868-4492 – Fax: (11) 3862-5818
E-mail: atendimento@editoraarqueiro.com.br
www.editoraarqueiro.com.br

1

O toque vinha do telefone fixo do escritório, um aparelho de pelo menos vinte anos que seguia resistindo a todos os avanços tecnológicos. A ligação foi atendida por uma recepcionista tatuada chamada Felicity, uma funcionária nova que terá ido embora antes mesmo de aprender como funcionam os telefones fixos. Ao que parecia, todo mundo estava saindo de lá, principalmente o pessoal do setor administrativo. A rotatividade era absurda. O moral estava lá embaixo. O orçamento da Comissão de Justiça tinha sido cortado pelo quarto ano consecutivo por um legislativo que mal sabia de sua existência.

Felicity transferiu a chamada para o telefone na mesa bagunçada de Lacy Stoltz.

– Tem uma ligação na linha três – anunciou.

– Quem é? – perguntou Lacy.

– Ela não quis dizer o nome.

Naquele momento, Lacy estava exausta demais para repreender e corrigir a garota, que nem tentou uma das muitas maneiras de descobrir quem estava ligando. As rotinas e os protocolos estavam ruindo. A organização no escritório piorava à medida que a Comissão de Justiça se transformava em uma bagunça sem ninguém para colocar ordem na casa.

Na condição de veterana, *a* veterana, era importante dar o exemplo.

– Obrigada – disse ela, e apertou o botão que piscava. – Lacy Stoltz.

– Boa tarde, Sra. Stoltz. Está disponível para conversarmos um pouco?

A voz da mulher, aparentemente culta, tinha sotaque que parecia local. Devia ter uns 40 anos, três a mais ou a menos, no máximo. Lacy sempre prestava atenção no tom de voz.

– Com quem eu falo?

– Por enquanto, pode me chamar de Margie, mas eu uso outros nomes.

Lacy quase riu.

– Bem, pelo menos você está sendo sincera. Normalmente, eu perco um tempo decifrando pseudônimos.

Ligações anônimas faziam parte da rotina. Quando as denúncias envolviam juízes, as pessoas eram sempre cautelosas e hesitantes ao se apresentar e enfrentar o sistema. Quase todas temiam a retaliação do governo.

– Podemos conversar em algum lugar reservado? – sugeriu Margie.

– O meu escritório é reservado, se você quiser.

– Ah, não – retrucou ela, assustada com aquela ideia. – Não vai dar certo. Você conhece o Edifício Siler, bem ao lado?

– Claro – respondeu Lacy enquanto se levantava e olhava pela janela para o prédio, uma das inúmeras e desinteressantes construções públicas no centro de Tallahassee.

– Tem um café no térreo. Podemos nos encontrar lá? – sugeriu Margie.

– Acho que sim. Quando?

– Agora. Estou no meu segundo café.

– Vamos com calma. Preciso de uns minutos. E você vai me reconhecer?

– Vou. Sua foto está no site. Estou bem no fundo, do lado esquerdo.

O escritório de Lacy era realmente reservado. A sala localizada à esquerda da sua ficara vazia após um ex-colega se transferir para um órgão superior. Na outra extremidade do corredor, uma sala havia sido convertida em um depósito improvisado. Ela caminhou em direção a Felicity e entrou na sala de Darren Trope, que trabalhava lá há apenas dois anos mas já estava em busca de outro emprego.

– Ocupado? – perguntou ela enquanto interrompia seja lá o que ele estivesse fazendo.

– Na verdade, não.

Mesmo ocupado, Darren sempre atendia Lacy se ela precisasse de alguma coisa.

– Preciso de um favor. Estou indo até o Siler me encontrar com uma desconhecida que acabou de admitir que está usando um nome falso.

– Ah, eu amo esse clima de mistério. Com certeza, é melhor do que ficar aqui sentado lendo sobre um juiz qualquer que assediou uma testemunha.

– Assediou como?

– Digamos que de forma bastante explícita.

– Alguma foto ou vídeo?

– Ainda não.

– Me avisa se você conseguir. Então, se importa de dar uma passadinha lá daqui a uns quinze minutos e tirar uma foto?

– Claro. Sem problemas. Não faz ideia de quem ela é?

– Nenhuma.

Lacy saiu do prédio, deu a volta no quarteirão, desfrutou de alguns minutos de ar fresco e entrou no saguão do Edifício Siler. Eram quase quatro da tarde e não havia mais ninguém tomando café àquela hora. Margie estava em uma mesinha no fundo, do lado esquerdo. Ela acenou brevemente, como se não quisesse que alguém reparasse que estava ali. Lacy sorriu e foi na direção dela.

Negra, 40 e poucos anos, tinha aparência profissional e culta, era bonita e usava salto alto e calça social, roupas melhores do que as de Lacy, embora atualmente qualquer vestimenta fosse permitida na Comissão de Justiça. O antigo chefe odiava jeans e queria que todos usassem terno, mas ele tinha se aposentado dois anos antes e levado consigo a maioria das regras.

Lacy passou pela barista, que parecia desocupada, os dois cotovelos colados no balcão, completamente hipnotizada pelo celular cor-de-rosa que segurava com as duas mãos. Ela não desgrudava os olhos do aparelho, nem sequer lhe passava pela cabeça cumprimentar os clientes, e Lacy concluiu que talvez fosse melhor não ingerir mais cafeína.

Sem se levantar, Margie estendeu a mão.

– Muito prazer. Aceita um café?

Lacy sorriu, apertou a mão dela e se sentou do outro lado da mesa quadrada.

– Não, obrigada. Margie, certo?

– Por enquanto, sim.

– Começamos mal. Por que você está usando um pseudônimo?

– A minha história levará horas pra ser contada, e não tenho certeza se você vai querer ouvir até o fim.

– Então por que se dar ao trabalho?

– Por favor, Sra. Stoltz.
– Lacy.
– Por favor, Lacy. Você não faz ideia do quanto eu sofri pra chegar até aqui. Eu estou destruída, sabia?

Ela parecia bem, embora um pouco apreensiva. Talvez fosse a segunda dose de café. Seus olhos se moviam de um lado para outro. Eram bonitos e estavam emoldurados por uma grande armação de óculos roxa. Ela provavelmente não precisava usar óculos. Faziam parte do look, um disfarce sutil.

– Bem, não sei direito em que posso ajudar – disse Lacy. – Por que você não começa a falar e quem sabe a gente chega a algum lugar?

– Eu li a seu respeito. – Ela enfiou a mão em uma mochila e puxou uma pasta de lá. – O caso do cassino indígena, não muito tempo atrás. Você pegou uma juíza roubando e mandou ela pra cadeia. Um repórter descreveu esse caso como o maior escândalo de suborno da história da jurisprudência norte-americana.

A pasta tinha cinco centímetros de espessura e parecia estar imaculadamente organizada.

Lacy notou o uso da palavra "jurisprudência". Era incomum para uma pessoa leiga.

– Foi um caso importante – respondeu ela, fingindo modéstia.

Margie sorriu.

– Importante? Você derrubou uma quadrilha, incriminou a juíza e mandou um monte de gente pra prisão. Acho que todos ainda estão lá.

– É verdade, mas não foi uma conquista só minha. O FBI também estava envolvido. Foi um caso complicado, e infelizmente algumas pessoas acabaram morrendo.

– Incluindo seu colega, o Sr. Hugo Hatch.

– Sim, incluindo Hugo. Curioso. Por que toda essa pesquisa a meu respeito?

Margie cruzou as mãos e as pousou em cima da pasta, que ainda não havia aberto. Seus indicadores tremiam levemente. Ela olhou para a entrada e ao redor mais uma vez, embora ninguém tivesse entrado, saído ou se mexido, nem mesmo a barista, perdida em pensamentos. Ela tomou um gole da bebida pelo canudo. Se aquele era realmente seu segundo café, ela mal havia tocado nele. Margie disse que sofreu. Admitiu estar "destruída". Lacy percebeu que a mulher estava assustada.

– Ah, não sei bem se foi uma pesquisa de fato. Apenas algumas coisas que achei na internet. Está tudo aí, você sabe como funciona.

Lacy sorriu, tentando manter a paciência.

– Não tenho certeza se estamos chegando a algum lugar.

– O seu trabalho é investigar juízes acusados de alguma irregularidade, certo?

– Certo.

– E você faz isso há quanto tempo?

– Desculpe, mas qual a relevância disso?

– Por favor.

– Há doze anos.

Falar esse número em voz alta era o mesmo que admitir uma derrota. Parecia tempo demais.

– E o que você precisa pra aceitar um caso? – perguntou Margie, voltando ao assunto.

Lacy respirou fundo e manteve a paciência. As pessoas que a procuravam para fazer uma denúncia geralmente eram muito inquietas. Ela sorriu e disse:

– Bem, normalmente, quando uma pessoa quer denunciar um juiz, ela entra em contato e nós agendamos uma reunião. Se a acusação for relevante, a pessoa faz uma denúncia formal, que mantemos em sigilo por 45 dias enquanto analisamos. Chamamos essa etapa de avaliação. Nove em cada dez vezes o caso para nessa fase e a denúncia é descartada. Se encontramos uma possível irregularidade, notificamos o juiz e ele tem trinta dias para responder. Em geral, todo mundo contrata um advogado. Nós investigamos, fazemos audiências, notificamos as testemunhas, o de sempre.

Enquanto ela falava, Darren entrou sozinho, pediu um café descafeinado e ficou aguardando, enquanto ignorava as duas mulheres. Depois levou o café para uma mesa do outro lado do salão, onde abriu um notebook e começou o que parecia ser algum trabalho importante. Discretamente, apontou a câmera do notebook para as costas de Lacy e para o rosto de Margie, deu um zoom para conseguir um close e começou a filmar. Ele gravou um vídeo e tirou algumas fotos.

Se Margie notou sua presença, não demonstrou.

Ela ouviu Lacy atentamente e perguntou:

– Com que frequência um juiz é removido do cargo?

Mais uma vez, qual era a relevância daquilo?

– Não muita, felizmente. Temos jurisdição sobre mil juízes, e grande parte é de profissionais honestos e trabalhadores. A maioria das denúncias não é tão séria. Vemos muitas pessoas insatisfeitas por não conseguirem o que queriam. Muitos casos de divórcio. Advogados com raiva porque perderam um caso. Estamos sempre ocupados, mas no geral os conflitos são resolvidos.

Ela estava fazendo o trabalho parecer chato, mas, depois de doze anos, era exatamente isso que sentia.

Margie ouviu com atenção, a ponta dos dedos batendo na pasta. Ela respirou fundo e perguntou:

– A pessoa que faz a denúncia é sempre identificada?

Lacy pensou por um segundo e respondeu:

– Em algum momento, sim. É muito raro que ela permaneça anônima.

– Por quê?

– Porque a pessoa geralmente conhece os fatos e precisa depor diante do juiz. Seria difícil incriminar um juiz sem o depoimento de quem o denunciou. Você está com medo?

A própria palavra pareceu assustá-la.

– Sim, pode-se dizer que sim.

Lacy franziu a testa e pareceu entediada.

– Olha, por que não vamos direto ao ponto? Quão séria é a sua acusação?

Margie fechou os olhos e conseguiu dizer:

– Homicídio.

Ela imediatamente os abriu e olhou ao redor para averiguar se alguém tinha ouvido. Não havia ninguém perto o suficiente para escutar alguma coisa, exceto Lacy, que assimilou a informação com o ceticismo que havia desenvolvido depois de tantos anos fazendo aquele trabalho. Ela se lembrou novamente de manter a paciência. Quando olhou para os olhos de Margie, eles estavam cheios d'água.

Lacy se inclinou um pouco mais para perto e perguntou em voz baixa:

– Você está insinuando que um dos nossos juízes matou alguém?

Margie mordeu o lábio e balançou a cabeça.

– Eu estou afirmando que ele fez isso.

– Como você sabe?

– O meu pai foi uma das vítimas.

Lacy respirou fundo e olhou ao redor.

– Vítimas? Tem mais de uma?

– Tem. Acredito que meu pai tenha sido a segunda vítima dele. Não tenho certeza de quantas são, mas tenho certeza de que ele é culpado.

– Interessante.

– Pra dizer o mínimo. Quantas denúncias você já recebeu dizendo que um juiz matou alguém?

– Bem, nenhuma.

– Exatamente. Na história dos Estados Unidos, quantos juízes foram condenados por homicídio?

– Nunca ouvi falar de nenhum.

– Exatamente. Zero. Portanto, não descarte a ideia dizendo que é "interessante".

– Eu não quis ofender.

Do outro lado do salão, Darren terminou seu trabalho urgente e foi embora. Nenhuma das mulheres se deu conta de sua partida.

– Não me ofendi – disse Margie. – Não vou falar mais nada agora. Tenho muitas informações que gostaria de compartilhar com você e mais ninguém, mas não aqui.

Lacy tivera sua cota de lunáticos e desequilibrados com caixas e sacolas cheias de documentos comprovando que algum juiz desprezível era corrupto. Quase sempre, depois de alguns minutos de interação cara a cara, ela conseguia chegar ao seu veredito e começava a traçar planos para encaminhar a denúncia para a gaveta. Ao longo dos anos, tinha aprendido a ler as pessoas, embora não fosse muito difícil, levando em consideração a quantidade de gente estranha que cruzava seu caminho.

Margie, ou qualquer que fosse o nome dela, não era doida nem esquisita, tampouco desequilibrada. Ela estava envolvida em alguma coisa e estava assustada.

– Tudo bem. O que fazemos agora?

– O que podemos fazer?

– Olha, você entrou em contato comigo. Quer me contar ou não? Não faço joguinhos e não tenho tempo pra arrancar informações de você nem de qualquer outra pessoa que queira denunciar algum juiz. Perco muito tempo convencendo as pessoas que me ligam a me passar informações. Entro nesse buraco sem fundo uma vez por mês. Você vai me falar ou não?

Margie começou a chorar novamente e a secar as bochechas. Lacy a analisou com a maior compaixão possível, mas também estava disposta a levantar-se da mesa e não olhar mais para trás.

No entanto, tinha ficado intrigada com a acusação. Parte de sua rotina na Comissão de Justiça era sofrer com as denúncias mundanas e banais de pessoas infelizes, com problemas insignificantes e pouco a perder. Um homicídio cometido por um juiz parecia surreal demais para acreditar.

Por fim, Margie disse:

— Estou hospedada no Ramada, na East Gaines. A gente pode se encontrar lá depois do expediente. Mas você tem que ir sozinha.

Lacy assentiu como se tivesse previsto isso.

— Tudo bem, mas preciso tomar certas precauções. Temos uma regra que me proíbe de conduzir uma reunião inicial com o denunciante fora do escritório e sozinha. Eu teria que levar outro investigador, um dos meus colegas.

— Tipo o Sr. Trope ali? — perguntou Margie, apontando para a cadeira vazia onde Darren estava sentado antes.

Lacy lentamente se virou para ver do que ela estava falando enquanto tentava desesperadamente pensar em uma resposta.

— A culpa é do site de vocês, ok? Lá tem o rosto sorridente de todos os funcionários. — De dentro da pasta, ela tirou uma foto colorida de si mesma, tamanho 20 x 25cm, e a deslizou sobre a mesa. — Aqui, com meus cumprimentos, uma foto colorida e atual minha, muito melhor do que as que o Sr. Trope acabou de tirar.

— Do que você tá falando?

— Tenho certeza que ele já passou a minha foto pelo programa de reconhecimento facial de vocês e não encontrou nada. Não estou em nenhum banco de dados.

— O quê?

Margie tinha razão, mas Lacy tinha ficado nervosa e não estava pronta para falar a verdade.

— Ah, você sabe do que eu estou falando. Ou você vai até lá sozinha ou nunca mais vai me ver de novo. Você é a investigadora mais experiente do seu departamento e, nesse momento, a sua chefe é interina. Você pode fazer o que quiser.

— Eu adoraria que fosse assim tão fácil.

– Digamos que vamos só beber alguma coisa depois do trabalho, nada mais que isso. Nos encontramos no bar e, se tudo der certo, podemos subir até o meu quarto e conversar com ainda mais privacidade.

– Não posso ir ao seu quarto. É contra os nossos procedimentos. Se você fizer uma denúncia e uma reunião privada for necessária, tudo bem. Mas alguém tem que saber onde eu estou, pelo menos a princípio.

– Está bem. Que horas?

– Que tal às seis?

– Vou estar sozinha do lado direito no fundo do bar, assim como você. Sem grampos, gravadores, câmeras secretas, sem colegas fingindo beber alguma coisa enquanto filmam. E manda um oi pro Darren. Quem sabe um dia a gente possa se conhecer. Combinado?

– Combinado.

– Está bem. Você pode ir agora.

Enquanto dava a volta no quarteirão rumo ao escritório, Lacy teve que admitir que não se lembrava de ter levado uma surra tão grande em uma primeira entrevista.

ELA DESLIZOU A FOTO COLORIDA sobre a mesa de Darren e disse:

– Bom trabalho. Foi pego no flagra. Ela sabe o nome de todos nós, a patente e o número de registro de cada um. Me deu essa foto e disse que era muito melhor do que as que você tirou.

– É. Ela tem razão.

– Alguma ideia de quem ela é?

– Não. Joguei a foto dela em todos os nossos bancos de dados e não encontrei nada. O que, como você sabe, não significa grande coisa.

– Significa que ela não foi presa na Flórida nos últimos seis anos. Você consegue achar algo no sistema do FBI?

– Provavelmente não. Eles exigem um motivo, e, como não sei nada, não tenho como dar essa informação. Posso fazer uma pergunta meio óbvia?

– Por favor.

– A Comissão de Justiça é um departamento de investigação, certo?

– Deveria ser.

– Então por que tem a nossa biografia e a nossa foto naquele site idiota?

– Pergunta pra chefe.

– Nós não temos chefe. Temos uma mulher que não fez nada relevante em toda a sua carreira e, quando a gente der por falta dela, ela já vai estar bem longe daqui.

– Provavelmente. Olha, Darren, nós já tivemos essa conversa antes. Não queremos nosso belo rosto naquele maldito site da Comissão de Justiça. É por isso que não atualizo o meu perfil há cinco anos. Lá eu ainda tenho 34.

– Eu diria 31, mas sou suspeito.

– Obrigada.

– Acho que no fundo não tem mal nenhum nisso. Não estamos atrás de assassinos nem traficantes de drogas nem nada do tipo.

– Pois é.

– Então, qual é a denúncia dela, seja lá quem ela for?

– Ainda não sei. Obrigada pela ajuda.

– De nada.

2

O saguão do Ramada preenchia uma grande parte do átrio do hotel, com pé-direito altíssimo e vidro cobrindo o teto inteiro. Às seis da tarde, o bar estava lotado de lobistas bem-vestidos em busca de secretárias atraentes, e a maioria das mesas tinha sido ocupada. A cinco quarteirões dali, no Capitólio, a Assembleia Legislativa da Flórida estava em sessão, e todos os salões de conferência no centro da cidade recebiam pessoas importantes interessadas apenas em política, sexo e dinheiro. Lacy entrou, atraiu milhares de olhares dos homens presentes e caminhou em direção ao fundo do lado direito, onde encontrou Margie sozinha em uma mesinha no canto com um copo de água à frente.

– Obrigada por vir até aqui – disse ela enquanto Lacy se sentava.

– Tudo bem. Você conhece esse lugar?

– Não. Primeira vez. Bem movimentado, né?

– Nessa época do ano, sim. As coisas se acalmam depois do Festival.

– Festival?

– A sessão legislativa. De janeiro a março. Tranque o armário de bebidas. Esconda as mulheres e crianças. Você sabe como é.

– Acho que não, desculpe.

– Eu chutaria que você não mora aqui.

– Não moro, não.

Uma garçonete apressada parou e perguntou se elas queriam beber alguma coisa, franzindo a testa ao olhar para o copo de água. A mensagem dela era bem clara: "Ei, moças, o bar está lotado e posso muito bem passar a mesa de vocês para alguém que queira beber de verdade."

– Uma taça de Pinot Grigio – disse Lacy.

– O mesmo pra mim – disse Margie depressa, e a garçonete se foi.

Lacy olhou para os dois lados e se certificou de que ninguém conseguiria ouvir o que elas dissessem. Havia espaço suficiente entre as mesas, e um murmúrio constante que emanava do bar abafava todos os demais ruídos.

– Vamos lá – disse Lacy. – Então você não mora aqui e eu não sei o seu nome verdadeiro. Eu diria que não começamos muito bem, mas estou acostumada com isso. No entanto, como acho que já lhe disse, perco muito tempo com pessoas que entram em contato comigo e depois se calam quando chega a hora de contar suas histórias.

– O que você gostaria de saber primeiro?

– Que tal o seu nome?

– Pode ser.

– Ótimo.

– Mas eu quero saber o que você vai fazer com o meu nome. Abrir uma diligência? O arquivo é digital ou daqueles em papel mesmo? Sendo digital, onde fica armazenado? Quem mais vai ter acesso ao meu nome?

Lacy engoliu em seco e a encarou. Margie não conseguiu sustentar o olhar e virou o rosto.

– Você está nervosa e age como se alguém estivesse te perseguindo – comentou Lacy.

– Ninguém está me perseguindo, Lacy, mas tudo sempre acaba deixando um rastro.

– Um rastro que alguém pode seguir. Esse alguém é o tal juiz suspeito de homicídio? Vamos lá, Margie. Preciso de alguma informação.

– Tudo deixa um rastro.

– Você já disse isso.

A garçonete passou apressada, parando apenas por tempo suficiente para servir duas taças de vinho e uma tigela de castanhas.

Margie pareceu não notar o vinho, mas Lacy tomou um gole.

– Então, ainda estamos presas à questão do nome – disse ela. – A princípio, vou anotá-lo em algum lugar e mantê-lo fora da nossa rede.

Margie assentiu e virou outra pessoa.

– Meu nome é Jeri Crosby, tenho 46 anos, sou professora de ciência política na Universidade do Sul do Alabama, em Mobile. Sou divorciada e tenho uma filha.

– Obrigada. E você acha que seu pai foi assassinado por um juiz. Correto?

– Sim, um juiz da Flórida.

– Isso reduz pra cerca de mil.

– Um juiz federal do Vigésimo Segundo Distrito.

– Impressionante. Agora reduzimos pra cerca de quarenta. Quando eu vou saber o nome do suspeito?

– Em breve. Podemos ir um pouco mais devagar? Hoje em dia qualquer coisa me deixa nervosa.

– Você nem tocou no seu vinho. Quem sabe ajuda.

Jeri tomou um gole e respirou fundo.

– Chuto que você tenha uns 40 anos.

– Quase. Trinta e nove, então faço 40 em breve. Difícil?

– Bem, mais ou menos, eu acho. Mas a vida continua. Então, vinte e dois anos atrás você ainda estava na escola, certo?

– Acho que sim. Mas por que isso é relevante?

– Relaxa, Lacy, agora eu vou falar, tá? Vou chegar a algum lugar. Você era apenas uma garota e provavelmente nunca leu sobre o assassinato de Bryan Burke, um professor de direito aposentado.

– Nunca ouvi falar. É o seu pai?

– É.

– Sinto muito.

– Tudo bem. Por quase trinta anos meu pai deu aulas na Faculdade de Direito de Stetson, em Gulfport, na Flórida. Na região de Tampa.

– Eu conheço.

– Ele se aposentou aos 60 anos, por motivos familiares, e voltou para a Carolina do Sul. Tenho um dossiê completo sobre o meu pai e em algum momento vou entregar para você. Ele era um homem e tanto. Não preciso nem dizer que o assassinato dele abalou profundamente a nossa vida e, pra ser sincera, mexe comigo até hoje. Perder o pai muito jovem é péssimo, mas quando se trata de um assassinato, e um assassinato não resolvido, é pior ainda. Vinte e dois anos depois, o caso está praticamente esquecido e a polícia abandonou a investigação. Quando percebemos que não estavam chegando a lugar nenhum, jurei tentar de tudo pra encontrar o assassino.

– A polícia abandonou a investigação?

Ela bebeu um pouco de vinho.

– Com o passar do tempo, sim. O inquérito ainda está aberto, e eu entro em contato com eles de vez em quando. Não vim aqui pra falar mal da polícia, entende? Eles fizeram o melhor que podiam naquelas circunstâncias, mas foi um crime perfeito. Todos foram.

Lacy tomou um gole de vinho.

– Um crime perfeito?

– Sim. Nenhuma testemunha. Nenhum motivo aparente. A perícia não pegou nada, ou pelo menos nada que possa levar até o assassino.

Lacy quase perguntou "E o que você acha que eu posso fazer?". Mas tomou outro gole de vinho e disse:

– Não tenho certeza se a Comissão de Justiça tem condições de investigar um caso de homicídio antigo como esse na Carolina do Sul.

– Não é isso que estou pedindo. A jurisdição de vocês inclui os juízes da Flórida que podem estar envolvidos em irregularidades, certo?

– Certo.

– E isso inclui homicídios?

– Acredito que sim, mas nunca tivemos um caso como esse. Isso é um trabalho mais pesado, pra polícia estadual, talvez pro FBI.

– A polícia estadual tentou. O FBI não tem interesse, por dois motivos. Em primeiro lugar, não há nenhuma questão federal. Segundo, não há evidências que conectem os homicídios, então o FBI não sabe de nada, na verdade ninguém além de mim sabe, eu acho, que provavelmente estamos lidando com um serial killer.

– Você já entrou em contato com o FBI?

– Anos atrás. Como familiares da vítima, estávamos desesperados por ajuda. Mas não conseguimos nada.

Lacy bebeu mais um gole de vinho.

– Olha, você tá me deixando nervosa, então vamos repassar tudo isso bem devagar. Você acredita que um juiz matou o seu pai vinte e dois anos atrás. Esse juiz estava na ativa quando o crime ocorreu?

– Não. Ele tomou posse em 2004.

Lacy assimilou a informação e olhou ao redor. Um homem que parecia ser um lobista estava sentado na mesa ao lado, encarando-a com um ar lascivo que não era incomum no Capitólio. Ela o encarou de volta até ele desviar o olhar, então se inclinou para mais perto de Jeri.

– Eu me sentiria mais confortável se nós conversássemos em outro lugar. Está começando a ficar lotado aqui.

– Eu tenho uma salinha de reunião no primeiro andar. Prometo que é seguro. Se eu tentar te agredir, você pode gritar e sair correndo.

– Tenho certeza de que vai ficar tudo bem.

Jeri pagou o vinho e elas foram embora do bar. Passaram pelo átrio e subiram a escada rolante até o andar corporativo, onde Jeri destrancou uma das várias salas de reunião. Na mesa havia inúmeras pastas.

Elas se acomodaram em lados opostos da mesa, as pastas ao alcance das mãos. Nada de notebooks ou blocos de papel. Os celulares estavam em suas bolsas. Jeri estava visivelmente mais relaxada e começou dizendo:

– Bom, a nossa conversa vai ser extraoficial, então nada de anotações. Pelo menos por enquanto. Meu pai, Bryan Burke, se aposentou na Stetson em 1990. Ele deu aulas lá por quase trinta anos e era uma lenda, um professor muito querido. Ele e a minha mãe decidiram voltar pra Gaffney, na Carolina do Sul, onde cresceram. Eles tinham vários parentes por lá e algumas terras que haviam herdado. Construíram um chalezinho lindo na floresta e plantaram um jardim. Minha avó materna morava na propriedade, e eles cuidavam dela. Resumindo, foi uma aposentadoria tranquila. Eles tinham uma vida estável, boa saúde e eram frequentadores assíduos de uma igreja da região. Papai lia muito, escrevia artigos para revistas jurídicas, mantinha contato com velhos amigos, fazia novas amizades pela cidade. E então foi assassinado.

Ela estendeu a mão para uma pasta azul, quase do tamanho de um papel ofício, com cerca de três centímetros de espessura, assim como as outras. Ela a deslizou sobre a mesa enquanto dizia:

– Isso aqui é uma coleção de matérias sobre a carreira e a morte do meu pai. Algumas tive que desenterrar, outras achei na internet, mas não salvei nada disso em lugar nenhum.

Lacy não abriu a pasta, então Jeri prosseguiu:

– Atrás da divisória amarela tem uma foto da cena do crime. Já vi várias vezes e prefiro não ver de novo. Mas você pode dar uma olhada se quiser.

Lacy abriu a pasta na divisória e franziu a testa para a foto colorida ampliada. O homem estava deitado em um matagal com uma corda apertada em volta do pescoço, cortando sua pele. Parecia uma corda azul de náilon, manchada de sangue seco. Na nuca havia um nó grosso.

Lacy fechou a pasta e sussurrou:

– Sinto muito.

– É estranho. Depois de vinte e dois anos, você aprende a lidar com a dor, coloca ela em uma caixa e se esforça para mantê-la lá. Mas é muito fácil baixar a guarda e permitir que as memórias voltem. Agora eu estou bem, Lacy. Neste exato momento estou muito bem porque estou falando com você e fazendo alguma coisa a respeito. Você não faz ideia de quantas horas passei reunindo forças pra chegar aqui. É tão difícil, tão aterrorizante.

– O que acha de falarmos sobre o crime?

Ela respirou fundo.

– Muito bem. Meu pai gostava de fazer caminhadas longas pela floresta que ficava atrás do chalé. Minha mãe costumava ir junto, mas ela tinha artrite. Em 1992, numa agradável manhã de primavera, ele deu um beijo de despedida nela, pegou seu bastão de caminhada e desceu a trilha. A autópsia apontou morte por asfixia, mas também havia um ferimento na cabeça. Era muito fácil especular que alguém o acertou na cabeça e depois o matou usando uma corda de náilon. Ele foi arrastado pra fora da trilha e deixado numa ravina, onde o acharam no final da tarde. O local do crime não revelou nada... nenhuma arma, nenhuma pegada de sapato ou bota... o chão estava seco. Nenhum sinal de luta, nenhum fio de cabelo nem pedaço de tecido deixado pra trás. Nada. A corda foi analisada por mais de um laboratório de perícia e não acharam nenhuma pista. Tem um relatório na pasta. O chalé não fica longe da cidade, mas ainda assim é um pouco isolado, e ninguém viu nada fora do comum. Nenhum carro ou caminhonete com adesivos ou placa de outro estado. Nenhum desconhecido à espreita. Há muitos lugares pra estacionar e se esconder, e por onde se infiltrar sem deixar rastro. Nada veio à tona em vinte e dois anos, Lacy. É um caso realmente difícil. Nós aceitamos a dura realidade de que o crime nunca será resolvido.

– Nós?

– Sim, bem, é mais como um exército de um membro só. Minha mãe morreu dois anos depois do meu pai. Ela nunca se recuperou e meio que chegou ao fundo do poço. Tenho um irmão mais velho que mora na Califórnia. Ele aguentou firme por alguns anos antes de perder o interesse. Ele se cansou de ouvir a polícia dizer que não fez progresso nenhum. A gente se fala às vezes, mas raramente mencionamos o papai. Então, estou por conta própria. É bem solitário estar nessa situação.

– Parece terrível. Também me parece que há uma distância muito grande entre o local do crime na Carolina do Sul e um tribunal no noroeste da Flórida. Qual é a conexão?

– Sinceramente, não há muita. Apenas toneladas de teorias.

– Você não veio até aqui apenas com teorias. E a motivação?

– O motivo é tudo que eu tenho.

– Você pretende dividir essa informação comigo?

– Espere mais um pouco, Lacy. Você não tem noção. Eu nem acredito que estou sentada aqui acusando alguém de homicídio, sem provas.

– Você não está acusando ninguém, Jeri. Você tem um suspeito em potencial, caso contrário não estaria aqui. Diga o nome dele, não vou contar pra ninguém. Não até você autorizar, tudo bem? Combinado?

– Combinado.

– Agora, vamos voltar à motivação.

– A motivação me consumiu desde o início. Não consegui encontrar ninguém que não gostasse do meu pai. Ele recebia um bom salário acadêmico e economizava dinheiro. Nunca investiu em negócios, terras nem nada. Na verdade, ele sempre desprezou empreiteiros e especuladores financeiros. Alguns colegas do meu pai, também professores de direito, perderam dinheiro na bolsa de valores, em imóveis e em outros esquemas. Ele não gostava muito deles. Não tinha interesses comerciais, sócios, *joint ventures*, coisas que podem gerar conflitos e inimizades. Odiava dívidas e pagava as contas em dia. Era fiel à esposa e à família, até onde eu sei. Ninguém acreditaria que Bryan Burke seria capaz de trair a esposa. Seus chefes o tratavam muito bem, e seus alunos o admiravam. Ao longo de trinta anos, ele foi eleito o melhor professor da faculdade. Vivia recusando o cargo de diretor porque achava que o seu verdadeiro dom era ensinar, ele queria estar em sala de aula. Ele não era perfeito, Lacy, mas estava muito perto disso.

– Queria ter tido a chance de conhecê-lo.

– Ele era um homem doce, encantador e não tinha inimigos, ou pelo menos não conhecemos nenhum. Não foi um assalto, porque a carteira dele estava em casa e não levaram mais nada. E com certeza não foi um acidente. Por isso, desde o começo a polícia ficou perdida.

– Mas…?

– Mas pode ser que tenha mais coisa aí. É um tiro no escuro, mas é tudo que tenho. Estou com sede. E você?

Lacy negou com a cabeça. Jeri foi até um aparador, despejou água gelada de uma jarra e voltou ao lugar. Respirou fundo e continuou:

– Como eu disse, meu pai adorava estar em sala de aula. Adorava ensinar. Pra ele, aquilo era uma performance, e ele era o único ator no palco. Ele adorava estar no controle de tudo, do conteúdo que ensinava e, em especial, de seus alunos. Tem uma sala no segundo andar da faculdade que pertenceu a ele por décadas. Hoje em dia tem uma placa lá com o nome dele. É um miniauditório com oitenta lugares em meia-lua, e estava sempre lotado. Suas aulas de direito constitucional eram cativantes, desafiadoras, muitas vezes engraçadas. Ele tinha um ótimo senso de humor. Todos os alunos queriam aprender direito constitucional com o professor Burke... ele odiava ser chamado de Dr. Burke... e os que não conseguiam se matricular na turma frequentemente assistiam como ouvintes. Era comum ver professores visitantes, diretores e ex-alunos se espremendo na sala. Às vezes até assistiam do corredor. O reitor da universidade, ele próprio advogado, era um visitante frequente. Consegue entender o cenário?

– Sim, e não consigo imaginar. Eu me lembro, com certo pavor, do meu curso de direito.

– Essa parece ser a norma. Os oitenta alunos, todos do primeiro ano, que tiveram a sorte de ser aprovados, sabiam que ele podia ser um cara durão. Ele esperava que estivessem preparados e prontos pra se expressar.

Os olhos dela ficaram marejados novamente ao se lembrar do pai. Lacy sorriu e lhe fez um aceno de incentivo.

– Meu pai adorava ensinar e adorava o método socrático de ensino, em que selecionava um aluno aleatoriamente e pedia para ele apresentar um caso para a turma. Se o aluno cometesse um erro ou não conseguisse se manter firme, a discussão geralmente se tornava controversa. Ao longo dos anos, conversei com muitos de seus ex-alunos e, embora todos admirem ele, ainda estremecem com a ideia de tentar argumentar contra o professor Burke. Ele era temido, mas também muito admirado. E todos os ex-alunos ficaram chocados com sua morte. Quem poderia matar o professor Burke?

– Você conversou com ex-alunos?

– Conversei. Disse que estava reunindo histórias sobre o meu pai pra um possível livro. Faço isso há anos. O livro nunca será escrito, mas é uma ótima maneira de puxar conversa. Basta dizer que você está trabalhando em um livro e as pessoas começam a falar. Tenho pelo menos vinte fotos enviadas por ex-alunos dele. Meu pai na formatura. Tomando uma cerveja em um jogo de softball da faculdade. Na tribuna em um júri simulado. Todas as pequenas cenas da vida universitária. Eles o amavam.

– Tenho certeza de que você tem uma pasta com tudo isso.
– Claro. Não aqui, mas ficarei feliz em mostrar a você.
– Talvez mais tarde. Estávamos falando sobre a motivação.
– Sim. Bem, muitos anos atrás, eu estava conversando com um advogado em Orlando que foi aluno do meu pai, e ele me contou uma história interessante. Um dia, meu pai chamou um garoto pra debater um caso envolvendo a Quarta Emenda, sobre buscas e apreensões. Era um cara comum, nada de especial. Ele estava preparado, mas tinha uma opinião contrária à do meu pai, então eles tiveram um debate dos bons. Meu pai adorava quando os alunos se interessavam e rebatiam seus argumentos. Mas esse aluno fez alguns comentários um pouco extremistas e passou do limite. Ele foi arrogante com o meu pai, que no final das contas encerrou o assunto com uma risada. Na aula seguinte, o garoto provavelmente achou que passaria um tempo fora do radar do meu pai e chegou despreparado, mas ele o chamou novamente. Tentar improvisar era um pecado imperdoável, e o garoto fracassou em grande estilo. Dois dias depois, o professor Burke chamou esse aluno pela terceira vez. Ele estava preparado e pronto pro embate. O garoto argumentava, meu pai rebatia, o garoto devolvia, mas meu pai acabou com os argumentos dele. Não é nada inteligente discutir com um professor que ensina o mesmo conteúdo há anos, mas esse cara era arrogante e seguro de si. O nocaute veio com um único argumento que destruiu o posicionamento do garoto e fez ele surtar. Ele foi humilhado e perdeu o controle. Xingou, atirou um caderno, pegou a mochila e saiu da sala batendo a porta, que quase quebrou. Com o timing perfeito, meu pai disse: "Parece que ele não está pronto pra encarar um júri." A turma riu tão alto que o garoto com certeza ouviu. Ele abandonou a disciplina e começou um contra-ataque. Reclamou com o diretor. Ele se considerava motivo de chacota e acabou largando o curso de direito. Escreveu cartas para ex-alunos, políticos, outros professores... teve algumas atitudes realmente bizarras. Escreveu cartas pro meu pai. Eram bem escritas, mas sem sentido e não exatamente ameaçadoras. A última carta foi enviada de uma clínica psiquiátrica particular perto do Fort Lauderdale, e escrita à mão em papel timbrado. Nela, ele alegou estar sofrendo de um colapso nervoso causado inteiramente pelo meu pai.

Ela fez uma pausa e tomou um gole de água.
Lacy aguardou, então disse:
– É isso? Tudo por causa de um estudante de direito frustrado?
– Sim, mas é bem mais complicado do que isso.
– Espero que sim. O que aconteceu com ele?
– Ele se recuperou e terminou a faculdade de direito em Miami. Atualmente é juiz. Olha, eu sei que você não está levando a sério, e com razão, mas ele é o único suspeito possível no mundo.
– Por que acha isso?
Jeri olhou para as pastas na extremidade da mesa. Havia cinco delas, todas com mais de dois centímetros de espessura, cada uma de uma cor diferente. Lacy seguiu o olhar dela, por fim pegou a deixa e perguntou:
– E aquelas são as outras cinco vítimas?
– Se eu não pensasse assim, não estaria aqui.
– Tenho certeza de que existe uma conexão.
– Há duas conexões. Uma delas é o método. Todas as seis vítimas foram atingidas na cabeça e depois asfixiadas com uma corda de náilon. Depois foram amarradas com o mesmo tipo de nó, ficaram com um ferimento no pescoço e foram deixadas pra trás, como um cartão de visita. E todas as seis tinham um histórico complicado com o nosso juiz.
– Um histórico complicado?
– Ele as conhecia bem. E as perseguiu por anos.
Lacy prendeu a respiração, engoliu em seco e sentiu um embrulho no estômago. Sua boca ficou seca de repente, mas ela conseguiu dizer:
– Não me diga o nome dele. Não sei se estou pronta pra isso.
Houve um longo intervalo na conversa enquanto as duas mulheres olhavam para as paredes. Lacy disse por fim:
– Olha, já ouvi o suficiente por um dia. Preciso pensar nisso tudo. Te ligo depois.
Jeri sorriu, acenou e ficou quieta. Elas trocaram contatos e se despediram. Lacy desceu o saguão correndo, mal podendo esperar para entrar em seu carro.

3

O apartamento chique e moderno ficava em um condomínio recém-reformado, não muito longe do campus da Universidade Estadual da Flórida. Ela morava com Frankie, seu detestável buldogue francês. O cachorro estava sempre esperando na porta, pronto para levantar a pata e urinar nos canteiros de flores, independentemente da hora. Lacy o deixou sair para fazer xixi, depois se serviu uma taça de vinho, caiu no sofá e olhou pela grande janela de vidro.

Era início de março, os dias estavam ficando mais longos, mas ainda eram curtos demais. Ela havia crescido no Meio-Oeste e não sentia falta dos invernos frios e escuros, cheios de neve e com pouco sol. Adorava o noroeste da Flórida e seus invernos mais brandos, estações bem definidas e os longos dias quentes de primavera. Em duas semanas o relógio mudaria, os dias se alongariam e a cidade universitária ficaria ainda mais animada com churrascos no quintal, festas na piscina, coquetéis no terraço e jantares ao ar livre. Mas essa era a programação dos adultos. Os estudantes passariam o dia inteiro na praia pegando sol.

Seis homicídios.

Após doze anos investigando juízes, Lacy achava que já havia visto de tudo. Também já se sentia calejada e cansada o suficiente para ter sérias dúvidas a respeito da história de Jeri, da mesma forma que duvidava de todas as reclamações que estavam em sua mesa.

Mas Jeri Crosby não estava mentindo.

Suas teorias poderiam estar erradas; seus palpites, equivocados; seus medos poderiam ser infundados. Mas ela acreditava que o pai tinha sido assassinado por um juiz.

Lacy havia saído do Ramada de mãos vazias. A única pasta que ela abriu ficou em cima da mesa – Jeri lidaria com aquilo depois. A curiosidade se instalou. Ela deu uma olhada no celular e viu duas chamadas perdidas de Allie Pacheco, seu namorado. Ele estava viajando, então só conversariam mais tarde. Lacy pegou o notebook e começou a pesquisar.

O Vigésimo Segundo Distrito Judicial abrangia três condados no extremo noroeste do estado. Em meio às cerca de quatrocentas mil pessoas que viviam na região, havia 41 juízes federais, eleitos por essa mesma população. Em seus doze anos na Comissão de Justiça, Lacy só conseguia se lembrar de dois ou três casos menores envolvendo o Vigésimo Segundo Distrito. Dos 41 juízes, quinze tinham sido eleitos em 2004, ano em que, segundo Jeri, seu suspeito assumiu o cargo. Desses quinze, apenas um concluiu o curso de direito em Miami.

Em menos de dez minutos, Lacy chegou ao nome de Ross Bannick.

Ele tinha 49 anos, era natural de Pensacola, formado na Universidade da Flórida, nenhuma menção a esposa ou família. Não havia muitas informações no site do condado. A foto mostrava um homem bonito com olhos escuros, queixo forte e cabelo grisalho. Lacy o achou bastante atraente e se perguntou por que ele não era casado. Talvez fosse divorciado. Ela pesquisou mais um pouco, mas não se aprofundou muito e não achou muita coisa sobre o juiz Bannick. Evidentemente, ele tinha conseguido evitar controvérsias durante seus dois mandatos e meio na magistratura. Ela foi aos arquivos da Comissão de Justiça e não encontrou nenhuma reclamação contra ele. Na Flórida, era comum que os advogados apresentassem de forma anônima um relatório anual sobre os juízes com quem trabalhassem. Ao longo dos últimos cinco anos, Bannick havia recebido a nota mais alta da ordem dos advogados. Os comentários eram sempre positivos: rápido, pontual, preparado, cortês, profissional, espirituoso, compassivo, brilhante, com um "intelecto intimidador". Apenas dois outros juízes no Vigésimo Segundo Distrito Judicial tinham recebido notas tão altas.

Ela continuou investigando e finalmente encontrou um padre. Era uma matéria do jornal *Pensacola Ledger*, datada de 18 de abril de 2000.

Um advogado local, Ross Bannick, de 35 anos, estava em busca de seu primeiro cargo público e tentava destituir um antigo juiz do Vigésimo Segundo Distrito. A controvérsia surgiu quando um dos clientes de Bannick, um incorporador imobiliário, propôs a construção de um parque aquático em uma área nobre perto de uma praia de Pensacola. A ideia foi fortemente contestada por todos na vizinhança, e, em meio a processos e reclamações, acusaram Bannick de ter uma participação de dez por cento no empreendimento. Não havia nenhuma evidência que comprovasse a suspeita, mas alegaram que ele estava tentando esconder seu envolvimento no projeto. Seu oponente aproveitou a deixa e investiu em propaganda, o que se mostrou fatal. Os resultados eleitorais, publicados em uma edição posterior do jornal, mostraram a derrota esmagadora de Bannick. Embora fosse impossível determinar a veracidade daquilo tudo, nada indicava que ele havia feito algo errado. No entanto, foi severamente massacrado pelo juiz titular.

Lacy foi ainda mais fundo e encontrou matérias sobre a eleição de 2004. Havia uma foto do antigo juiz, que parecia ter pelo menos 90 anos, e duas matérias sobre sua saúde em declínio. A campanha de Bannick deu certo, e a controvérsia de quatro anos antes pelo visto tinha sido esquecida. Ele ganhou a eleição por mil votos. Seu oponente morreu três meses depois.

Lacy percebeu que estava com fome e tirou uma sobra de quiche da geladeira. Allie estava fora havia três noites, e ela não havia cozinhado desde então. Serviu mais vinho e se sentou à mesa da cozinha, beliscando a comida. Em 2008, Bannick foi reeleito após uma corrida sem oponentes. Juízes federais em exercício raramente enfrentavam forte oposição na Flórida ou em qualquer outro estado. Ele parecia estar pronto para uma longa carreira na magistratura.

Seu celular tocou e ela tomou um susto. Perdida em outra dimensão, tinha se esquecido até da quiche. Número desconhecido.

– Já descobriu o nome dele? – perguntou Jeri.

Lacy sorriu e respondeu:

– Não foi difícil. Estudou em Miami, eleito em 2004 no Vigésimo Segundo Distrito. Isso só deixou uma opção.

– Bonitão, né?

– É. Por que ele não é casado?

– Não arruma ideia.
– Claro que não.
– Ele tem um problema com mulheres, faz parte de seu longo histórico.
Lacy respirou fundo.
– Tá. Imagino que você nunca esteve com ele.
– Ah, não, não. Jamais chegaria perto dele. Ele tem câmeras de segurança em todos os lugares. No tribunal, no gabinete, em casa.
– Que estranho.
– Estranho é pouco.
– Você está dirigindo?
– Estou indo até Pensacola, talvez Mobile. Você não poderia me encontrar amanhã, poderia?
– Onde?
– Em Pensacola.
– Isso fica a três horas daqui.
– Nem me fala.
– E por que você quer me encontrar?
– Tenho apenas um propósito na vida, Lacy, e você sabe qual é.
– Meu dia amanhã vai ser cheio.
– Todos são, né?
– Creio que sim.
– Tá bem. Então, por favor, dá uma olhada na sua agenda e depois me avisa quando a gente pode ir até lá.
– Pode deixar. Vou fazer isso.
Houve um longo intervalo na conversa, tão longo que Lacy acabou perguntando:
– Você tá aí?
– Sim. Desculpe. Eu costumo divagar. Você encontrou muita coisa na internet?
– Não muita. Várias matérias sobre a eleição dele, todas do *Ledger*.
– E uma de 2000 sobre o lance do terreno, envolvendo o incorporador desonesto, a que custou a eleição?
– Sim. Eu li essa.
– Tenho todas elas em uma pasta, a seu dispor.
– Tá bem, vamos ver isso depois.
– O repórter era um cara chamado Danny Cleveland, ele é de algum

lugar do norte do país. Passou cerca de seis anos no *Ledger*, depois circulou um pouco. A última parada dele foi um jornal em Little Rock, no Arkansas.

– Última parada?

– Sim. Ele foi encontrado no apartamento dele. Asfixiado. A mesma corda, o mesmo nó. Os marinheiros chamam de nó fiel duplo, é muito raro ver um desse tipo. Outro mistério não resolvido, outro caso sem solução.

Lacy tentou dizer alguma coisa e percebeu que a mão esquerda estava tremendo.

– Ainda tá aí? – perguntou Jeri.

– Acho que sim. Quando foi...

– Dois mil e nove. Não acharam nenhuma evidência. Olha, Lacy, estamos falando demais pelo celular. Prefiro conversar pessoalmente. Me avisa quando a gente puder se encontrar de novo. – Ela desligou abruptamente.

LACY E ALLIE ESTAVAM JUNTOS há três anos, mas, na opinião dela, a relação estava começando a desandar. Ele tinha 38 anos e, mesmo depois de onze anos e fazendo terapia, ainda estava traumatizado pelo primeiro casamento, embora não admitisse. Havia durado quatro meses deprimentes e, felizmente, terminou sem filhos.

O maior obstáculo para um compromisso mais sério estava cada vez mais evidente: ambos gostavam da liberdade de morar sozinhos. Desde o ensino médio, Lacy não compartilhava sua casa com um homem, e não tinha interesse em viver essa experiência novamente. Ela amava seu pai, mas se lembrava dele como um sujeito dominador e machista que tratava a esposa como uma empregada. Sua mãe, sempre submissa, perdoava o comportamento do marido e sussurrava: "É coisa da geração dele."

Era uma desculpa esfarrapada que Lacy jurou jamais aceitar. Allie era de fato diferente. Era gentil, engraçado e, em geral, atencioso. Além disso, era agente especial do FBI e passava a maior parte do tempo no sul da Flórida perseguindo narcotraficantes. Quando as coisas estavam mais devagar, o que era raro, ele era designado para o departamento de contraterrorismo. Houve até conversas sobre uma possível transferência. Depois de oito anos sendo extremamente elogiado como agente especial, ele estava sempre correndo o risco de ser mandado para algum lugar diferente. Pelo menos, era o que Lacy achava.

Ele mantinha uma escova de dentes e um kit de barbear no banheiro extra da casa dela, além de alguns moletons e roupas mais casuais em um armário, o suficiente para dormir lá sempre que quisesse. Ela, por outro lado, deixava pijamas, tênis e jeans velhos, uma escova de dentes e algumas revistas de moda na mesa de centro do apartamento dele, que ficava a quinze minutos de distância. Não eram ciumentos, mas haviam discretamente marcado seu território no espaço do outro.

Lacy ficaria chocada se descobrisse que Allie estava dormindo com outras pessoas. Ele simplesmente não fazia esse tipo. Nem ela. O propósito deles, com as viagens e agendas apertadas, era manter um ao outro satisfeito, o que estava cada vez mais difícil. Isso porque, como uma amiga próxima disse a Lacy: "Você está chegando na meia-idade." Lacy tinha ficado tão aterrorizada com aquela ideia que não desgrudou de Allie no mês seguinte, fosse em sua casa ou na dele, até que ambos ficaram exaustos e precisaram de um tempo.

Ele ligou às sete e meia, e eles conversaram um pouco. Ele estava "em vigilância", seja lá o que isso significasse, e não podia falar muito. Ela sabia que ele estava em algum lugar próximo a Miami. Ambos disseram "Eu te amo" e desligaram.

Allie era um agente experiente, e sua carreira era a coisa mais importante de sua vida. Ele era extremamente profissional e, portanto, falava pouco sobre seu trabalho, pelo menos para Lacy. Com as pessoas com quem não tinha muita intimidade, nem sequer dizia onde trabalhava. Se pressionado, sua resposta padrão era "Segurança". Ele pronunciava a palavra com tal autoridade que desistiam de fazer mais perguntas. Seus amigos eram agentes também. Houve momentos, entretanto, talvez depois de um drinque ou dois, que ele abaixou um pouco a guarda e falou, em termos genéricos, sobre seu trabalho. Muitas vezes precisava cumprir tarefas perigosas, e ele, como a maioria dos agentes, vivia pela adrenalina.

Por outro lado, os casos dela envolviam sempre as mesmas reclamações mundanas sobre juízes que bebiam demais, recebiam presentes de escritórios de advocacia, enrolavam nos casos, mostravam-se parciais e se envolviam na política.

Seis homicídios certamente trariam algum ânimo para sua coleção de casos.

Ela enviou um e-mail para a chefe informando que precisava resolver questões pessoais no dia seguinte e não iria ao escritório. O manual lhe concedia quatro folgas desse tipo por ano, sem precisar de justificativas. Ela raramente se ausentava e ainda tinha três folgas sobrando do ano anterior.

Lacy ligou para Jeri e marcou um encontro para uma da tarde do dia seguinte em Pensacola.

4

Se não fosse por causa de Frankie, seu dia de folga teria começado com algumas horas a mais de sono, algo que não passava de um sonho. Antes de o sol nascer, o cachorro já estava latindo e pedindo para sair. Depois disso, Lacy se esticou no sofá e tentou tirar um cochilo, mas Frankie decidiu que era hora do café da manhã. Então Lacy observou o amanhecer enquanto bebericava uma caneca de café.

Sua mente era um misto de empolgação por conta do encontro com Jeri e da angústia de sempre em relação a sua carreira. Em sete meses completaria 40 anos de idade, e isso a entristecia. Ela gostava da vida que levava, mas sentia que o tempo estava passando, e casamento e filhos não estavam em seus planos. E estava bem com essa decisão. Todas as suas amigas tinham filhos, alguns até adolescentes, e ela se sentia grata por não ter esse tipo de responsabilidade. Não conseguia imaginar de onde tiraria paciência para criar alguém na era dos smartphones, das drogas, do sexo casual, das redes sociais e tudo mais que havia na internet.

Ela estava na Comissão de Justiça há doze anos, mas já deveria ter saído de lá há muito tempo, assim como praticamente todos os seus antigos colegas. A Comissão de Justiça era um bom lugar para iniciar uma carreira, mas um beco sem saída para qualquer advogado de verdade. Sua melhor amiga da faculdade de direito era sócia de um importante escritório em Washington, mas ela vivia para o trabalho, e esse estilo de vida não interessava a Lacy. A amizade delas exigia dedicação, e Lacy muitas vezes se perguntava se valia a pena. Suas outras amigas da época haviam se afastado – estavam espalhadas pelo país inteiro –, todas extremamente ocupadas, diante de suas mesas de trabalho e, quando possível, em casa com a família.

Lacy não tinha certeza do que queria, então acabou ficando tempo demais na Comissão de Justiça e agora temia que oportunidades melhores tivessem escapado. Seu maior caso, o auge da sua carreira, tinha ficado no passado. Três anos antes, ela havia conduzido uma investigação que derrubou um juiz federal e revelou o maior escândalo de suborno judicial da história da Flórida. Ela descobriu que o juiz estava envolvido com uma quadrilha que vinha desviando milhões de um cassino indígena. Os criminosos foram condenados a anos de prisão em uma cadeia federal.

O caso ganhou grande visibilidade e, por um breve período, a Comissão de Justiça obteve reconhecimento. A maioria de seus colegas rapidamente transformou o sucesso em empregos melhores. O Legislativo, no entanto, mostrou sua gratidão com mais uma rodada de cortes no orçamento.

Mas o auge de sua carreira havia lhe custado caro. Ela ficou gravemente ferida após uma colisão de carro premeditada perto do cassino. Passou semanas no hospital e meses fazendo fisioterapia. Seus ferimentos já haviam cicatrizado, mas as dores e a rigidez ainda estavam lá. Hugo Hatch, seu amigo, colega de trabalho e passageiro do veículo, morreu no local. A esposa dele entrou com um pedido de indenização em razão da morte do marido; Lacy também deu entrada em um processo por conta da colisão. Elas estavam prestes a conseguir um bom acordo, mas o caso estava se arrastando, assim como a maioria dos processos na área cível.

Ela achava impossível não levar o acordo em consideração. Montanhas de dinheiro e fundos que estavam sendo angariados por meio do confisco de ativos sujos realizado pelo governo estavam em jogo. Mas as questões, tanto criminais quanto civis, eram complicadas. O que não faltava eram pessoas lesadas e seus advogados vorazes, clamando pelo dinheiro.

A audiência ainda não havia sido marcada, mas desde o começo ela sabia que isso nunca aconteceria. Seu advogado acreditava piamente que os réus estavam apavorados com a possibilidade de enfrentar um júri e explicar os pormenores de uma colisão intencional que acabou matando Hugo e ferindo Lacy. As negociações do acordo estavam prestes a começar, e o valor partiria de sete dígitos.

Completar 40 anos pode ser difícil, mas com uma conta bancária recheada o trauma pode ser menor. Ela tinha um salário razoável, uma pequena herança da mãe, nenhuma dívida e muitas economias. O acordo lhe daria a força necessária para finalmente largar o emprego na Comissão. Para onde iria, não tinha certeza, mas certamente era divertido pensar nisso. Seus dias na Comissão de Justiça estavam contados, e isso por si só a fez sorrir. O momento estava chegando, e o fato de não fazer a menor ideia do que iria fazer era emocionante.

Mas, enquanto isso não acontecia, ela tinha alguns casos para encerrar e alguns juízes para investigar. De modo geral, começava o dia com palavras de incentivo para si mesma, se forçando a voltar ao escritório, mas não naquele dia. Estava intrigada com Jeri Crosby e sua incrível história sobre o juiz assassino. Não sabia se era real, mas estava curiosa o suficiente para dar o próximo passo. E se fosse verdade? E se Lacy Stoltz encerrasse sua carreira com outro caso emblemático? Outro momento glorioso que ajudaria a resolver alguns casos sem solução e seria notícia nos jornais. Ela disse a si mesma para parar de sonhar e seguir em frente.

Tomou um banho rápido, passou alguns minutos fazendo o cabelo e a maquiagem, vestiu uma calça jeans e tênis, colocou comida e água para Frankie e saiu de casa. No primeiro cruzamento, passou por uma placa de "Dê a preferência", que sempre a lembrava da colisão de carro. Era estranho como determinadas coisas se tornavam gatilhos. Todas as manhãs ela olhava para a placa e o flashback surgia. A memória se desfazia em segundos e retornava no dia seguinte quando ela refazia o mesmo trajeto. Três anos se passaram desde aquele pesadelo, mas ela ainda era cautelosa ao volante, sempre dando passagem e nunca ultrapassando o limite de velocidade.

No extremo oeste da cidade, longe do Capitólio e do campus, ela parou em um antigo shopping, estacionou e às 8h05 entrou no Bonnie's Big Breakfast, um local onde não havia estudantes nem lobistas. Como sempre, estava lotado de vendedores e policiais. Ela pegou um jornal e escolheu um lugar ao balcão, não muito longe da janela da cozinha, por onde as garçonetes gritavam os pedidos para os cozinheiros, que respondiam de volta. No cardápio havia torradas com abacate e ovo pochê – sensacionais –, e Lacy se deliciava com a refeição pelo menos uma vez por mês. Enquanto aguardava, verificou o e-mail e as mensagens, e ficou feliz por conseguir transferir todas as tarefas importantes para o dia seguinte. Ela enviou uma mensagem para Darren avisando que não iria trabalhar.

Ele respondeu imediatamente e perguntou se ela ia pedir demissão.

Esse era o clima na Comissão de Justiça naqueles dias. Sempre havia a suspeita de que alguém estava pensando em dar o fora.

ÀS NOVE E MEIA, Lacy estava na interestadual 10 indo em direção ao oeste. Era 4 de março, uma terça-feira, horário e dia da semana em que recebia uma ligação de seu mais velho e único irmão, Gunther. Ele morava em Atlanta, onde trabalhava no ramo imobiliário. Independentemente das condições do mercado, ele estava sempre otimista e prestes a iniciar outro grande negócio, o tipo de conversa que Lacy não aguentava mais, só que não tinha escolha a não ser aguentar. Ele se preocupava com a irmã e geralmente insinuava que ela deveria largar o emprego e se juntar a ele para ganhar muito dinheiro. Lacy sempre recusava educadamente. Gunther vivia na corda bamba e parecia gostar de pegar novos empréstimos em um banco para pagar outro, sempre um passo à frente dos advogados interessados em sua falência. Construir mais shoppings nos subúrbios de Atlanta era a última coisa que ela se imaginaria fazendo. Outro pesadelo seria ter Gunther como chefe.

Eles sempre foram próximos, mas, depois da morte repentina de sua mãe há sete meses, se aproximaram ainda mais. E, Lacy suspeitava, havia o fato de seu processo estar pendente. Gunther acreditava que ela ganharia milhões e tinha criado o irritante hábito de dar conselhos sobre investimento para a irmã caçula. Ela sabia que um dia ele pediria dinheiro. Gunther vivia mergulhado em dívidas e era capaz de prometer o mundo para conseguir fazer outras.

– Ei, mana – disse ele alegremente. – Como estão as coisas por aí?

– Tudo bem, Gunther. E você?

– Me meti numa furada. Como tá o Allie? Como anda a vida amorosa?

– Bem sem graça. Ele tem passado muito tempo fora ultimamente. E a sua?

– Sem grandes novidades.

Recém-divorciado, ele vivia atrás de mulheres com o mesmo entusiasmo com que ia atrás de bancos, e ela sem dúvida não queria saber desse assunto. Depois de dois casamentos fracassados, ela o havia incentivado a ser mais seletivo, conselho que ele volta e meia ignorava.

– Parece que você tá dirigindo – disse ele.

– Tô indo pra Pensacola atrás de uma testemunha. Nada de mais.

– Você sempre diz isso. Ainda tá procurando outro emprego?

– Eu nunca disse que estava procurando outro emprego. Eu disse que estou ficando um pouco entediada com o meu.

– Por aqui é bem mais animado, garota.

– É, você já disse isso. Imagino que não falou com a tia Trudy nos últimos dias.

– Não, e não falarei enquanto puder evitar.

Trudy era a irmã da mãe deles, uma verdadeira intrometida que se esforçava demais para manter a família unida. Ela estava de luto pela morte repentina da irmã e queria compartilhar sua tristeza com os sobrinhos.

– Ela ligou dois dias atrás, parecia péssima – disse Lacy.

– Ela sempre parece péssima. É por isso que não aguento falar com ela. Estranho, né? A gente mal tinha contato com ela até a mamãe morrer, e agora ela quer muito ser nossa amiga.

– Ela tá sofrendo, Gunther. Dá um desconto.

– Quem não tá sofrendo atualmente? Opa, tem outra pessoa me ligando. É um banqueiro que quer colocar uma grana na minha mão. Tenho que ir. Te ligo mais tarde. Te amo, mana.

– Também te amo.

A maioria das conversas de terça-feira terminava quando ele precisava atender do nada alguma outra ligação mais importante. Lacy ficou aliviada, porque ele sempre perguntava sobre o processo. Ela ligou para Darren apenas para dar um oi e confirmar que ela voltaria no dia seguinte. Também ligou para Allie e deixou uma mensagem. Desligou o celular e ligou o som. *Adele ao vivo em Londres.*

5

Graças ao GPS, Lacy encontrou o Cemitério Brookleaf em uma parte antiga de Pensacola e parou o carro no estacionamento vazio. Logo à sua frente havia alguns hectares de lápides, monumentos e uma construção quadrada similar a um bunker, que só podia ser um mausoléu. Poucos enterros estavam acontecendo naquele dia, e havia apenas um outro carro no local.

Ela estava dez minutos adiantada, então ligou para Jeri.

– Você está no Subaru cor de cobre? – disse ela ao atender.

– Estou. E você?

– No cemitério. Entra pelo portão principal e passa pelas sepulturas antigas.

Lacy caminhou por uma trilha pavimentada, repleta de monumentos desgastados e jazigos de família, o último lugar para onde pessoas de outros séculos poderiam ir. Com o tempo, as sepulturas perderam o significado e deram espaço a lápides elaboradas. Olhando rapidamente para os lados, ela notou túmulos de poucas décadas. A trilha virou à esquerda e Jeri Crosby apareceu de trás de uma das poucas árvores que restavam.

– Oi, Lacy – disse ela com um sorriso.

– Oi, Jeri. Por que estamos nos encontrando em um cemitério?

– Imaginei que você fosse perguntar. Eu poderia dizer que é por questões de privacidade, pra mudar um pouco de ares ou outros motivos.

– Vamos falar então dos outros motivos.

– Muito bem. – Ela assentiu e disse: – Por aqui.

Elas passaram por centenas de lápides, e ainda era possível ver milhares ao longe. Em uma ligeira inclinação distante delas, uma equipe de coveiros trabalhava sob um dossel roxo. Outro caixão estava a caminho.

– Aqui – disse Jeri, saindo da trilha e contornando uma fileira de sepulturas.

Ela parou e apontou silenciosamente para o local onde descansava a família Leawood. Pai, uma filha ainda criança e o filho Thad, que nasceu em 1950 e morreu em 1991.

Lacy olhou para a lápide e, antes de perguntar, Jeri disse:

– Thad era um garoto que morava por aqui, foi pra faculdade, voltou e conseguiu um emprego como assistente social. Nunca se casou. Ele era escoteiro e adorava trabalhar com crianças. Era treinador de beisebol juvenil, dava aulas para crianças na igreja, coisas assim. Morava sozinho em um apartamentinho não muito longe daqui. Quando tinha 20 e poucos anos, se tornou chefe dos escoteiros da Tropa 722, uma das mais antigas da região. Ele tratava isso como um trabalho em tempo integral e parecia adorar cada minuto. Muitos de seus ex-escoteiros ainda se lembram dele com carinho. Outros, nem tanto. Por volta de 1990, ele pediu demissão e foi embora da cidade por causa de acusações de abuso e violência sexual. Aquilo virou um escândalo, e a polícia começou a investigar, mas não deu em nada porque as vítimas voltaram atrás. Dá para entender. Quem iria querer toda aquela atenção? Quando ele foi embora, as coisas se acalmaram e as vítimas não tocaram mais no assunto. A polícia perdeu o interesse. Depois que ele morreu, o caso foi arquivado.

– Ele morreu jovem – comentou Lacy, esperando por mais.

– Pois é. Ele morou em Birmingham por um tempo, depois ficou indo de lá pra cá. Foi encontrado em Signal Mountain, uma cidadezinha nos arredores de Chattanooga. Morava em um apartamento barato e trabalhava dirigindo uma empilhadeira em um armazém. Saiu pra correr uma noite e nunca mais voltou. Umas crianças encontraram o corpo dele na floresta. A mesma corda em volta do pescoço. Um golpe feio na cabeça, depois asfixia. Até onde eu sei, ele foi o primeiro, mas quem garante?

– Tenho certeza de que você tem uma pasta sobre ele.

– Claro que sim. O jornal de Chattanooga publicou algumas matérias, e o *Ledger* também. Um obituário curto. A família trouxe o corpo dele de volta pra uma cerimônia bem simples. E aqui está ele. Já viu o suficiente?

– Acho que sim.

– Vamos dar uma volta.

Elas seguiram a trilha em direção a seus carros.

– Entra que eu dirijo – disse Jeri. – Vai ser um passeio rápido. Já almoçou?

– Não. Não estou com fome.

Saíram do local no Toyota Camry branco de Jeri. Ela era extremamente cautelosa e olhava o tempo todo para o espelho retrovisor.

– Você age como se alguém estivesse te seguindo – comentou Lacy.

– É assim que eu vivo, Lacy. Estamos no território dele agora.

– Você não pode estar falando sério.

– Muito sério. Estou atrás dele há vinte anos e às vezes acho que ele está me seguindo. Ele está por aí, em algum lugar, e é mais esperto do que eu.

– Mas ele não está seguindo você, está?

– Não tenho certeza.

– Você não tem certeza?

– Acho que não.

Lacy mordeu a língua e deixou para lá.

A poucos quarteirões de distância, Jeri virou em uma rua mais larga e apontou para uma igreja.

– Essa é a Igreja Metodista de Westburg, uma das maiores da cidade. No porão, tem uma imensa sala de confraternização, e é onde a Tropa 722 sempre se reuniu.

– E Ross Bannick era um membro da tropa, é isso?

– Sim.

Elas passaram pela igreja e por várias ruas. Lacy se conteve para não fazer uma enxurrada de perguntas. Jeri estava contando a história em seu próprio ritmo. Ela virou na Hemlock, uma linda rua repleta de casas bem preservadas do período pré-guerra, com entradas de carro estreitas e canteiros de flores ao redor das varandas. Jeri apontou e disse:

– Aquela casa azul lá na frente, à esquerda. É onde a família Bannick morava. O Ross cresceu lá e, como você pode ver, dava para ele ir andando até a escola, a igreja e a reunião dos escoteiros. Os pais dele já morreram, e a irmã ficou com a casa. Ela é um pouco mais velha. Ele herdou algumas terras no condado de Chávez, e é lá que ele mora. Sozinho. Nunca se casou.

Elas passaram na frente da casa. Lacy finalmente perguntou:

– A família dele era conhecida?

– O pai era um pediatra muito querido e morreu aos 61 anos. A mãe era uma artista excêntrica que enlouqueceu e morreu em uma instituição psiquiátrica. A família era bastante conhecida na época. Eles eram membros da igreja episcopal que fica bem ali na frente. Aqui era um bairro pequeno, agradável e aconchegante.

– Ele alegou ter sido molestado por Thad Leawood?

– Não. E não havia nada que indicasse isso. Como te disse ontem, Lacy, eu não tenho provas. Apenas suposições baseadas em teorias infundadas.

Lacy quase deu uma resposta sarcástica, mas deixou para lá. Elas entraram em uma rua mais larga e seguiram em silêncio por alguns minutos. Após Jeri fazer a curva, as ruas se tornaram mais estreitas, com casas menores e gramados não tão bem cuidados. Ela apontou para a direita e disse:

– Lá em cima, a casa de madeira branca com a caminhonete marrom. Era onde os Leawood moravam. O Thad cresceu lá. Ele era quinze anos mais velho que o Ross.

Elas passaram pela casa.

– Quem mora lá agora? – perguntou Lacy.

– Não sei. Não importa. Os Leawood foram embora.

Jeri virou em um cruzamento e se afastou da área residencial. Elas estavam em uma estrada movimentada na direção norte.

– Então, vamos continuar passeando por quanto tempo? – perguntou Lacy por fim.

– Estamos quase chegando.

– Tá bem. Já que estamos aqui, posso fazer algumas perguntas?

– Claro. Pode perguntar.

– A cena do crime, em Signal Mountain, e a investigação. O que você sabe sobre isso?

– Praticamente nada. O crime aconteceu em uma área de corrida e caminhada, mas não houve testemunhas. De acordo com a autópsia, a morte ocorreu entre sete e oito da noite, em outubro. Leawood bateu o ponto no armazém às 17h05, o horário de sempre, e foi embora. Ele morava sozinho e era bastante reservado, tinha poucos amigos. Um vizinho viu ele saindo de seu apartamento pra uma corrida por volta das seis e meia, e até onde a polícia sabe, essa foi a última vez que ele foi visto. Ele morava na periferia, não muito longe do começo da trilha.

O trânsito diminuiu quando elas deixaram a periferia de Pensacola. Uma placa dizia: Cullman, 13km.

— Pelo visto vamos para Cullman — comentou Lacy.

— Sim. Vamos entrar no condado de Chávez em uns três quilômetros.

— Mal posso esperar.

— Tenha um pouco de paciência, Lacy. Isso não é fácil pra mim. Você é a única pessoa em quem eu confio. Você precisa confiar em mim também.

— De volta à cena do crime.

— Sim, de volta à cena do crime. A polícia não encontrou nada. Nenhum pelo, fio de cabelo ou tecido, nenhum objeto cortante, nada além da corda de náilon em volta do pescoço, amarrada com o mesmo nó, o nó fiel duplo.

— E era o mesmo tipo de corda?

— Sim. Era igual às outras.

Uma placa informava que estavam no condado de Chávez.

— Vamos fazer uma visita ao juiz Bannick? — perguntou Lacy.

— De jeito nenhum.

Elas entraram em uma rodovia de quatro pistas e começaram a cruzar a periferia de Cullman: fast-foods, hotéis de beira de estrada e shoppings surgiram no caminho.

— Mas então, o que a polícia fez?

— O de sempre. Os policiais investigaram, bateram de porta em porta, conversaram com outras pessoas que frequentavam o local e com colegas de trabalho, descobriram um ou dois amigos dele. Vasculharam o apartamento, não faltava nada, então a motivação não era furto. Eles fizeram de tudo, mas não chegaram a lugar nenhum.

— E isso foi em 1991?

— Foi. Um caso sem solução e sem pistas.

Lacy respirou fundo entre as perguntas, em busca de paciência.

— Com certeza você tem tudo isso em uma pasta.

— Tenho sim.

— Como você consegue essas informações da polícia? Todo mundo sabe que eles são extremamente cuidadosos com isso.

— Pedidos com base na liberdade de acesso à informação. Eles cumprem até certo ponto, mas você tem razão, nunca entregam tudo. Dizem que se trata de uma investigação em andamento e batem a porta na sua cara. Mas eles relaxam um pouco com casos mais antigos. Isso e o fato de eu ir até lá conversar com eles.

— Isso não acaba deixando um rastro?

– Talvez.

Elas pegaram uma saída e se guiaram por uma placa que apontava para o centro histórico.

– Você já foi a Cullman? – perguntou Jeri.

– Acho que não. Dei uma olhada ontem à noite, e a Comissão de Justiça não tem um caso aqui há vinte anos. Vários em Pensacola, mas as coisas andam tranquilas no condado de Chávez.

– Quantos condados você cobre?

– Mais do que deveria. Temos quatro investigadores no escritório de Tallahassee e três em Fort Lauderdale. São sete pessoas pra sessenta e sete condados, mil juízes, seiscentos tribunais.

– É suficiente?

– Na maior parte do tempo, sim. Felizmente, a grande maioria dos juízes se comporta, temos apenas algumas maçãs podres.

– Bem, tem uma aqui.

Lacy não respondeu. Elas estavam na rua principal. Jeri fez a curva, virou novamente e parou em um cruzamento. Do outro lado da rua havia uma entrada para um condomínio fechado. Atrás do portão, casas modernas com gramados bem cuidados.

– O Dr. Bannick comprou esse terreno quarenta anos atrás, e foi um bom investimento. Ele mora lá, e isso é o mais perto que a gente consegue chegar. Tem muitas câmeras vigiando.

– Perto o suficiente – disse Lacy se controlando para não perguntar que diferença faria saber onde ele morava. Enquanto se afastavam, disse: – Vamos pra polícia. Como você fala com eles sem deixar um rastro?

Jeri deu uma risada e abriu um sorriso, o que era raro.

– Criei um mundo fictício, Lacy, e nele eu tenho vários personagens. Posso ser uma jornalista freelancer, uma repórter, uma investigadora particular, até mesmo uma escritora, todas com nomes e endereços diferentes. Nesse caso, fingi ser uma repórter de Memphis trabalhando em uma longa matéria sobre casos não solucionados no Tennessee. Dei ao delegado meu cartão de visita, até mesmo um número de celular e um e-mail. Saias curtas e muito charme fazem milagres. São todos homens, sabe como é, o sexo frágil. Você dá mole pra eles e acabam se abrindo um pouco.

– Quantos celulares você tem?

– Ah, sei lá. Pelo menos meia dúzia – afirmou Jeri, e Lacy balançou a cabeça em descrença. – Além disso, você precisa lembrar que esse caso está praticamente esquecido. Há um motivo para ser considerado sem solução. A polícia percebeu que não tinha nada em que trabalhar e perdeu o interesse rapidinho. A vítima não era da cidade e não tinha família pra ficar no pé deles cobrando uma solução. O crime parecia completamente aleatório e impossível de resolver. Em alguns desses casos não solucionados, eles até gostam de ter uma pessoa diferente vasculhando o arquivo.

Estavam de volta à rua principal, na parte histórica. Um imponente tribunal de arquitetura grega surgiu à frente delas, bem no centro da cidade. A praça ao redor estava cheia de lojas e escritórios.

– Ele trabalha aqui – disse Jeri, olhando para o fórum. – Não vamos entrar.

– Já vi o suficiente.

– Tem câmeras por toda parte.

– Você realmente acha que o Bannick te reconheceria? Tipo, sério. Você nunca esteve pessoalmente com esse cara, e ele não faz ideia de quem você é nem do que anda fazendo, certo?

– Mas por que arriscar? Na verdade, esbarrei com ele uma vez, anos atrás. Era o primeiro dia de sessão e o fórum estava lotado, mais de cem jurados em potencial convocados para o serviço. Entrei no meio da multidão e dei uma olhada ao redor. A sala dele fica no segundo andar, e o gabinete é no final do corredor. Foi muito estranho, era quase insuportável estar no mesmo lugar que o homem que matou meu pai.

Lacy ficou impressionada com a certeza nas palavras dela. Mesmo sem nenhuma evidência, Jeri estava convencida de que Bannick era um assassino. E esperava que ela, Lacy, se envolvesse naquela história e, de alguma forma, descobrisse a verdade e trouxesse justiça.

Elas contornaram a praça e se afastaram do centro.

– Preciso de um café – disse Jeri. – E você?

– Claro. O passeio acabou?

– Sim, mas temos muita coisa pra conversar.

6

Na divisa da cidade, Jeri e Lacy pararam em um restaurante e entraram. Às duas e meia o lugar estava vazio, e elas escolheram uma mesa em um canto, longe do balcão completamente deserto. Jeri carregava uma sacola enorme. Lacy presumiu que estava cheia de documentos. Elas pediram café e beberam água enquanto esperavam.

– Você descreveu Thad Leawood como o primeiro várias vezes – disse Lacy. – Quem foi o segundo?

– Bom, não sei quantas vítimas são de fato, então não tenho como garantir que Thad tenha sido o primeiro. Até agora, descobri seis vítimas. Thad foi assassinado em 1991, e acho que o meu pai foi o segundo, no ano seguinte.

– Tá. E você não quer que eu anote nada.

– Ainda não.

– Danny Cleveland, o repórter, foi em 2009. Ele foi o terceiro então?

– Acho que não.

Lacy bufou, irritada.

– Desculpe, Jeri, mas tá muito difícil pra mim. Estou me sentindo frustrada de novo.

– Tenha um pouco de paciência. A terceira, pelo menos de acordo com a minha pesquisa, foi uma garota que ele conheceu na faculdade.

– Uma garota?

– Sim.

– E por que ele matou ela?

O café chegou e as duas se calaram. Jeri misturou com creme e ficou um tempo em silêncio. Ela olhou ao redor casualmente e disse:

– Depois a gente conversa sobre isso. Já falamos de três. É o suficiente por enquanto.

– Certo. Mas só por curiosidade... você conseguiu mais provas sobre as outras três vítimas?

– Na verdade, não. Tenho a motivação e o método. E só. Mas estou convencida de que todas estão ligadas a Bannick.

– Entendi. Ele está na magistratura há dez anos. Você acha que algum desses incidentes aconteceu depois que ele virou juiz? Acha que ele ainda tá nessa?

– Ah, sim. O último foi dois anos atrás, um advogado aposentado que morava em Florida Keys. Um cara importante e grosseiro que encontraram estrangulado em seu barco de pesca.

– Eu lembro disso. Kronkite ou algo assim?

– Kronke, Perry Kronke. Tinha 81 anos quando pescou seu último peixe.

– Esse caso ganhou muita visibilidade.

– Bem, pelo menos em Miami, onde a quantidade de advogados assassinados por habitante é maior do que em qualquer outro lugar. Isso que é talento.

– Tráfico de drogas.

– Claro.

– E a conexão com Bannick?

– Ele estagiou no escritório do Kronke no verão de 1989, depois foi dispensado, não ofereceram um emprego pra ele. Ele deve ter guardado muita mágoa, porque esperou duas décadas pra se vingar. A paciência dele é impressionante.

Lacy precisou de um tempo para assimilar aquilo. Tomou um gole de café e olhou pela janela.

Jeri se inclinou na direção de Lacy.

– Na minha opinião, enquanto pseudoespecialista em serial killers, esse foi o maior erro dele até agora. Ele matou um velho advogado que tinha muitos amigos e que em algum momento da vida teve uma boa reputação. Duas das vítimas dele eram homens importantes... Kronke e o meu pai.

– E as mortes deles aconteceram com vinte anos de diferença.

– Sim, esse é o modus operandi dele, Lacy. Não é comum, mas também não é algo inédito pra um sociopata.

– Desculpe, mas não tenho familiaridade com esses conceitos. Na maioria das vezes, lido com juízes psicologicamente sãos que fazem alguma besteira quando ignoram determinado caso ou misturam assuntos pessoais com o trabalho.

Jeri sorriu e tomou um gole de café. Olhou ao redor mais uma vez e então disse:

– Um psicopata tem um transtorno mental grave e um comportamento antissocial. Um sociopata é como um psicopata elevado ao quadrado. Não são exatamente definições médicas, mas é o mais próximo disso.

– Ok, vou ficar calada.

– A minha teoria é que o Bannick tem uma lista de pessoas que prejudicaram a vida dele. Pode ser algo banal como um professor de direito que o constrangeu ou algo devastador como um líder de escoteiros que abusou sexualmente dele. Ele provavelmente estava bem até ser estuprado quando era criança. É difícil imaginar como isso pode afetar alguém. É por isso que ele sempre teve dificuldade com as mulheres.

Mais uma vez, sua certeza era surpreendente. Fazia tanto tempo que ela estava atrás de Bannick que a culpa dele havia se tornado um fato incontestável.

– Já li uma centena de livros sobre serial killers – prosseguiu ela. – Desde tabloides de fofocas a artigos acadêmicos. Em tese, nenhum deles quer ser pego, mas ainda assim precisam que alguém de fora, seja a polícia, a família das vítimas ou a imprensa, saiba que eles estão ativos. Muitos são brilhantes, outros são inacreditavelmente burros. Vão de um extremo a outro. Alguns matam por décadas e nunca são pegos, outros enlouquecem e agem com pressa. Esses geralmente cometem erros. Alguns têm uma motivação clara, outros matam aleatoriamente.

– Mas em geral eles são pegos, certo?

– Difícil dizer. Os Estados Unidos têm uma média de quinze mil assassinatos por ano. Um terço deles nunca é resolvido. São cinco mil este ano, no ano passado, no ano anterior. Desde 1960, mais de duzentos mil. Há tantos homicídios não resolvidos que é impossível afirmar se essa ou aquela vítima morreu nas mãos de um serial killer. A maioria dos especialistas acredita que esse é um dos motivos para eles deixarem pistas. Querem que alguém saiba que eles estão por aí. Eles gostam do medo e do terror. Como eu disse, não querem ser pegos, mas querem que alguém saiba.

– Então ninguém, nem mesmo o FBI, sabe quantos serial killers estão à solta?

– Ninguém. E até hoje não sabem a identidade de alguns dos mais famosos. Eles nunca pegaram Jack, o Estripador, por exemplo.

Lacy não conseguiu conter o riso.

– Desculpe, mas é difícil acreditar que estou sentada aqui em Podunk, na Flórida, tomando esse café delicioso e falando sobre Jack, o Estripador.

– Por favor, não ria, Lacy. Eu sei que é bizarro, mas é tudo verdade.

– O que você quer que eu faça?

– Que acredite em mim. Você tem que acreditar em mim.

Lacy parou de sorrir e bebeu mais café. Depois de uma longa pausa, durante a qual nenhuma das duas fez contato visual, ela disse:

– Tá bem, sou toda ouvidos. Partindo da sua teoria, o que você quer dizer é que o Bannick deseja ser pego?

– Não, não. Ele é muito cauteloso, muito inteligente, muito paciente. Além disso, tem muito a perder. A maioria dos serial killers, assim como outros assassinos, são pessoas desequilibradas. O Bannick tem status, uma carreira bem-sucedida, provavelmente alguma herança. É um homem doente, mas criou uma boa fachada. Igreja, country club, coisas desse tipo. Ele frequenta bares, é presidente de uma sociedade histórica, até se arrisca como ator num grupo de teatro. Já vi duas apresentações dele, ruins demais.

– Você assistiu a uma peça dele?

– Assisti. Estava vazio, por um bom motivo, mas o teatro estava escuro. Não era arriscado.

– Ele não me parece antissocial.

– Como eu disse, ele criou uma boa fachada. Ninguém suspeitaria dele. Ele costuma inclusive ser visto na região de Pensacola de braços dados com uma loura qualquer. São várias, na verdade, provavelmente ele paga por isso, mas não tenho como provar.

– Como você sabe das louras?

– Redes sociais. Por exemplo, o comitê local da American Cancer Society realiza um baile de gala anual, black tie e tudo mais. O pai do Bannick, o pediatra, morreu de câncer, então ele se envolveu nisso. É uma festa importantíssima, e eles arrecadam muito dinheiro. Tudo que acontece vai parar na internet. Quase nada é privado hoje em dia, Lacy.

– Mas ele não posta nada.

– Nada. Ele não tem perfil em nenhuma rede social. Mas você ficaria surpresa com o que é possível desenterrar quando alguém vive on-line como eu.

– Mas você disse que tudo deixa um rastro.

– Sim, mas quando você entra na internet casualmente é difícil de rastrear. E eu tomo certas precauções.

Houve outra longa pausa enquanto Lacy se preparava para a próxima pergunta. Nervosa, Jeri aguardou, como se a revelação seguinte pudesse assustar sua nova confidente. A garçonete passou com um bule de café e encheu suas xícaras.

Lacy ignorou a dela e disse:

– Uma pergunta. Você disse que a maioria dos serial killers quer que alguém saiba que eles estão soltos por aí ou algo do tipo. Isso acontece com o Bannick?

– Ah, sim. Tem um velho ditado entre os investigadores do FBI que diz que "mais cedo ou mais tarde um homem deixa sua assinatura". Li isso em algum livro. Já li tanta coisa.

– É a corda?

– A corda. Ele sempre usa uma corda de náilon de um centímetro de espessura, geralmente utilizada em barcos, trançado duplo, não muito resistente, com cerca de setenta e cinco centímetros de comprimento. Ele a enrola duas vezes ao redor do pescoço com tanta força que a pele sempre acaba sendo cortada, depois prende com um nó fiel duplo, que provavelmente aprendeu na época de escoteiro. Tenho fotos da cena do crime de todos os assassinatos, menos do Kronke.

– Não acha isso perigoso?

– Talvez, mas tem alguém prestando atenção nisso? Seis homicídios, em seis jurisdições diferentes, seis estados diferentes, ao longo de vinte anos. Nenhum dos seis departamentos de polícia bateu as informações com os outros. A polícia simplesmente não funciona assim, e ele sabe disso.

– E apenas um na Flórida?

– Sim, o Sr. Kronke. Dois anos atrás.

– E onde foi isso?

– Na cidade de Marathon, em Florida Keys.

– Então por que você não vai até a polícia de lá e mostra os seus dossiês, tenta explicar pra eles a sua teoria?

– Boa pergunta. Talvez eu faça isso. Talvez eu precise fazer, mas tenho minhas dúvidas. O que você acha que a polícia vai fazer? Vão reabrir cinco casos arquivados de cinco outros estados? Duvido. A gente não pode esquecer que eu ainda não tenho provas, não tenho nada de concreto pra dar à polícia, e na maioria das vezes eles pararam de investigar.

Lacy tomou um gole de café e balançou a cabeça, ainda não convencida.

– E existe um motivo muito mais importante para eu não ir à polícia com tão poucas evidências – completou Jeri. – É assustador, na verdade.

– Você tem medo dele.

– Com certeza. Ele é esperto demais pra matar alguém e deixar pra lá. Há vinte anos eu trabalho com a hipótese de que ele está por aí, observando, ainda cobrindo seus rastros.

– E você quer que eu me envolva?

– Você precisa se envolver, Lacy. Não tenho mais ninguém.

– Não acredito nisso.

– Você acredita em mim?

– Não sei, Jeri. Realmente não sei. Sinto muito, mas nada disso faz sentido.

– Se nós não o detivermos, ele vai matar de novo.

Lacy tentou assimilar aquilo, abalada com o uso tão casual do pronome "nós". Ela afastou a xícara de café e disse:

– Jeri, por hoje chega. Preciso digerir tudo isso, pensar em todas essas coisas, tentar me orientar.

– Eu entendo, Lacy. E você precisa entender que estou nessa busca sozinha. Há muitos anos convivo com isso. Essa situação tem consumido a minha vida e várias vezes me levou ao limite. Foram horas de terapia e mesmo assim tenho um longo caminho pela frente. Isso acabou com o meu casamento e quase arruinou a minha carreira. Mas não posso desistir. Meu pai não vai permitir. Eu nem acredito que estou aqui agora, finalmente contando a alguém, uma pessoa em quem confio.

– Não fiz nada pra ganhar a sua confiança.

– Mas eu confio em você mesmo assim. Não tem mais ninguém. Preciso de uma amiga, Lacy. Por favor, não me abandone.

– Não é questão de te abandonar. A pergunta é: o que eu posso fazer? Nós não investigamos homicídios, Jeri. Isso é coisa pra polícia ou até para o FBI. Nós simplesmente não temos preparo pra um trabalho como esse.

– Mas você pode me ajudar, Lacy. Pode me ouvir, segurar minha mão.

Você pode investigar em algum nível. A Comissão de Justiça pode emitir intimações. No caso do cassino, você derrubou uma juíza corrupta e uma quadrilha inteira.

– Com muita ajuda de outras pessoas, principalmente do FBI. Não sei se você entende como funciona, Jeri. Nós não nos envolvemos em nada até que alguém apresente uma denúncia. Antes disso, nada acontece.

– A denúncia é anônima?

– No início, sim. Mas depois, não. Após a denúncia ser apresentada, nós temos 45 dias pra investigar as alegações.

– O juiz fica sabendo da investigação?

– Depende. Na maioria das vezes o juiz sabe que está envolvido. Quem faz a denúncia sempre deixa claro que está insatisfeito e que há um problema a ser resolvido. Alguns desses procedimentos se arrastam por meses, até anos. Mas não é nada incomum que o juiz seja pego de surpresa. Quando seguimos em frente com a investigação, o que é raro, o juiz recebe uma notificação formal.

– E a essa altura ele vai saber o meu nome?

– Geralmente é assim que funciona. Não me lembro de nenhum caso em que o denunciante tenha permanecido completamente anônimo.

– Mas isso é possível, certo?

– Preciso ver com a diretoria.

– Isso me assusta, Lacy. Meu sonho é pegar o homem que matou meu pai. Meu outro sonho é conseguir manter meu nome fora da lista dele. É muito perigoso.

Lacy olhou para o relógio e afastou a xícara mais um ou dois centímetros. Ela suspirou.

– Olha, já foi muita coisa por um dia e eu tenho uma longa viagem pela frente. Vamos fazer uma pausa.

– Claro, mas você tem que me prometer total confidencialidade. Combinado?

– Tudo bem, mas tenho que levar isso pra diretoria.

– Eles são confiáveis?

– É ela, e sim, é confiável. Esse é um trabalho delicado, como você pode imaginar. Estamos lidando com a reputação de juízes eleitos e valorizamos a discrição. Ninguém vai saber de nada até que seja necessário. Justo?

– Acho que sim. Mas você precisa me manter informada.

A VIAGEM DE VINTE MINUTOS de volta ao cemitério foi silenciosa. Para manter o clima leve, Lacy perguntou sobre a filha de Jeri, Denise, uma estudante de pós-graduação na Universidade de Michigan. Ela não se lembrava do avô e sabia pouco sobre sua morte. Jeri ficou curiosa para saber por que Lacy, uma mulher atraente e solteira, nunca havia se casado, mas a conversa não foi adiante. Lacy estava acostumada com esse tipo de pergunta e não tinha paciência para o assunto. Sua querida e falecida mãe a infernizou por anos com o papo sobre envelhecer sozinha e sem filhos, e Lacy era craque em desviar de intrometidos.

No cemitério, Jeri entregou a ela uma sacola de tecido.

— Aqui estão alguns documentos, apenas algumas coisas preliminares. Tem muito mais.

— Dos três primeiros, presumo.

— Exato. Meu pai, Thad Leawood e Danny Cleveland. Podemos discutir os outros mais pra frente.

A bolsa já estava pesada o suficiente, e Lacy não tinha certeza se queria ficar com ela. Mal podia esperar para entrar no carro, bater a porta e ir embora. Elas se despediram, prometeram conversar em breve e saíram do cemitério.

A meio caminho de Tallahassee, Lacy recebeu uma ligação de Allie. Ele chegaria tarde e queria relaxar em frente à lareira, comendo pizza e bebendo vinho. Ela não o via há quatro dias e de repente sentiu saudade dele. Sorriu com a ideia de abraçar um experiente agente do FBI e falar sobre algo que não fosse o trabalho deles.

7

Darren Trope entrou na sala dela bem cedo na quarta-feira de manhã e começou dizendo:

– Ora, ora. Como foi o dia de folga? Fez alguma coisa interessante?

– Na verdade, não.

– Sentiu nossa falta?

– Não, desculpe – respondeu Lacy com um sorriso.

Ela estava prestes a pegar uma pasta, uma das que estavam empilhadas no canto de sua mesa. Um juiz do condado de Gilchrist estava irritando tanto advogados quanto as partes envolvidas no processo com sua incapacidade de definir as datas das audiências. Havia rumores de que ele tinha problemas com álcool. Lacy havia relutantemente concluído que as alegações eram legítimas e estava se preparando para notificar Sua Excelência de que ele estava sob investigação.

– Dormiu até tarde? Um longo almoço em algum lugar chique com nosso amigo do FBI?

– Foi um dia livre, só isso.

– Bem, você não perdeu nada por aqui.

– Tenho certeza disso.

– Vou sair pra tomar um café decente. Quer alguma coisa?

– Claro, o de sempre.

Darren demorava cada vez mais quando saía para comprar café. Ele estava na Comissão de Justiça havia dois anos e mostrava todos os sinais de tédio e insatisfação com a carreira estagnada. Logo depois que ele saiu, Lacy fechou a porta e tentou se concentrar em mais um juiz bêbado. Uma hora se passou e, sem fazer grandes avanços, ela deixou a pasta de lado.

Maddy Reese era a colega de trabalho em quem Lacy mais confiava. Ela estava lá havia quatro anos, a segunda mais antiga entre os quatro advogados, depois de Lacy. Maddy bateu na porta ao passar pela sala dela e disse:

– Tem um minuto?

O último diretor da Comissão de Justiça havia imposto uma política de portas abertas que criou a ilusão de que era permitido interromper o trabalho dos outros a qualquer momento, e tornou praticamente impossível ter um pouco de privacidade. Mas ele não estava mais lá e, embora a maioria das portas das salas ficasse fechada, era difícil romper com velhos hábitos.

– Claro – respondeu Lacy. – E aí?

– A Cleo quer que você revise o caso Handy. Ela acha que a gente deveria se envolver.

Cleo era Cleópatra, o apelido secreto da atual diretora, uma mulher ambiciosa que tinha conseguido alienar todo o escritório em questão de semanas.

– Ai, o Handy de novo, não – disse Lacy, frustrada.

– Ai, sim. Parece que ele continua interferindo na legislação de zoneamento para favorecer um empreiteiro, que por acaso é amigo do sobrinho dele.

– Isso aqui é a Flórida. Não é algo incomum.

– Bem, os proprietários das terras vizinhas estão irritados e contrataram advogados. Fizeram outra denúncia contra ele na semana passada e as coisas parecem bastante suspeitas. Eu sei o quanto você ama casos de zoneamento.

– Eu vivo pra eles. Me traz a pasta que vou dar uma olhada.

– Obrigada. E a Cleo marcou uma reunião de equipe pra hoje às duas.

– Achei que esse sofrimento era só nas manhãs de segunda.

– Pois é. Mas a Cleo está criando as próprias regras.

Maddy saiu sem fechar a porta e Lacy olhou para a tela em sua mesa. Verificou sua caixa de entrada e analisou quais e-mails poderia ignorar ou adiar, até que parou em uma mensagem de Jeri Crosby.

Podemos conversar? Eu te ligo. O número é 776-145-0088. Seu celular não vai reconhecer.

Lacy passou um bom tempo olhando para o e-mail enquanto pensava em como evitar uma resposta. Ela se perguntou qual da meia dúzia de celulares Jeri estava usando, até que o dela tocou e o número apareceu.

– Oi, Jeri – disse ela enquanto caminhava até a porta para fechá-la.

– Obrigada por ontem, Lacy, você não faz ideia do que significou pra mim. Ontem consegui dormir pela primeira vez em uma eternidade.

"Bem, que bom que *você* conseguiu", ela pensou. Mesmo com o corpo quente de Allie ao seu lado, Lacy teve dificuldades para desligar a cabeça.

– Que bom, Jeri. Ontem foi muito interessante.

– Para dizer o mínimo. Então, como estão as coisas?

A pergunta a surpreendeu, e de repente Lacy percebeu que sua nova amiga talvez sentisse a necessidade de ligar todos os dias para receber atualizações.

– Como assim?

– Bem, o que você acha? O que fazemos a seguir?

– Ainda não pensei sobre isso – mentiu. – Passei um dia longe do escritório e ainda estou tentando colocar as coisas em dia.

– Claro, e eu não quero incomodar. Desculpe, mas estou tão aliviada por você ter aceitado o caso. Você não faz ideia de como isso tem sido solitário.

– Não tenho certeza se existe mesmo um caso, Jeri.

– Claro que existe. Você deu uma olhada nas pastas?

– Não, ainda não cheguei lá, Jeri. Estou ocupada com outras coisas agora.

– Entendo. Olha, precisamos nos encontrar novamente e falar das outras vítimas. Eu sei que é muita coisa pra digerir tão rápido, mas ouso dizer que nada na sua mesa pode ser tão importante quanto o Bannick.

Era verdade. Tudo parecia insignificante perto de alegações de homicídio contra um juiz.

– Jeri, não posso simplesmente deixar tudo de lado e abrir um novo caso. O meu envolvimento nisso precisa ser aprovado pela diretora. Já não expliquei isso?

– Acho que já. – Ignorando Lacy, ela continuou: – Hoje e amanhã estou dando aula, mas e no sábado? Vou até aí e podemos nos encontrar em algum lugar reservado.

– Passei três horas pensando sobre tudo isso enquanto voltava pra casa ontem e ainda não vejo como a Comissão de Justiça cuidaria disso. Nós simplesmente não temos condições de investigar um homicídio, seja de uma ou várias pessoas.

– Seu amigo Hugo Hatch morreu em uma colisão de carro premeditada, e, se não me engano, houve outro homicídio no caso do cassino. Certo, Lacy? Você estava envolvida nisso até o último fio de cabelo. – Seu tom estava se tornando agressivo, mas ainda havia fragilidade em sua voz.

– Nós conversamos sobre isso e eu expliquei que havia detetives de verdade nesse caso, inclusive o FBI – respondeu Lacy calmamente.

– Mas você fez isso acontecer, Lacy. Sem você, os crimes não teriam sido resolvidos.

– Jeri, o que você quer que eu faça? Que eu vá para três cidades diferentes pra vasculhar arquivos antigos e encontrar evidências que nem sequer existem? A polícia, os profissionais, não conseguiram encontrar nada. Você está tentando há vinte anos. Simplesmente não há provas suficientes.

– Seis pessoas mortas, todas exatamente da mesma maneira, e todas as seis tinham uma conexão com Bannick. E você acha que isso não é suficiente? Vamos lá, Lacy. Você não pode me decepcionar agora. Estou no meu limite. O que eu faço se você virar as costas pra mim?

"Não faço ideia. Só, por favor, vá embora."

Lacy bufou e disse a si mesma para ser paciente.

– Eu entendo, Jeri. Olha, tô ocupada agora. A gente conversa depois.

Se ela ouviu, não pareceu.

– Eu verifiquei, Lacy. Cada estado tem uma maneira diferente de lidar com denúncias contra juízes, mas quase todos permitem que o denunciante permaneça anônimo no início da investigação. Tenho certeza de que isso pode ser feito na Flórida.

– Você está disposta a fazer uma denúncia?

– Talvez, mas precisamos conversar um pouco mais. Aparentemente é possível fazer isso com um pseudônimo ou algo assim. Você não acha?

– Não tenho certeza agora, Jeri. Por favor, vamos conversar amanhã.

Assim que ela conseguiu encerrar a ligação, Darren chegou com seu café com leite de amêndoa, quase uma hora depois de ter saído para buscá-lo. Ela agradeceu e, quando ele deu a entender que queria ficar ali de bobeira com ela, Lacy disse que precisava fazer uma ligação. Ao meio-dia, ela saiu da sala, deixou o prédio e andou cinco quarteirões para almoçar com Allie.

A ARMA SECRETA da Comissão de Justiça era uma mulher muito idosa chamada Sadelle, uma assistente paralegal com muitos anos de experiência e que décadas antes havia desistido de prestar o exame da Ordem. Ela fumava três maços de cigarro por dia, muitos deles no escritório, e só parou quando foi diagnosticada com câncer de pulmão terminal. Repentinamente motivada, largou o vício e começou os preparativos para o fim. Sete anos depois, ela ainda estava lá, trabalhando mais do que qualquer outra pessoa. A Comissão era sua vida, e ela sabia e se lembrava de tudo. Era um arquivo ambulante, uma enciclopédia, uma especialista em maneiras pelas quais juízes eram capazes de destruir suas carreiras.

Após a reunião da equipe, Lacy lhe enviou um e-mail com algumas perguntas. Quinze minutos depois, Sadelle entrou na sala dela em sua cadeira motorizada, um tubo de oxigênio preso ao nariz. Embora sua voz fosse fraca, áspera, às vezes quase desesperada, ela gostava de falar. Às vezes até demais.

– Nós já fizemos isso antes – disse ela. – Consigo pensar em pelo menos três casos ao longo dos últimos quarenta anos em que a parte prejudicada estava assustada demais para se identificar. Talvez o maior deles tenha sido um juiz de Tampa que se envolveu com cocaína. Ele se perdeu completamente, e isso acabou virando um problema. Por causa de sua posição, ele achava difícil comprar. – Ela parou por um segundo para inspirar o oxigênio. – De qualquer forma, os problemas foram resolvidos quando um traficante apareceu para uma audiência no tribunal dele. Ele ficou amigo do cara, deu uma pena leve e acabou se envolvendo com o traficante, que estava metido com um traficante maior ainda. Com um fornecimento garantido, ele realmente chegou ao fundo do poço e tudo começou a dar errado. Ele não conseguia fazer seu trabalho, não conseguia ficar sentado na tribuna por mais de quinze minutos sem pedir uma pausa pra dar um teco rápido. Os advogados cochichavam aqui e ali, mas, como sempre, não queriam colocar a boca no mundo. Uma taquígrafa vinha observando de perto e sabia todos os podres. Ela entrou em contato com a gente, apavorada, é claro, porque a quadrilha tinha uns caras barra-pesada. No final, ela apresentou uma denúncia com um nome falso e nós demos entrada nas intimações e tudo mais. Ela até arrumou alguns documentos, e conseguimos muitas provas. A gente estava se preparando pra trazer o FBI pra jogada, mas o juiz concordou em renunciar ao cargo, então acabou nunca sendo indiciado. – Seu semblante se contorceu quando ela aspirou mais oxigênio.

– O que aconteceu com ele?

– Se matou. Chamaram de overdose acidental, mas pareceu suspeito. Se entupiu de pó. Acho que ele morreu do jeito que queria.

– Quando foi isso?

– Não lembro a data exata, mas foi antes de você trabalhar aqui.

– O que aconteceu com a taquígrafa?

– Nada. Nós protegemos a identidade dela e ninguém nunca descobriu. Então, sim, dá pra fazer.

– E os outros dois casos?

– A mesma coisa, anônimos. Não tenho certeza, mas posso procurar. Pelo que me lembro, os pedidos foram indeferidos logo depois da análise inicial, então não houve muitas alegações. – Outra pausa para recarregar, então ela perguntou: – Que tipo de caso você tem?

– Homicídio.

– Uau, pode ser divertido. Não consigo me lembrar de nenhum desses, além do caso do cassino. Acha que é verdade?

– Não sei. Esse é o desafio agora. Tentar entender o que aconteceu.

– Uma alegação de homicídio contra um juiz.

– Sim. Talvez.

– Gostei. Não hesite em me manter informada.

– Obrigada, Sadelle.

– Não precisa agradecer.

Sadelle encheu os pulmões cheios de cicatrizes, virou a cadeira para o outro lado e se foi.

8

O nome do pintor era Lanny Verno. No final da tarde de uma sexta-feira do mês de outubro anterior, ele estava no topo de uma escada na sala de uma casa inacabada, uma das várias situadas em uma rua não pavimentada no subúrbio da cidade de Biloxi. Estava retocando o canto entre a parede de três metros e meio de altura e o teto, um galão de tinta branca em uma mão, um pincel de cinco centímetros na outra. Estava sozinho; seu colega de trabalho já havia encerrado o dia e ido para o bar. Lanny olhou para o relógio e balançou a cabeça. Ainda trabalhando, depois das cinco de uma sexta-feira. Um rádio na cozinha tocava os sucessos mais recentes.

Estava ansioso para ir ao bar também, para uma noite agitada bebendo cerveja, e já estaria lá se não tivessem prometido a ele que seria pago ainda naquele dia. O empreiteiro disse que passaria na casa no final do expediente, e Lanny estava ficando cada vez mais irritado com o passar do tempo.

A entrada estava aberta, mas a música acabou abafando o som da porta da caminhonete se fechando no acesso à garagem.

Um homem apareceu na sala e o cumprimentou de maneira amigável:

– Meu nome é Butler, sou inspetor do condado.

– Entra – disse Verno sem nem olhar para o homem direito.

A casa era um canteiro de obras, e muitas pessoas entravam e saíam.

– Trabalhando até tarde? – comentou Butler de um jeito arrastado.

– Sim, tô pronto pra uma cerveja.

– Tem mais alguém aqui?

– Não, só eu, e já tô de saída.

Verno olhou para baixo novamente e notou que o inspetor usava protetores descartáveis nos sapatos, de um azul suave. "Estranho", pensou. Ambas as mãos estavam cobertas com luvas descartáveis da mesma cor. "Esse cara deve ter paranoia com sujeira." A mão direita segurava uma prancheta.

– Onde fica mesmo o quadro de luz?

Verno assentiu.

– No final do corredor.

Ele mergulhou o pincel no balde e continuou pintando.

Butler saiu da sala, seguiu pelo corredor, verificou os três quartos e os dois banheiros, e rapidamente se encaminhou para a cozinha. Olhou pela janela da sala de jantar e não viu ninguém. Sua caminhonete estava estacionada na entrada da garagem, atrás do que só poderia ser o carro do pintor. Ele voltou para a sala e, sem dizer uma palavra sequer, empurrou a escada. Verno gritou enquanto tombava e caía sobre a lareira, sua cabeça batendo com força no tijolo. Atordoado, tentou se arrastar e se colocar de pé, mas era tarde demais.

Do bolso direito da calça, Butler tirou um bastão de aço de vinte centímetros com uma bola de chumbo de 350 gramas na ponta, que carinhosamente chamava de Leddie. Ele agitou o bastão habilmente, e a haste retrátil dobrou de tamanho e depois triplicou. Ele chutou as costelas de Verno e as ouviu rangerem. O pintor gritou de dor e, antes que pudesse emitir qualquer outro ruído, a bola de chumbo acertou a parte de trás de seu crânio, quebrando-o como uma casca de ovo. Ele estava praticamente morto. Se fosse deixado lá sozinho, seu corpo perderia os sinais vitais rapidamente, seu coração bateria cada vez mais devagar e então ele pararia de respirar. Mas Butler não podia esperar tanto assim. Do bolso esquerdo da calça, tirou um pequeno pedaço de corda – náilon, um centímetro de espessura, de uso náutico, trançado duplo, azul e branca. Rapidamente, deu duas voltas com a corda no pescoço de Verno, depois enfiou o joelho em sua coluna, entre as omoplatas, e puxou as duas pontas da corda com força, distendendo o pescoço dele para trás até as vértebras superiores começarem a estalar.

Em seus segundos finais, Verno grunhiu uma última vez e tentou se mover, como se seu corpo lutasse instintivamente para se salvar. Ele não era um homem pequeno e foi notoriamente brigão na juventude, mas, com uma corda cortando seu pescoço e o crânio fraturado, seu corpo havia perdido toda a força. O joelho em suas costas o mantinha imobilizado enquanto o monstro tentava decapitá-lo. Seu último pensamento talvez tenha sido de espanto, diante do poder e da força do cara usando os ridículos protetores de sapato.

Butler aprendera anos antes que era preciso ter aptidão para lutar. Naqueles segundos cruciais, força e rapidez eram tudo. Durante trinta anos ele malhou, praticou karatê e taekwondo, e nada disso era para sua saúde ou para impressionar as mulheres, mas para evitar ataques surpresa.

Após dois minutos de estrangulamento, Verno ficou mole. Butler apertou ainda mais, depois amarrou as pontas da corda como um marinheiro experiente e concluiu com um perfeito nó fiel duplo. Ele se levantou, tomando cuidado para evitar o sangue que havia respingado, e parou alguns segundos para admirar seu trabalho. O sangue o incomodava. Havia muito espalhado pelo chão, e ele odiava bagunça na cena do crime. Suas luvas cirúrgicas estavam cobertas de sangue e havia algumas pequenas manchas em sua calça cáqui. Deveria ter vestido uma calça preta. Onde estava com a cabeça?

Mesmo assim, ele admirava a cena. O corpo estava virado para baixo, braços e pernas em ângulos estranhos. O sangue saía lentamente do cadáver, fazendo um belo contraste com o novo piso de pinho. A tinta branca havia respingado pela lareira e contra a parede, chegando até a uma das janelas. A escada caída de lado dava um toque agradável. Se alguém entrasse no local, poderia pensar que Verno havia sofrido uma queda feia e batido com a cabeça. Mais um passo adiante, porém, e a corda contaria outra história.

Lista de tarefas: arredores, celular, foto, sangue, pegadas. Ele olhou pela janela e não viu nenhum movimento na rua. Foi até a cozinha e lavou as luvas, depois limpou tudo cuidadosamente com uma toalha de papel que enfiou no bolso. Fechou as duas portas dos fundos e as trancou. O celular de Verno estava na bancada, ao lado do rádio. Butler baixou o som do rádio para poder ouvir o telefone caso tocasse e enfiou o aparelho no bolso de trás. Pegou sua prancheta e caminhou até o hall de entrada, onde parou e respirou fundo. "Não desperdice nenhum segundo, mas jamais se apresse."

Ele estava prestes a alcançar a maçaneta da porta da frente quando ouviu o barulho de um carro. Então uma porta bateu. Ele entrou na sala de jantar e olhou pela janela. "Merda."

Um Dodge Ram enorme estava estacionado no meio-fio. Na porta do motorista lia-se *Dunwoody Custom Homes*. Com um envelope na mão, o motorista cruzou o jardim. Altura e peso medianos, cerca de 50 anos, mancando levemente. Ele entraria e imediatamente veria o corpo de Verno na sala à sua esquerda. Daquele momento em diante, não teria consciência de mais nada.

O assassino calmamente se posicionou, a postos com sua arma.

– Verno, cadê você? – gritou o homem, a voz rouca. Passos, uma pausa, então: – Lanny, você tá bem?

Ele deu três passos para dentro do cômodo antes que a bola de chumbo quebrasse a parte de trás de seu crânio. Caiu com força, quase em cima de Verno, atordoado e ferido demais para olhar para trás. Butler o acertou mais uma vez, depois outra, cada golpe estilhaçando seu crânio e espalhando mais sangue pela sala.

Butler não havia levado corda suficiente para dois estrangulamentos. Além disso, Dunwoody não merecia passar por isso. Só pessoas especiais ganhavam a corda. Dunwoody gemia e se debatia enquanto morria aos poucos. Ele virou a cabeça e olhou para Butler, os olhos vermelhos e vidrados, incapazes de enxergar. Tentou dizer alguma coisa, mas apenas grunhiu de novo. Por fim, caiu com força de barriga para baixo e parou de se mover de vez. Butler esperou pacientemente e o observou dar seus últimos suspiros. Quando parou, Butler tirou o celular de um bolso pequeno do casaco e o adicionou à sua coleção que crescia mais a cada dia.

De repente, sentiu como se estivesse lá por uma hora. Verificou a rua mais uma vez, saiu pela porta da frente, então a trancou – todas as três portas estavam trancadas agora, o que dificultaria um pouco o acesso – e subiu em sua caminhonete. Aba do boné abaixada, óculos escuros, embora o dia estivesse nublado. Desceu com o carro para a rua e foi embora devagar, apenas mais um inspetor encerrando uma semana agitada.

Estacionou em um shopping, longe das lojas e suas câmeras. Tirou as luvas cirúrgicas e as capas dos sapatos e as colocou em uma sacola. Pôs os dois celulares roubados em cima do banco, onde poderia vê-los e ouvi-los. Tocou em um deles e o nome MIKE DUNWOODY apareceu na tela. Tocou no outro e viu o nome LANNY VERNO. Ele não pretendia ser pego com os aparelhos e em breve daria um jeito de se livrar deles. Passou um bom tempo sentado enquanto organizava os pensamentos.

Verno sabia que aquilo estava por vir. Havia muito tempo que seu nome estava na lista, enquanto ele vagava de uma cidade para outra, de um relacionamento ruim para outro, vivendo com dinheiro contado. Se ele não fosse preguiçoso e imprestável, sua vida talvez tivesse algum valor. Sua morte precoce poderia ter sido evitada. Ele havia assinado sua sentença de morte anos antes, quando ameaçou a integridade física de Butler.

O erro de Dunwoody foi simplesmente um timing ruim. Ele nunca tinha visto Butler na vida e definitivamente não merecia um fim tão cruel. Danos colaterais, como dizem nas Forças Armadas, mas naquele momento Butler não estava nem um pouco feliz com o que fizera. Ele não matava pessoas inocentes. Dunwoody provavelmente era um homem bom, com família, trabalho, talvez até fosse à igreja e brincasse com seus netos.

O celular de Dunwoody tocou precisamente às 19h02. Marsha estava ligando. Não mandou mensagem. Ela esperou seis minutos e ligou de novo.

"Provavelmente é a esposa dele", pensou Butler. Era muito triste, mas ele não tinha capacidade de sentir compaixão ou remorso.

Dano colateral. Jamais tinha acontecido antes, mas ele estava orgulhoso da maneira como lidou com a situação.

MIKE DUNWOODY TINHA parado de beber anos antes, e suas noites de sexta-feira no bar eram coisa do passado. Marsha não estava preocupada com uma recaída, embora ainda tivesse lembranças vívidas dos dias em que os amigos dele e ela iam procurá-lo de bar em bar. Quando se falaram naquela tarde, ela tinha sido específica: passe no mercado e compre meio quilo de macarrão e alho. Ela faria espaguete, e a filha estava indo jantar com eles. Ele imaginou que estaria em casa por volta das seis, depois de passar em uma obra para pagar os funcionários. Com uma dúzia de operários envolvidos na construção de oito casas, ele vivia no celular e, se não atendia uma ligação, geralmente significava que estava em outra chamada. Se perdia uma ligação, em especial uma da esposa, retornava quase imediatamente.

Às 19h31, Marsha ligou para ele pela terceira vez. Butler olhou para a tela e quase sentiu pena, mas o sentimento durou apenas um segundo.

Ela ligou para o filho e pediu que fosse até a obra procurar o pai.

Ninguém ligou para Verno.

BUTLER DIRIGIA PELAS ESTRADAS do condado rumo ao norte, se afastando da costa. Imaginava que àquela altura os corpos houvessem sido encontrados e a polícia já soubesse que os celulares haviam desaparecido. Era hora de se livrar deles. Chegou à cidade de Neely, quatrocentos habitantes, e passou por ela. Já estivera lá antes, na época em que ainda era escoteiro. O único comércio que parecia estar aberto em uma noite de sexta-feira era uma cafeteria em uma ponta do assentamento. O correio ficava do outro lado, com uma antiga caixa azul do lado de fora, perto de uma estradinha de cascalho. Butler estacionou em frente ao minúsculo edifício, desceu do carro, caminhou até a porta, abriu-a, entrou no saguão apertado e viu uma parede repleta de pequenas caixas postais. Ele não avistou câmeras do lado de dentro ou de fora, então saiu do prédio e casualmente jogou um envelope acolchoado na caixa de depósito.

DALE BLACK ERA O XERIFE do condado de Harrison. Ele tinha acabado de jantar com a esposa e levado o cachorro para passear. Sua esposa já estava do lado de fora, esperando, checando o celular. O telefone dele vibrou e ele sentiu vontade de xingar alguém. Era ele quem recebia as chamadas na delegacia, e qualquer ligação às oito da noite de uma sexta-feira não era boa notícia.

Vinte minutos depois, ele chegou ao local do crime e foi recebido por uma quantidade impressionante de luzes de emergência. Um de seus assistentes, Mancuso, se aproximou dele no meio-fio. O xerife olhou para uma das caminhonetes.

– Essa é a picape de Mike Dunwoody – disse ele.
– Pode apostar que sim.
– Cadê o Mike?
– Lá dentro. Uma das vítimas.
– Morto?
– Sim. Traumatismo craniano, eu diria. – Mancuso acenou em direção ao outro lado da rua, para outra caminhonete. – Você conhece o filho dele, o Joey?
– Claro.
– É ele ali. Apareceu aqui procurando o pai, viu a caminhonete, foi até a casa, mas as portas estavam trancadas. Ele pegou uma lanterna e olhou

pela janela da frente, viu os dois corpos no chão. Ele não foi entrando, teve o bom senso de ligar pra gente.

– Ele deve estar arrasado.

– Arrasado é pouco.

Eles seguiram pela entrada da garagem em direção à casa, passando por outros policiais e socorristas, todos aguardando até poderem fazer alguma coisa.

– Chutei a porta da cozinha, entrei, dei uma olhada, mas falei para ninguém entrar até você chegar.

– Bom trabalho.

Eles entraram na casa pela cozinha e acenderam todos os interruptores de luz. Pararam na entrada da sala e tentaram assimilar aquele horror. Dois corpos sem vida, rostos para baixo, cabeças ensanguentadas, poças vermelho-escuras ao redor deles, tinta respingada, a escada caída de lado.

– Você tocou em alguma coisa? – perguntou Black.

– Nadinha.

– Suponho que esse seja o Mike – disse Black, assentindo.

– Sim.

– E o pintor?

– Não faço ideia.

– Parece que ele tem uma carteira no bolso. Pega.

Ele a pegou e encontrou uma carteira de motorista do Mississippi emitida para um tal de Lanny L. Verno, endereço em Gulfport. O xerife e o assistente olharam para a cena por alguns minutos, sem dizer nada, até que Mancuso perguntou:

– Tem algum palpite?

– Você quer dizer teorias sobre o que aconteceu?

– Tipo isso. O Joey disse que o pai estava fechando a semana, pagando os funcionários.

Black coçou o queixo.

– Então o Verno aqui foi atacado, derrubado da escada por alguém que não ia com a cara dele. Rachou o crânio e depois finalizou com a corda. Aí o Mike apareceu na hora errada e teve que ser abatido. Dois homicídios. O primeiro foi bem planejado e aconteceu por algum motivo. Já o segundo não foi, mas serviu pra encobrir o primeiro. Concorda?

– Não consigo pensar em mais nada.

– Muito provavelmente, esse é o trabalho de alguém que sabe o que tá fazendo.

– Ele trouxe a corda.

– Acho que devíamos chamar a polícia estadual. Não precisamos ter pressa. Vamos proteger o local e deixar que eles se preocupem com a perícia.

– Boa ideia.

ELE NUNCA TINHA retornado ao local de um crime. Havia lido inúmeras histórias, algumas fictícias, outras supostamente verdadeiras, sobre assassinos que se excitavam ao voltar. E ele nunca tinha planejado fazer isso, mas de repente aquele pareceu ser o momento certo para essa experiência. Ele não tinha cometido nenhum erro. Ninguém fazia a menor ideia. Sua caminhonete cinza era parecida com milhares de outras na região. A placa falsa do Mississippi pareciam perfeitamente autênticas. E se, por algum motivo, se sentisse ameaçado, poderia muito bem abortar a missão e ir embora.

Sem pressa, ziguezagueou de volta para a obra. Viu luzes antes de chegar à rua. Foi bloqueado por viaturas. Ao passar, acenou para o policial e olhou para além dele. Milhares de luzes vermelhas e azuis iluminavam a rua. Algo muito ruim devia ter acontecido por lá.

Seguiu apressado, mas definitivamente não sentiu qualquer emoção.

POUCO ANTES DAS DEZ DA NOITE, o xerife Black e o assistente-chefe Mancuso chegaram à cidade de Neely. No banco traseiro estava Nic, um universitário de 20 anos que trabalhava na delegacia como técnico de informática. Ele olhava para seu iPad e dava as direções.

– Estamos chegando perto – disse ele. – Vire à direita. Parece estar nos correios.

– Na agência dos correios? – perguntou Mancuso. – Por que ele deixaria um celular roubado nos correios?

– Porque precisava se livrar dele – explicou Black.

– Por que não jogou no rio?

– Sei lá. Você vai ter que perguntar pra ele.

– Muito perto agora – disse Nic. – Bem aqui.

Black parou no estacionamento de cascalho e os três olharam para a escura e deserta agência dos correios de Neely. Nic deslizou o dedo no iPad e disse:

— Tá bem ali, naquela caixa azul.

— Claro — disse Mancuso. — Faz todo o sentido.

— Quem é o responsável pela agência? — perguntou Black.

— Quem ia querer essa função? — perguntou Mancuso.

Nic digitou alguma coisa na tela do iPad.

— Herschel Dereford — disse ele. — Aqui tá o número dele.

Herschel dormia tranquilamente em sua casinha a oito quilômetros de Neely quando atendeu a chamada de emergência de um tal xerife Black. Ele precisou de alguns minutos para conseguir absorver todas as informações. A princípio, relutou em se envolver, disse que, de acordo com as diretrizes federais, não tinha autoridade para abrir "sua" caixa de depósito e permitir que as autoridades locais pegassem "sua" correspondência.

O xerife Black o pressionou um pouco mais e disse que dois homens haviam sido assassinados naquela noite, não muito longe dali, e que eles estavam atrás do autor do crime. Um aplicativo de rastreamento de celular os levou a Neely, à agência "dele", e, bem, eles precisavam ter acesso ao aparelho imediatamente. Isso assustou Herschel o suficiente para que ele concordasse em ir até lá. Apareceu quinze minutos depois, mas não tinha ficado nem um pouco feliz com isso. Murmurou algo sobre violações da lei federal enquanto chacoalhava as chaves. Explicou que recolhia a correspondência todos os dias, precisamente às cinco da tarde, quando fechava a agência. Um caminhão de Hattiesburg ia até lá recolher. Como já eram quase onze, não tinha esperança de que houvesse nenhuma outra correspondência na caixa.

— Pega o seu celular e filma tudo — disse o xerife Black a Nic.

Herschel girou uma chave e a portinha na frente da caixa se abriu. Tirou de dentro uma caixa quadrada de alumínio e a apoiou no chão. Não era fechada em cima, e havia um envelope dentro. Mancuso o iluminou com uma lanterna.

— Eu disse que não ia ter muita coisa — disse Herschel.

— Vamos devagar agora — orientou o xerife Black. — Muito bem, vou ligar pro número de Mike Dunwoody. Entenderam?

Os demais assentiram enquanto olhavam para o pequeno pacote.

Depois de uns segundos, o envelope começou a emitir um ruído de campainha.

O xerife Black encerrou a chamada. Sem pressa, disse:

– Agora vou ligar pro número de Lanny Verno, o que a namorada dele deu pra gente.

Ele digitou o número, esperou, e do envelope veio o refrão de "On the Road Again", de Willie Nelson. Exatamente como a namorada disse.

Nic continuava filmando, enquanto Mancuso segurava uma lanterna, e Herschel parecia perdido, sem saber o que fazer. Então o xerife explicou calmamente:

– Agora que ligamos pros dois números, é provável que ambos os aparelhos estejam no envelope. – Ele enfiou a mão no bolso de sua parca e tirou um par de luvas cirúrgicas. Nic filmava tudo. Black continuou: – Agora vou pegar o envelope, mas não vamos abrir aqui. É melhor entregar ao centro de criminalística do estado e deixar que os peritos analisem o conteúdo.

Ele se abaixou, delicadamente pegou o envelope, levantou-o para que todos vissem e para Nic filmar, então o virou. No outro lado, estava colada uma etiqueta, onde um endereço estava impresso com uma fonte esquisita: Cherry McGraw, Rua 114, n. 72, Biloxi, Mississippi, CEP 39503.

Ele soltou o ar com força.

– Merda – murmurou ele, e quase deixou cair o envelope.

– O que foi, chefe? – perguntou Mancuso.

– Esse é o endereço da minha filha.

SUA FILHA FICOU PREOCUPADA, mas estava bem. Tinha se casado há menos de um ano e morava perto dos pais. Seu marido cresceu no interior, era um ávido caçador e tinha uma bela coleção de armas. Ele assegurou ao xerife que estavam seguros e que não corriam riscos.

Um assistente foi designado para ficar de tocaia na frente da casa do xerife. A Sra. Black jurou ao marido que estava segura.

Na volta, Nic, no banco de trás, disse por fim:

– Acho que ele não pretendia mandar os celulares pra sua filha.

O xerife Black não tinha paciência com principiantes, estava preocupado e não queria ouvir teorias de um universitário que poderia ser confundido com um garoto de 14 anos.

– Tá – disse ele.

– Ele sabia que a gente encontraria os aparelhos, simples assim. Existem pelo menos umas dez maneiras diferentes de encontrar um celular perdido, ele sabia que isso ia acontecer. De acordo com o responsável pela agência, a correspondência de sexta-feira só é coletada na segunda-feira, após as cinco da tarde. Era impossível que o pacote ficasse lá por 72 horas sem ser encontrado. Ele com certeza sabia disso.

– Então, por que endereçar o envelope pra minha filha?

– Não sei. Provavelmente porque ele é um psicopata muito inteligente. Muitos deles são.

– Ele só queria se divertir um pouco, é isso? – disse Mancuso.

– Ha-ha.

O xerife não estava com disposição para conversar. Sua mente estava em conflito, cenários assustadores surgiam em sua cabeça, e as perguntas continuavam sem resposta.

9

O apelido Cleópatra a acompanhava desde o Conselho de Turismo, um órgão estatal muito maior, onde trabalhou por alguns anos como advogada. Antes disso, teve breves passagens por repartições estaduais que tratavam de assuntos como saúde mental, qualidade do ar e controle da erosão costeira. Era impossível descobrir quem a rotulara de "Cleópatra", e ninguém sabia se ela suspeitava que seus subordinados a chamavam assim. O apelido acabou pegando porque de fato se encaixava, e, além disso, ela se parecia com a versão de Elizabeth Taylor no papel. Cabelos pretos como breu, lisos e compridos com franjas horrendas que faziam cócegas em suas sobrancelhas grossas e deviam exigir cuidados constantes; camadas de base que se esforçavam para preencher as rachaduras e rugas que o Botox não conseguia resolver; e toneladas de delineador e rímel. Talvez Charlotte tivesse sido bonita no passado, mas os anos de trabalho frenético e procedimentos malfeitos prejudicaram sua aparência. Qualquer advogada de quem a reputação e as fofocas se concentrassem em sua maquiagem e em suas roupas apertadas, e não em suas habilidades jurídicas, estava fadada a trabalhar no submundo da profissão.

Ela tinha outros problemas com sua imagem. Gostava de saias muito curtas que revelavam suas coxas grossas demais. Fora do trabalho, usava saltos de 15 centímetros finíssimos que fariam uma stripper ficar com pena. Eram fora do normal e dolorosos de usar, por isso ela ficava descalça em sua sala. Não tinha nenhuma noção de moda, o que era bom na Comissão de Justiça, onde andar malvestido se tornou fashion. O problema de Charlotte era que ela se considerava uma verdadeira criadora de tendências. Mas ninguém as seguia.

Lacy tinha sido cautelosa desde o início por dois motivos. O primeiro era que Cleo tinha fama de oportunista, estava sempre à espreita de um trabalho melhor, algo que não era incomum em órgãos públicos. O segundo estava relacionado ao primeiro, mas era muito mais problemático. Cleo não gostava de outras advogadas e as via como ameaças. Ela sabia que a maioria das contratações era feita por homens e, como toda a sua carreira se baseava no próximo passo, não tinha tempo para as garotas.

– Acho que estamos com um problema sério – disse Lacy.

Cleo franziu o cenho, embora as rugas em sua testa estivessem bem escondidas pela franja.

– Muito bem. Vamos ver.

Era o fim do expediente de uma quinta-feira e a maioria dos outros funcionários já tinha ido embora. A porta da grande sala de Cleo estava fechada.

– Estou esperando uma denúncia que será apresentada com um pseudônimo e acho que será difícil de lidar. Não sei exatamente o que fazer.

– Quem é o juiz?

– Não identificado até o momento. Tribunal federal, dez anos de magistratura.

– Você vai me fazer implorar pelos podres?

Cleo se considerava um osso duro de roer, uma advogada sensata com pouco tempo para conversa fiada ou bobagens. Apenas dê a ela os fatos, porque certamente saberá o que fazer.

– O suposto delito é homicídio.

Sua franja balançou levemente.

– Cometido por um juiz?

– Foi o que eu acabei de dizer.

Lacy não era rude, mas sempre que conversava com Cleo ela levantava a guarda, a língua pronta para revidar ou até mesmo para atacar primeiro.

– Sim, você disse. Quando foi o suposto homicídio?

– Bem, foram vários. Supostamente. O último foi há cerca de dois anos, na Flórida.

– Vários?

— Sim, vários. A pessoa que vai apresentar a denúncia acha que pode ter havido seis nos últimos vinte anos.

— Você acredita nele?

— Eu não disse que era *ele*. E não sei no que acredito no momento. Mas acredito, sim, que ela ou ele está prestes a fazer uma denúncia aqui na Comissão de Justiça.

Cleo se levantou, muito mais baixa sem os saltos, e caminhou até a janela atrás de sua mesa. Dali, ela tinha uma vista esplêndida de dois outros edifícios de repartições estaduais.

— Bem, a pergunta mais óbvia é: por que essa pessoa não foi à polícia? — disse ela olhando para o vidro. — Tenho certeza de que você fez essa pergunta, certo?

— De fato, foi a minha primeira pergunta. A resposta foi que a polícia não é confiável, não nesse momento. Ninguém é confiável. E não há evidências suficientes para provar nada.

— Então o que essa pessoa tem?

— Algumas coincidências bastante convincentes. Os homicídios ocorreram ao longo de um período de vinte anos e em vários estados diferentes. Nenhum foi solucionado. Em algum momento da vida do juiz, ele cruzou com cada uma de suas vítimas. E ele tem um método próprio. Todos os crimes são praticamente idênticos.

— Interessante, até certo ponto. Posso fazer outra pergunta óbvia?

— Você é quem manda.

— Obrigada. Se esses casos não foram solucionados e a polícia desistiu, então como diabos a gente vai poder provar que um dos nossos juízes é o assassino?

— Essa é a questão. Não tenho resposta para ela.

— Ela me parece meio doida, o que é bastante comum por aqui, imagino.

— Clientes ou funcionários?

— Denunciantes. Nós não temos clientes.

— Claro. A lei diz que não temos escolha a não ser investigar as alegações assim que uma denúncia for apresentada. O que você sugere que a gente faça?

Cleo escorregou de volta para sua cadeira giratória e pareceu muito mais alta.

— Não sei exatamente o que vamos fazer, mas sei o que não vamos. O nosso departamento não tem como investigar um homicídio. Se ela fizer a denúncia, não teremos escolha a não ser avisar à polícia. Simples assim.

Lacy deu um sorriso falso e disse:

— Por mim tudo bem. Mas não tenho certeza de que receberemos essa denúncia.

— Vamos torcer para que não.

A ESTRATÉGIA INICIAL era informar Jeri por e-mail e tentar evitar qualquer drama. Lacy enviou uma mensagem concisa e profissional: "Margie, após uma reunião com a nossa diretora, lamento informar que a denúncia que você propõe não será tratada por nosso departamento. Se for apresentada, será encaminhada à polícia estadual."

Em questão de segundos, o celular dela tocou com uma chamada de um número não identificado. Normalmente ela teria ignorado, mas imaginou que fosse Jeri.

— Você não pode ir à polícia — começou ela. — A lei diz que cabe a vocês investigar as alegações.

— Oi, Jeri. Tudo bem?

— No momento, estou péssima. Não estou acreditando nisso. Estou disposta a me arriscar e fazer uma denúncia, mas a Comissão de Justiça não tem coragem de investigar. Vocês só querem ficar aí sentados revirando papel em cima de uma mesa enquanto esse cara consegue se safar e continua matando gente por aí.

— Achei que você não gostasse de falar pelo telefone.

— Não gosto mesmo. Mas esse aqui não tem como ser rastreado. O que eu faço agora, Lacy? Pego todo o trabalho que fiz em vinte anos, vou pra casa e finjo que nada aconteceu? Deixo que o assassino do meu pai fique livre por aí? Me fala, Lacy.

— Não depende de mim, Jeri, eu juro.

— Você recomendou que a Comissão investigasse?

— Não há nada pra investigar, não até que uma denúncia seja apresentada formalmente.

— Pra que me dar a esse trabalho se você só vai jogar no colo da polícia? Não tô acreditando, Lacy. Realmente achei que você era mais corajosa do que isso. Estou chocada.

– Sinto muito, Jeri, mas simplesmente não estamos preparados pra lidar com alguns casos.

– Não é isso que a lei diz. A lei determina que a Comissão de Justiça avalie todas as denúncias apresentadas contra qualquer juiz. Não há absolutamente nada dizendo que a Comissão pode jogar a denúncia pra polícia. Você quer que eu te mande uma cópia da legislação?

– Não, não é necessário. Não fui eu que tomei essa decisão, Jeri. É por isso que temos chefes.

– Tá bem, vou mandar a legislação pra sua chefe. Qual é o nome dela? Eu a vi no site.

– Não faça isso. Ela conhece a lei.

– Não parece. O que eu faço agora, Lacy? Simplesmente esqueço o Bannick? São vinte anos.

– Sinto muito, Jeri.

– Não, você não sente. Eu estava planejando ir aí no sábado e te encontrar pra contar tudo sobre os seis assassinatos. Me diz o que eu faço então, Lacy.

– Vou estar fora esse fim de semana, Jeri. Sinto muito.

– Muito conveniente. – Depois de uma longa pausa, ela disse: – Pense nisso, Lacy. O que você vai fazer quando ele matar alguém de novo? Hein? Em algum momento você e a sua comissãozinha vão virar cúmplices dele.

Ela desligou.

10

Com a total falta de disciplina de todos, as sextas-feiras eram tranquilas no escritório. Os superiores saíam para longos almoços e não voltavam, assim as tardes de sexta eram tão silenciosas que, quando Cleo fechava a porta, os funcionários aproveitavam para sair mais cedo. Ninguém se preocupava de fato, porque Sadelle trabalharia até o anoitecer e daria conta de receber qualquer telefonema.

Lacy saiu antes do almoço sem planos de voltar. Foi para casa, vestiu um short, jogou algumas roupas em uma bolsa, escondeu uma chave para Rachel – a nova vizinha que também era a babá de seu cachorro – e pouco antes de uma da tarde entrou no carro com o namorado e acelerou em direção a Rosemary Beach, duas horas e meia a oeste ao longo da Costa do Golfo. A temperatura estava chegando a 27 graus e não havia nenhuma nuvem no céu. Ela não estava levando o notebook, nenhuma pasta, nenhum tipo de papelada, e, conforme haviam combinado, Allie fez o mesmo. Tudo que lembrasse trabalho havia sido deixado no apartamento dele. Apenas celulares eram permitidos.

A princípio, o objetivo do fim de semana era sair da cidade, deixar o trabalho para trás, pegar sol e se bronzear. Mas o verdadeiro motivo para a escapada era muito mais sério. Ambos estavam se aproximando dos quarenta e se sentiam inseguros em relação ao futuro, sozinhos ou juntos. Eram um casal havia mais de dois anos e já tinham passado pelas fases iniciais do relacionamento – namoro, sexo, viagens, apresentação às respectivas famílias, contar aos amigos, dormir um na casa do outro, o compromisso com a fidelidade. Não havia indícios de que qualquer um dos dois quisesse terminar o relacionamento; na verdade, ambos pareciam contentes em mantê-lo.

O que incomodava Lacy, e ela não tinha certeza se também incomodava Allie, era a incerteza em relação ao futuro. Onde estariam dali a cinco anos? Ela tinha sérias dúvidas se continuaria por muito mais tempo na Comissão de Justiça. A frustração de Allie com o FBI não parava de crescer. Ele era bem-sucedido e tinha orgulho do que fazia, mas as setenta horas de trabalho semanais o sobrecarregavam. Se ele trabalhasse menos, eles poderiam passar mais tempo juntos? Isso os deixaria mais próximos? Será que isso os ajudaria a finalmente descobrir se de fato se amavam? Eles deixavam escapar a palavra com A aqui e ali, quase brincando às vezes, mas nenhum dos dois parecia cem por cento sincero. Eles a haviam evitado no primeiro ano do relacionamento e ainda a usavam com relutância.

O medo de Lacy era que ela nunca fosse capaz de amá-lo de verdade e que o romance se arrastasse convenientemente de um estágio para outro até que não restasse nenhum outro passo além de um casamento. A essa altura, então, aos 40 ou até mais de 40, ela não seria capaz de dizer não. Ela se casaria com um homem que adorava, mas que não amava. Ou será que amava?

Metade de suas amigas lhe dizia para largá-lo. A outra metade a aconselhava a amarrá-lo de vez antes que escapasse.

O fim de semana deveria responder às dúvidas mais sérias que eles tinham, embora ela tivesse lido romances e assistido a comédias românticas o suficiente para saber que o grande encontro, a grande viagem apaixonada, quase nunca dava certo. Casamentos em ruínas raramente eram salvos por alguns dias na praia, e casais em crise não resolviam seus problemas.

Ela suspeitava que eles aproveitariam o sol enquanto evitavam o futuro e simplesmente continuariam empurrando com a barriga.

– Tem alguma coisa te incomodando – disse ele enquanto segurava o volante com a mão esquerda e acariciava o joelho dela com a direita.

O fim de semana ainda estava no início e não era hora para se aprofundarem em assuntos mais sérios, então ela rapidamente desconversou:

– Tem um caso me tirando o sono.

– Você normalmente não se estressa com os seus casos.

– Eles normalmente não envolvem homicídio.
Ele olhou para ela com um sorriso e disse:
– Me conta.
– Não posso te contar nada, tá? Os meus casos são estritamente confidenciais, assim como os seus. Mas eu poderia contar a história se trabalharmos só com hipóteses.
– Sou todo ouvidos.
– Então, tem um juiz, um juiz hipotético, digamos que ele tem cerca de 50 anos, está na magistratura há cerca de dez e é um sociopata. Até aqui tudo bem?
– Normal. A maioria deles é, certo?
– Para com isso. Eu tô falando sério.
– Tá bem. Nós estudamos isso no treinamento na base de Quantico. Na UAC, a Unidade de Análise Comportamental. Era parte do nosso currículo. Mas já tem muito tempo e nunca esbarrei com alguém assim no meu trabalho. A minha especialidade são assassinos a sangue-frio que traficam cocaína e neonazistas que enviam bombas pelo correio. Prossiga.
– É tudo especulação e não tem nada comprovado, pelo menos por enquanto. De acordo com a minha testemunha anônima e aterrorizada demais pra se identificar, o juiz matou pelo menos seis pessoas ao longo dos últimos vinte anos. Seis assassinatos em seis estados diferentes. Ele conhecia todas as vítimas, tinha problemas com cada uma delas, é claro, e as perseguiu com paciência até o momento certo. Todas foram mortas da mesma maneira, estranguladas com o mesmo tipo de corda, o mesmo método. É a assinatura dele. Crimes perfeitos, com a cena sempre limpa, a perícia não encontra nada além da corda em volta do pescoço.
– Todos casos sem solução?
– Exatamente. A polícia não tem nada. Nenhuma testemunha, nenhuma impressão digital, fibras, pegadas, sangue, motivo. Nada mesmo.
– Se ele conhecia as vítimas, então deve ter um motivo.
– Como você é brilhante – disse ela ironicamente.
– Obrigado. Mas é bem óbvio.
– Sim. Os motivos variam. Alguns parecem sérios, outros, triviais. Não conheço todos.
– Pra ele são todos sérios.
– Parece que sim.

Allie tirou a mão direita do joelho dela e coçou o queixo. Alguns segundos depois, perguntou:

– E você tá trabalhando nesse caso?

– Não. A testemunha ainda não fez uma denúncia contra o juiz. Ela está muito assustada. E a Cleópatra me disse ontem que a Comissão não vai se envolver em uma investigação de homicídio.

– O que vai acontecer então?

– Nada, eu acho. Sem denúncia, não há nada pra fazer. O juiz permanece intocado e vivendo sua vida, mesmo que isso inclua matar outras pessoas.

– Parece que você acredita nessa testemunha.

– Acredito. Tenho lutado contra isso desde segunda-feira, quando a conheci, e cheguei ao ponto em que acredito nela.

– Por que ela não leva o caso pra polícia?

– Por vários motivos. Primeiro, ela está assustada e convencida de que o assassino vai descobrir e colocar o nome dela na lista. Talvez o maior motivo seja o fato de que a polícia não tem motivos pra acreditar nela. Os policiais de uma cidadezinha da Carolina do Sul não têm tempo pra se preocupar com um caso não solucionado no sul da Flórida. Os policiais em Little Rock não têm tempo pra um assassinato desse tipo perto de Chattanooga, muito menos um em que a perícia não encontrou nada.

Allie assentiu enquanto pensava.

– São quatro. Onde foram os outros dois?

– Ela ainda não me contou.

– Quem foi assassinado em Little Rock?

– O repórter de um jornal local.

– E por que o nome dele estava na lista?

– Estamos nos afastando do caso hipotético, agente Pacheco. Não posso dar mais detalhes.

– Justo. Você falou com ela sobre a possibilidade de ir ao FBI?

– Sim, brevemente, e por enquanto ela não tem interesse. Ela tá convencida de que é muito perigoso e também tem muitas dúvidas sobre a vontade do FBI de se envolver. Por que o FBI iria se animar com a investigação de uma série de assassinatos que eles não têm chance de resolver?

– Ela pode se surpreender com o que somos capazes de fazer.

Lacy pensou naquilo por alguns quilômetros enquanto ouviam o rádio e ziguezagueavam pela estrada. Allie só dirigia correndo e era pego pelo radar pelo menos duas vezes por ano, ocasiões em que sacava seu distintivo e piscava para o policial. Ele se gabava de nunca ter recebido uma multa.

– Como seria isso? – perguntou Lacy. – Digamos que a testemunha queira procurar o FBI.

Allie deu de ombros.

– Não sei, mas posso descobrir.

– Ainda não. Tenho que ir bem devagar com essa testemunha. Ela tá muito traumatizada.

– Traumatizada?

– Sim, o pai dela foi a segunda vítima.

– Uau. Só melhora.

O hábito mais detestável de Allie era roer as unhas, e apenas as da mão esquerda. As da direita nunca eram atacadas. Quando ele começava a mastigar os dedos, significava que estava completamente absorto em alguma coisa e ela quase podia ouvir seu cérebro acelerando.

Alguns quilômetros adiante, ele disse, franzindo a testa:

– Isso é pesado. Hipoteticamente, digamos que você esteja numa sala com a polícia... nós, policiais locais, estaduais, não importa... e você diz: "Esse aqui é o assassino." Nome, profissão, identidade, endereço. E aqui estão suas seis vítimas, todas estranguladas nos últimos vinte anos e...

– E não há como provar nada disso.

– E não há como provar nada disso. A menos que...

– A menos que o quê?

– A menos que você encontre evidências com o próprio assassino.

– Isso exigiria um mandado, não é? Algo que seria impossível de conseguir sem causa provável. E não há nenhuma causa, só especulações malucas.

– Achei que você acreditasse nela.

– Acho que acredito.

– Você não está convencida.

– Não o tempo todo. Preciso admitir, é um pouco improvável.

– De fato é. Nunca ouvi falar de nada parecido. Mas, como você sabe, eu trabalho com uma classe diferente de criminosos.

– Um mandado é quase impossível. Além disso, ele provavelmente é paranoico e esperto demais pra ser pego.

– O que você sabe sobre ele?

– Nada. Ele é só uma hipótese.

– Vamos lá. Já chegamos até aqui.

– Solteiro, nunca se casou, provavelmente mora sozinho. Tem câmeras de segurança por todos os lados. É um juiz respeitado que sai de casa o suficiente pra parecer socialmente aceitável. Admirado por colegas, advogados e eleitores. É você o especialista em traçar perfis, o que mais você quer saber?

– Não sou especialista em perfis. Mais uma vez, o meu trabalho é outro.

– Entendi. Então, se você pegasse esses seis homicídios, sem nenhum suspeito, e apresentasse os casos aos principais especialistas do FBI no assunto, o que eles diriam?

– Não faço ideia.

– Mas você poderia perguntar pra alguém, tipo, informalmente?

– Pra quê? Você já sabe quem é o assassino.

O HOTEL FAVORITO DELES era o Lonely Dunes, um pequeno refúgio estilo boutique com quarenta quartos, todos de frente para o mar e a poucos centímetros da areia. Fizeram o check-in, deixaram as malas no quarto e correram para a piscina, onde encontraram uma mesa à sombra e pediram o almoço e uma garrafa de vinho gelado. Um jovem casal brincava na outra ponta da piscina; alguma coisa acontecia logo abaixo da superfície. À frente do pátio, o golfo cintilava em um azul brilhante sempre que o sol refletia nele.

Quando as bebidas estavam quase acabando, o celular de Allie vibrou sobre a mesa.

– O que é isso? – perguntou Lacy.

– Desculpe.

– Achei que a gente tinha combinado um almoço sem celular. Deixei o meu no quarto.

Allie pegou o aparelho e disse:

– É o cara que mencionei. Ele conhece alguns especialistas em perfis.

– Não. Deixa tocar. Já falei demais, chega de conversar sobre isso.

O celular finalmente parou de vibrar. Allie o colocou no bolso como se nunca mais fosse tocá-lo. As saladas de caranguejo foram servidas e o garçom trouxe mais vinho. Como se tivesse sido ensaiado, as nuvens avançaram e o sol desapareceu.

– Parece que vai chover – disse Allie. – Pelo que me lembro do que vi no aplicativo de previsão do tempo, que ainda está no meu celular, que está guardado no meu bolso e intocável.

– Deixa pra lá. Se chover, choveu. Não vamos a lugar nenhum. Uma pergunta...

– Claro.

– São quase três horas de uma tarde de sexta-feira. Seu chefe sabe onde você está?

– Não exatamente, mas ele sabe que tirei o fim de semana de folga com a minha namorada. E a Cleópatra?

– Sei lá. Ela não se importa. Daqui a pouco ela vai embora mesmo.

– E você, Lacy? Quanto tempo mais vai ficar lá?

– Ah, essa é *a* pergunta, não é? Fiquei muito tempo em um emprego sem futuro e agora já passou da hora de sair. Mas pra onde eu vou?

– Não é sem futuro. Você gosta do seu trabalho e isso é importante.

– Será? Acho que gosto só às vezes, não sei. Não é um trabalho particularmente difícil. Ando entediada com ele, e provavelmente te digo isso com muita frequência.

– Sou eu. Você pode dizer qualquer coisa pra mim.

– Até meus segredos mais profundos e sombrios?

– Por favor. Eu adoraria ouvir.

– Mas você também não me conta nada, Allie. É assim que você funciona. O seu lado agente do FBI é forte demais pra baixar a guarda.

– O que você quer saber?

Ela sorriu para ele e tomou um gole de vinho.

– Muito bem. Onde você quer estar daqui a um ano?

Ele franziu a testa e desviou o olhar.

– Essa foi um soco no estômago. – Ele deu um gole no vinho. – Na verdade, não sei. Faz oito anos que estou no FBI e amo o que faço. Sempre imaginei que seria pra sempre, que correria atrás de bandidos até ser transferido pra alguma função burocrática aos 50 anos e depois ser mandado embora aos 57. Mas agora já não tenho tanta certeza. O meu trabalho é quase sempre emocionante, raramente é chato, mas é com certeza um trabalho para um homem mais jovem. Olho pros caras que estão chegando aos 50 e eles estão acabados. Cinquenta não é tão velho assim, Lacy. Não sei se vou seguir nessa carreira pra sempre.

– Você já pensou em sair de lá?

– Já. – Era difícil admitir, e ela duvidava que ele já tivesse dito aquilo para alguém antes. Ele cheirou o vinho, bebeu um pouco e disse: – E tem outra coisa. Eu estou em Tallahassee há cinco anos e chegou a hora de mudar. Parece que vai haver mais transferências. Faz parte do jogo, algo que todo mundo sabe que pode acontecer.

– Você vai ser transferido?

– Eu não disse isso. Mas pode haver alguma pressão nesse sentido nos próximos meses.

Lacy ficou atordoada e se esforçou para não demonstrar. Alguns segundos depois, ela se surpreendeu com quão assustadora era a ideia de não estar com Allie. Bem, era algo inconcebível.

– Pra onde você iria? – ela conseguiu perguntar com alguma tranquilidade.

Ele olhou casualmente ao redor, do jeito que os agentes experientes aprendem a fazer, não viu ninguém que parecesse interessado neles e disse:

– Isso é segredo. O diretor está organizando uma força-tarefa nacional para investigar grupos vinculados a crimes de ódio, e me chamaram pra fazer um teste pra participar da equipe. Eu não disse nem sim nem não, e mesmo que eu aceitasse, não há garantia de que seria escolhido. Mas é um grupo de prestígio formado por agentes de elite.

– Tá. E pra onde você iria?

– Ou pra Kansas City ou pra Portland. Mas não tem nada certo ainda.

– Você está cansado da Flórida?

– Não. Estou cansado de desperdiçar meus fins de semana indo atrás de cartéis. Estou cansado de morar em um apartamento ruim e não ter certeza sobre o futuro.

– Não consigo lidar com um relacionamento à distância, Allie. Prefiro ter você por perto.

– Bem, eu não vou embora por enquanto. É apenas uma possibilidade. Podemos falar sobre você?

– Sou um livro aberto.

– Qualquer coisa, menos isso. A mesma pergunta: onde você quer estar daqui a um ano?

Ela bebeu um pouco de vinho. O garçom passou, parou para encher as duas taças e desapareceu. Ela balançou a cabeça.

– Realmente não sei. Duvido que esteja na Comissão, mas é isso que eu digo há anos. Não sei se tenho coragem de pedir demissão e abandonar um emprego tão seguro.

– Você é formada em Direito.

– Sim, mas tenho quase 40 anos e não me especializei em nenhuma área, e geralmente isso é importante pros escritórios de advocacia. Se eu abrisse meu próprio escritório e começasse a trabalhar redigindo testamentos, morreria de fome. Nunca fiz um na vida. Minha única opção é fazer o que a maioria dos advogados que trabalham pro governo faz e subir de cargo pra tentar um salário maior. Estou pensando em algo diferente, Allie. Talvez uma crise de meia-idade aos 40 anos. Tá a fim?

– Uma crise conjunta?

– Tipo isso. Mais uma parceria. Olha, nós dois temos dúvidas sobre o futuro. Temos cerca de 40 anos, não somos casados, não temos filhos, podemos nos dar ao luxo de arriscar, fazer algo idiota, cair e levantar.

Pronto. Finalmente o assunto estava na mesa. Ela respirou fundo, não podia acreditar que tinha ido tão longe. Observou os olhos dele com atenção e viu surpresa e curiosidade.

– Você disse algumas coisas importantes – comentou ele. – A primeira foi "nos dar ao luxo". Não estou em condição de parar de trabalhar na minha idade e entrar em uma crise.

– O que mais?

– Fazer algo *idiota*.

– Foi só uma figura de linguagem. A gente não costuma fazer coisas idiotas.

O garçom apareceu com uma bandeja e começou a limpar a mesa. Ao pegar a garrafa de vinho vazia, perguntou:

– Mais uma? – Ambos balançaram a cabeça.

A conta do almoço foi cobrada junto com a do quarto, que custava duzentos dólares por noite fora de temporada; quando saíssem no domingo, dividiriam os gastos. Eles tentavam dividir tudo. Ambos ganhavam cerca de setenta mil por ano. Dificilmente ganhariam isso depois que se aposentassem, mas nenhum dos dois havia mencionado esse assunto.

Eles saíram da piscina e caminharam até a beira da praia, onde perceberam que a água estava fria demais até para um mergulho rápido. De braços dados, passearam pela orla, flutuando sem rumo como as ondas.

– Tenho que confessar uma coisa – disse ele.

– Você nunca faz isso.

– Ah, é? Estou economizando há mais ou menos um ano pra comprar um anel pra você.

Ela paralisou; eles se afastaram e olharam um para o outro.

– Tá. E aí?

– Não comprei porque não tenho certeza se você vai aceitar.

– Você tem certeza de que quer me dar um anel?

Ele hesitou por muito tempo e disse por fim:

– É isso que precisamos decidir, não é, Lacy? Para onde estamos indo?

Ela cruzou os braços e bateu o dedo indicador contra os lábios.

– Você quer dar um tempo, Allie?

– Um tempo?

– Sim, um tempo. De mim.

– Na verdade, não. Você quer?

– Não. Eu meio que gosto de ter você por perto.

Eles sorriram, depois se abraçaram e continuaram caminhando pela praia. Com nada resolvido.

11

Quando o e-mail chegou às 21h40 de domingo, Jeri estava como de costume: sozinha em casa, preparando as aulas da semana e se perguntando se deveria assistir a um programa qualquer na televisão. O endereço era um dos vários que ela mantinha, fortemente criptografado e raramente usado. Apenas quatro pessoas tinham acesso a ele, e era impossível rastreá-lo. O homem do outro lado era alguém que nunca tinha visto antes, nem sequer teria motivos para isso, e cujo nome verdadeiro ela não sabia. Sem exceção, mandava via correio o pagamento em dinheiro, dentro de um livro fino em um pequeno pacote, para uma caixa postal em Camden, no Maine, que tinha como remetente o genérico nome KL Data.

Ele também não sabia o nome dela. Na internet, o pseudônimo dela era "LuLu", e isso era tudo de que ele precisava. A mensagem dizia: Olá, LuLu. Interessada em uma possível pista?

LuLu? Ela sorriu e balançou a cabeça, surpresa com o número de personagens que havia criado ao longo dos últimos vinte anos. Pseudônimos, caixas postais temporárias, disfarces, endereços de e-mail com autenticação em duas etapas, uma sacola cheia de celulares descartáveis.

Em seu mundo solitário, ela se referia a ele como KL, e como não sabia o que aquelas iniciais significavam, ela o havia registrado como Kenny Lee. De acordo com uma informação que recebera anos antes, Kenny Lee tinha trabalhado para a polícia, mas ela não fazia a menor ideia de como a carreira dele terminou. Ela sabia que seu irmão havia sido assassinado e o caso nunca foi resolvido. Um caso não solucionado que o assombrava e o levou a seu trabalho atual.

– Ora, ora. Olá, Kenny Lee – murmurou ela, depois respondeu:

Quantas horas?
Menos de três.
OK.

Jeri nunca tinha ouvido a voz dele e não fazia ideia se ele tinha 80 ou 40 anos. Fazia quase dez anos que mantinham contato.

– Vamos ver o que você descobriu, Kenny Lee – disse ela a si mesma.

Ele cobrava 200 dólares por hora, e ela não podia se dar ao luxo de ter surpresas. Era um investigador freelancer, um atirador solitário que não trabalhava para ninguém que não estivesse disposto a pagar seu preço. Ele trabalhava para as famílias das vítimas, para policiais de cidadezinhas em dezenas de estados, para o FBI, jornalistas investigativos, escritores e produtores de Hollywood. Era a fonte de qualquer um que buscava informações sobre crimes violentos. Raramente saía de seu porão e vivia on-line pesquisando, coletando, relatando e vendendo dados. Reunia estatísticas de homicídios dos cinquenta estados e provavelmente passou mais tempo na base de dados de crimes violentos do que qualquer um dentro ou fora do FBI.

Quando a questão envolvia um homicídio, e em especial um homicídio não resolvido, Kenny Lee era o cara. Ele conduzia seu pequeno negócio por meio de um advogado de Bangor, que cuidava de seus contratos e transferências eletrônicas relativas aos honorários. Seus contatos dependiam sempre do boca a boca e da discrição. KL não fazia propaganda e não tinha medo de rejeitar ofertas. Por baixo dos panos, ele usava pseudônimos e e-mails codificados, e recebia seu pagamento em dinheiro, qualquer coisa para proteger a identidade de seus clientes e dos criminosos que estava perseguindo.

Uma hora depois, Jeri estava sentada no escuro, esperando, se perguntando o que faria se KL a informasse sobre outra vítima. Ele nem sempre estava certo. Era impossível. Dez meses antes, KL tinha aparecido do nada, relatando um estrangulamento no Kentucky que a princípio parecia promissor. Jeri pagou a ele por quatro horas de trabalho, depois passou dois meses investigando até chegar a um beco sem saída quando a polícia prendeu um homem que confessou o crime.

KL enviou uma mensagem dizendo "Que pena, é a vida". Ele acompanhava milhares de casos pelo país, e vários deles eram muito antigos e jamais seriam resolvidos.

A cada ano, nos Estados Unidos, havia cerca de trezentos homicídios oficialmente classificados como sufocamento/estrangulamento/asfixia. Metade deles envolvia uma pessoa pulando no pescoço de outra por causa de algum desentendimento doméstico, e esses geralmente eram resolvidos em pouco tempo.

Os demais caracterizavam estrangulamento, o ato de enrolar algo violentamente em volta do pescoço de alguém, e o assassino frequentemente deixava a arma do crime para trás. Fios elétricos, cintos, bandanas, arame farpado, correntes, cadarços, cabides, além de cordas e cordões de inúmeras marcas e variedades. O mesmo tipo de corda de náilon utilizado para matar o pai de Jeri era usado o tempo todo, e era algo facilmente encontrado em lojas físicas e on-line.

A maioria dos homicídios da segunda categoria nunca foi resolvida.

Seu notebook emitiu um som de notificação. Ela o abriu, passou por todos os protocolos de autenticação e digitou suas senhas. Era Kenny Lee:

> Cinco meses atrás, em Biloxi, no condado de Harrison, Mississippi, a vítima, Lanny Verno, foi encontrada estrangulada. Nenhuma foto, talvez em breve. A descrição da arma do crime é semelhante. Corda de náilon de um centímetro de espessura amarrada com o mesmo nó para manter a pressão. Ferimento grave na cabeça, provavelmente anterior à morte. A vítima tinha 37 anos e trabalhava como pintor de casas, morto no local de trabalho, sem testemunhas.
>
> Mas esse caso tem um detalhe diferente dos outros. A polícia acredita que uma testemunha tenha aparecido na hora errada e acabou tendo o mesmo destino. Ela também sofreu ferimentos graves na cabeça, mas a corda não foi utilizada. A polícia acredita que a segunda vítima esteve no local para levar um cheque a Verno: era sexta-feira à tarde, e ele aguardava um pagamento. O segundo homicídio não foi planejado, ao contrário do de Verno. Nenhuma evidência na cena do crime, exceto a corda. Amostras de sangue apenas das duas vítimas. Nenhuma fibra, impressão digital, evidência ou testemunha. Mais uma vez o local estava limpo – até demais. Investigação em andamento com poucas declarações à imprensa.

O inquérito está correndo a sete chaves, portanto, nenhuma foto, nenhum relatório de autópsia. Como você sabe, isso leva tempo.

KL fez uma pausa para dar tempo de Jeri responder. Ela balançou a cabeça em frustração ao se lembrar de seus esforços muitas vezes inúteis para vasculhar arquivos da polícia que vinham acumulando poeira havia anos. Como sempre, quanto menos pistas os investigadores tinham, mais protegidos eram seus inquéritos. Eles não queriam que ninguém soubesse como seu progresso era insignificante.

Ela escreveu:

O que você sabe sobre a corda e o nó?

Método e motivação. A corda foi deixada na cena do crime de propósito para que os detetives e os peritos pudessem analisar. O segundo, porém, poderia levar semanas ou até meses para ser rastreado.

KL respondeu:

Tenho o relatório do laboratório estadual de criminalística no banco de dados do FBI. A descrição da corda é a seguinte: náilon, na cor verde, um centímetro de espessura, 75 centímetros de comprimento, amarrada e presa no local, e deixada para trás. Não há menção a nenhum nó, torniquete, chave ou qualquer dispositivo para manter a corda no lugar. Nenhuma foto foi anexada ao relatório. O crime ainda está obviamente sem solução, a investigação está em aberto e em pleno andamento, então a maioria dos detalhes relevantes está sendo guardada pela polícia. Procedimento padrão. Os obstáculos de sempre.

Jeri foi até a cozinha e pegou um refrigerante zero na geladeira. Ela abriu a tampa da garrafa, tomou um gole e voltou para o sofá e para o seu notebook. Escreveu:

OK, estou dentro. Me mande o que você tem. Obrigada.
O prazer é meu. Quinze minutos.

SEGUINDO A COSTA DO GOLFO de carro pela interestadual 10, Mobile ficava a apenas uma hora de Biloxi, mas as duas cidades faziam parte de estados diferentes, mundos diferentes. O *Press-Register* de Mobile tinha poucos leitores na cidade ao lado, e o *Sun Herald* de Biloxi tinha ainda menos assinantes no Alabama.

Jeri não estava surpresa com o fato de a imprensa de Mobile não cobrir um duplo homicídio a 100 quilômetros de lá. Ela abriu o notebook, ligou a VPN de segurança e começou a pesquisar. No sábado, 19 de outubro, a primeira página do *Sun Herald* estampava as últimas notícias dos dois homicídios. Mike Dunwoody era um empreiteiro conhecido em Biloxi e ao longo da Costa do Golfo. Havia uma foto de Mike tirada do site de sua empresa. Ele deixou a esposa, Marsha, dois filhos e três netos. Quando a matéria foi publicada, ainda não havia informações sobre o velório.

Quase nada foi veiculado na imprensa sobre Lanny Verno. Ele morava em um estacionamento de trailers em algum lugar perto de Biloxi. Um vizinho disse que ele estava lá há alguns anos. A namorada dele ia e vinha. Um dos funcionários de Mike disse que Lanny era da Geórgia, mas que havia morado em diversos lugares.

Nos dias seguintes, o *Sun Herald* trabalhou duro para manter a história em evidência. A polícia estava incrivelmente quieta e não tinha praticamente nada a oferecer. Ninguém na família Dunwoody se atreveu a falar. O velório foi realizado em uma grande igreja e atraiu uma multidão. A pedido da família, a polícia manteve os repórteres longe do local. Depois de muita insistência, um primo distante de Verno apareceu para reclamar o corpo e levá-lo de volta para a Geórgia. Ele xingou um repórter. Uma semana após os assassinatos, o xerife Black deu uma entrevista coletiva e não divulgou nenhuma novidade. Um repórter perguntou se algum celular havia sido encontrado junto aos corpos e a única resposta foi "Nada a declarar".

– Mas não é verdade que dois celulares foram recuperados de uma caixa postal na cidade de Neely?

A expressão do xerife foi a de alguém que acabou de ouvir o nome do assassino ser revelado, mas ele conseguiu se recuperar com um severo "Nada a declarar".

Praticamente todas as outras perguntas receberam a mesma resposta.

A falta de cooperação do xerife alimentou os rumores de que algo grande estaria acontecendo, que talvez eles estivessem de bico calado porque estavam prestes a pegar o assassino e não queriam espantá-lo.

No entanto, nada aconteceu, e os dias se arrastaram em semanas e meses. A família Dunwoody ofereceu uma recompensa de 25 mil dólares por qualquer informação a respeito dos crimes. Isso atraiu uma enxurrada de ligações de lunáticos que não sabiam nada.

A família Verno nunca se manifestou.

À MEIA-NOITE, JERI estava tomando um café forte e se preparando para mais uma noite insone na frente do computador. KL enviou seu resumo junto com uma cópia do relatório oficial de crimes violentos que a polícia do estado do Mississippi havia fornecido ao FBI.

Ela já havia passado por aquilo muitas vezes e não estava nem um pouco ansiosa para abrir a pasta de mais um inquérito.

12

A Comissão de Justiça era comandada por um conselho administrativo formado por cinco pessoas, todas juízes e advogados aposentados que foram, digamos, aprovados pelo governador. Quem era considerado mais influente ou fazia grandes doações era nomeado para algum cargo mais prestigiado que os da comissão – conselhos universitários e comitês responsáveis pela regulação de jogos de azar e afins –, em projetos com bons orçamentos e regalias que permitiam aos escolhidos viajar e se reunir com os poderosos. Já os membros da comissão ganhavam apenas refeições, quartos de hotel e cinquenta centavos por quilômetro de deslocamento. Eles se reuniam seis vezes por ano – três em Tallahassee e três em Fort Lauderdale – para revisar casos, realizar audiências e, eventualmente, repreender juízes. Era raro alguém ser afastado do cargo. Desde a criação da Comissão de Justiça em 1968, apenas três juízes haviam sido expulsos da tribuna.

Quatro dos cinco membros do conselho se encontraram na segunda-feira de manhã para uma reunião. O quinto assento estava vago, mas o governador estava ocupado demais para indicar alguém. Seus dois últimos convidados haviam recusado a proposta, então ele deixou para lá. O hotel destinado à comissão era deprimente demais, então as reuniões eram realizadas em uma sala de conferências da Suprema Corte.

O primeiro item da agenda era um encontro com o diretor às dez da manhã: passariam uma hora recapitulando o volume de casos, tratando das finanças, do pessoal e assim por diante. O ritual havia se tornado um tanto desagradável, já que Charlotte Baskin iria embora a qualquer momento e todo mundo sabia.

Depois de seguirem esse protocolo sem grande entusiasmo, trabalhariam na pauta dos casos pendentes.

LACY ESTAVA GRATA por não ter nenhum caso seu na pauta e por não precisar se reunir com o conselho. Sua segunda-feira começou como sempre, repetindo mentalmente as habituais palavras de incentivo para conseguir dar o exemplo como a investigadora sênior sorridente, motivada, e entusiasmada em servir os contribuintes. Mas as palavras de incentivo não funcionaram, principalmente porque sua cabeça ainda estava na praia e na piscina. Ela e Allie haviam desfrutado de três longos almoços, com vinho, muitas sonecas, sexo e longas caminhadas à beira-mar. Em algum momento eles concordaram em deixar o futuro de lado por ora e simplesmente viver o presente. Deixar para se preocuparem com assuntos importantes mais para a frente.

Longe dele, porém, ela começou a pensar na pergunta que a incomodava desde sexta-feira: "Se ele me desse um anel, como eu reagiria?"

A resposta era vaga.

Às 9h48 chegou mais um e-mail de Jeri. Foram pelo menos cinco ao longo do fim de semana, todos ignorados até então. Lacy adiara aquela conversa difícil por bastante tempo. Já havia aprendido que procrastinar só tornava a tarefa mais desagradável. Pegou o celular e digitou um número. Ninguém atendeu. Não havia correio de voz. Ela tentou outro. Mesma coisa. Estava começando a perder a paciência com essa história quando digitou o último número que tinha de Jeri.

— Oi, Lacy — disse a voz agradável, embora cansada. — Por onde você andou?

"E o que você tem a ver com isso?" Ela engoliu em seco, respirou fundo e respondeu:

— Bom dia, Jeri. Imagino que esta linha seja segura.

— Claro. Desculpe incomodar.

— Sim. Você passou o fim de semana inteiro me ligando e enviando e-mails.

— Sim, a gente precisa conversar, Lacy.

– Estamos conversando agora, na segunda-feira. Achei que tivesse explicado que não trabalho nos finais de semana e pedido que não me ligasse nem mandasse e-mails. Não foi?

– Sim, você está certa, e sinto muito, mas isso é muito importante.

– Imagino que sim, Jeri, e tenho más notícias. Conversei mais uma vez com a minha chefe, falei sobre as suas alegações, e ela foi inflexível. Nós não vamos nos envolver em uma investigação de homicídio. Ponto final. Como já disse várias vezes, não temos condições nem treinamento pra esse tipo de trabalho.

Silêncio. Mas não duraria muito, pois Lacy sabia que Jeri não aceitaria não como resposta. Então ela disse:

– Mas tenho o direito de fazer uma denúncia. Eu decorei o estatuto. Posso fazer isso anonimamente. E por lei a Comissão de Justiça é obrigada a passar quarenta e cinco dias avaliando as alegações. Certo, Lacy?

– Sim, é o que diz o estatuto.

– Então vou fazer a denúncia.

– E, como a minha chefe disse, nós vamos encaminhar o pedido imediatamente à polícia estadual.

Lacy esperava que Jeri lhe desse um sermão, um no qual sem dúvida já havia pensado para contra-argumentar. Ela esperou, esperou e finalmente percebeu que a ligação tinha terminado. Jeri encerrara a chamada abruptamente e pronto.

Lacy não era ingênua ao ponto de achar que Jeri nunca mais entraria em contato. Talvez ela simplesmente se afastasse por um tempo. Elas haviam se conhecido há apenas uma semana.

E talvez os homicídios parassem.

MEIA HORA DEPOIS, Jeri estava de volta.

– Não tenho certeza, Lacy, mas acho que há mais dois assassinatos. – Foi assim que ela começou. – O sétimo e o oitavo. Estou em busca de uma confirmação e posso estar errada. No fundo espero que sim. Independentemente disso, ele não vai parar.

– Confirmação? Eu não sabia que você tinha confirmado os outros.

– Sim, na minha cabeça pelo menos. A minha teoria pode até ser baseada em coincidências, mas você precisa admitir que são extraordinárias.

– Não tenho certeza se são extraordinárias, mas com certeza são insuficientes pra dar início a uma investigação. Vou repetir, Jeri, nós não vamos nos envolver.

– A decisão é sua ou da sua diretora?

– Que diferença faz? Nós não vamos nos envolver.

– Você se envolveria se tivesse autoridade pra isso?

– Tchau, Jeri.

– Tudo bem, Lacy, mas daqui em diante suas mãos vão estar sujas de sangue.

– Isso me parece um tanto exagerado.

Jeri murmurou algo incoerente, como se tentasse esconder suas palavras. Depois de alguns segundos, disse:

– Ele está mais ativo hoje em dia, Lacy, quase uma vítima por ano. Isso não é algo incomum entre serial killers. Entre aqueles inteligentes, pelo menos. Eles começam devagar, são relativamente bem-sucedidos, aprimoram suas habilidades, perdem a relutância e o medo, e se convencem de que são espertos demais. É quando eles começam a cometer erros.

– Que tipo de erro?

– Não vou discutir isso por telefone.

– Foi você que me ligou.

– Verdade, mas não sei exatamente por quê.

A ligação foi encerrada mais uma vez.

Felicity apareceu de repente diante da mesa de Lacy sem fazer barulho e lhe entregou um papel.

– É melhor entrar em contato com esse cara – disse ela. – Ele foi bem grosseiro.

– Obrigada – disse Lacy, pegando o papel e olhando para sua recepcionista como se indicasse que ela já podia ir. – Feche a porta quando sair, por favor.

Earl Hatley era o atual presidente do Conselho. Ex-juiz, um homem agradável, e um dos poucos membros que Lacy conhecera ao longo dos anos e que de fato se importava em promover melhorias no judiciário. Ele devia estar segurando o telefone, pois atendeu de imediato. Perguntou se ela poderia ir até o edifício da Suprema Corte para uma reunião urgente.

Quinze minutos depois, Lacy entrou em uma pequena sala de reuniões e foi recebida pelos quatro integrantes do Conselho. Earl pediu que ela se sentasse e apontou para a cadeira em uma das extremidades da mesa.

– Vou direto ao ponto, Lacy – disse ele –, porque estamos com pouco tempo e temos um assunto mais urgente pra tratar.

– Sou toda ouvidos – respondeu ela.

– Estivemos com Charlotte Baskin pela manhã e ela pediu demissão. Hoje será o último dia dela. Foi uma decisão conjunta. Ela não se encaixava no cargo, algo que você com certeza percebeu, e recebemos diversas reclamações. Então, mais uma vez, estamos sem diretor executivo.

– Eu ainda tenho emprego? – perguntou Lacy, nem um pouco alterada.

– Ah, sim. Você não pode ir embora, Lacy.

– Obrigada.

– Como você já sabe, a Charlotte foi a quarta diretora nos últimos dois anos. Ouvi dizer que o moral está bem baixo.

– Que moral? Todo mundo está procurando outro emprego. A gente fica lá sentado, ano após ano, esperando pelo pior. O que vocês acham que vai acontecer? É difícil continuar entusiasmado quando o nosso orçamento, que já é pequeno, passa por cortes todo ano.

– Nós entendemos. Não é nossa culpa. Estamos no mesmo time.

– Eu sei de quem é a culpa. Mas é difícil fazer o nosso trabalho com uma liderança fraca, às vezes sem liderança e com o apoio cada vez menor do legislativo. O governador não dá a mínima pro que a gente faz aqui.

– Vou me encontrar com o senador Fowinkle na semana que vem – disse Judith Taylor. – Como você sabe, ele é diretor de finanças, e a equipe dele acha que podemos conseguir mais dinheiro.

Lacy sorriu e assentiu como se estivesse verdadeiramente grata. Ela já tinha ouvido tudo aquilo antes.

– O nosso plano é o seguinte, Lacy – disse Earl. – Você é investigadora sênior e a estrela da organização. É respeitada e até mesmo admirada pelos seus colegas. Gostaríamos que você aceitasse o cargo de diretora interina até encontrarmos alguém permanente.

– Não, obrigada.

– Uau, resposta rápida!

– Bem, estou aqui há doze anos e sei como são as coisas. Estar na sala grande é a pior opção.

– É temporário.

– Tudo é temporário hoje em dia.

– Você não está pensando em ir embora, está?

– Todo mundo está. Quem pode nos julgar? Como funcionários do Estado, a lei diz que todos devem receber os mesmos aumentos, se o legislativo for generoso. Então, quando eles cortam nosso orçamento, não temos escolha a não ser cortar tudo, menos os salários. Equipe, equipamentos, viagens, você escolhe.

Os quatro se entreolharam, derrotados. A situação parecia desesperadora e naquele momento qualquer um deles poderia sair pela porta, pedir demissão, ir para casa e deixar que outra pessoa se preocupasse com reclamações judiciais.

Mas Judith corajosamente segurou as pontas e disse:

– Você precisa nos ajudar, Lacy. Você pode ficar no cargo por seis meses. Pode reestruturar a comissão e nos dar algum tempo para reforçar o orçamento. Você será chefe e terá plena autoridade. Nós confiamos em você.

– Confiamos muito, Lacy – acrescentou Earl. – Você é de longe a mais experiente aqui.

– E o salário não é ruim – informou Judith.

– Não tem a ver com dinheiro – disse Lacy.

O salário era de 95 mil dólares por ano, uma boa diferença em relação aos atuais 70 mil. Ela nunca havia cobiçado o salário de diretora. Mas era de fato um aumento considerável.

– Você pode reestruturar o lugar do jeito que quiser – disse Earl. – Contratar ou demitir, não importa. Mas o navio está afundando e precisamos de estabilidade.

– Vocês dizem que querem melhorar o orçamento, mas como planejam fazer isso? Esse ano houve mais cortes, perdemos 1,9 milhão de dólares. Quatro anos atrás, a comissão conseguiu 2,3 milhões. Isso não é nada comparado ao orçamento estadual de 60 bilhões de dólares, definido pelo mesmo legislativo que cuida da comissão. Nós só recebemos ordens.

Judith sorriu.

– Nós também estamos cansados dos cortes, Lacy, e vamos pressionar o legislativo. Deixe que a gente se preocupe com isso. Você gerencia a comissão e nós cuidamos do dinheiro.

De repente, pensamentos sobre Jeri Crosby invadiram a mente de Lacy, alterando sua capacidade de julgamento. E se as suspeitas dela fossem verdadeiras? E se os assassinatos continuassem? Como diretora, interina ou não, Lacy teria autoridade para fazer o que quisesse com a denúncia de Jeri.

Então ela pensou no dinheiro, naquele aumento significativo. Ela gostou bastante da ideia de reestruturar o escritório, livrar-se de algum peso morto e descobrir talentos mais jovens. Pensou em seu fim de semana com Allie e no fato de não terem decidido nada sobre o futuro, então uma mudança drástica na relação era improvável, pelo menos a curto prazo.

Os quatro sorriram para ela e esperaram, como se estivessem desesperados pela resposta certa. Lacy manteve a testa franzida.

– Me deem vinte e quatro horas.

13

Durante os muitos anos perseguindo Ross Bannick, Jeri aprendera a trabalhar com uma suposição crucial: ele era um assassino extremamente paciente. Havia esperado cinco anos para matar o pai dela, nove para matar o repórter, vinte e dois para matar Kronke e aproximadamente quatorze para matar o líder de seu grupo de escoteiros. Encontrar o ponto em que o caminho dele se cruzou com o de Lanny Verno, se é que isso aconteceu, exigiria a habitual busca meticulosa e obstinada em uma montanha de dados públicos que remontavam a anos, quem sabe a décadas.

Ela era professora, dava aulas três dias por semana e mantinha um horário de expediente bastante regular. O livro que estava escrevendo estava com anos de atraso. Conseguia trabalhar apenas o suficiente para satisfazer seu diretor e seus alunos, mas estava ocupada demais tentando solucionar o assassinato para se destacar no trabalho, como seu pai. Era uma mulher divorciada e atraente, mas não tinha tempo para pensar em romance. Sua filha estava indo bem na pós-graduação em Michigan, e elas conversavam ou trocavam mensagens todos os dias. Jeri não fazia quase nada além de seguir sua verdadeira vocação, sua busca. Trabalhava por horas todas as noites e cedo da manhã, indo atrás de pistas e teorias malucas, chegando a becos sem saída e gastando todo o seu tempo. "Estou jogando minha vida fora", repetia para si mesma, mergulhada em sua solidão.

JERI ACREDITAVA QUE, como pintor de casas itinerante, Verno não se dava ao trabalho de votar, mas mesmo assim vasculhou os registros dos condados de Chávez, Escambia e Santa Rosa. Encontrou dois Lanny L. Verno. Um era muito idoso, o outro estava morto. No departamento de trânsito, encontrou o registro de um veículo em nome de outro, mas que ainda estava vivo.

Os localizadores on-line, tanto os gratuitos quanto os pagos, encontraram cinco Lanny Verno no noroeste da Flórida. Além de não saber se o Lanny Verno que estava procurando havia morado na região, Jeri também precisaria dar um jeito de descobrir quando ele se mudara, caso Lanny tenha de fato residido no local. Ele definitivamente não estava morando lá quando foi assassinado. De acordo com o relatório policial que Kenny Lee obteve da base de dados do FBI, a companheira de Verno disse que eles "estavam juntos" havia menos de dois anos e moravam em um trailer perto de Biloxi.

Se ele tinha um histórico com mulheres, então talvez já tivesse passado pela vara de família, enfrentando algum divórcio. Jeri passou horas on-line vasculhando os registros da Flórida, mas não encontrou nada útil. Se ele tinha filhos por aí, talvez tivesse problemas envolvendo o pagamento de pensão, mas os registros do tribunal não revelaram nada. Nesses mais de vinte anos investigando, ela sabia como eram precários os registros das varas de família e dos tribunais da infância e da juventude. Muitas das informações úteis eram mantidas em sigilo por questões de privacidade.

Se ele tinha sido pintor de casas a vida inteira, então talvez tivesse se envolvido em alguma confusão com a polícia.

Não havia nenhuma condenação criminal em nome de Lanny Verno, pelo menos não na Flórida, e ele não esteve envolvido em nenhum processo civil. Felizmente, porém, o departamento de polícia da cidade de Pensacola havia digitalizado seus registros uma década antes e, nesse processo, criado um acervo com trinta anos de prisões e antigos processos judiciais em algum lugar nas profundezas da nuvem. Às duas e meia da manhã, enquanto tomava outro refrigerante zero, sem cafeína, ela encontrou uma ficha de cadastro referente à prisão de um tal Lanny L. Verno, em abril de 2001. O suposto crime foi tentativa de roubo. Ele pagou a fiança de quinhentos dólares e foi liberado. Ela começou a cruzar essas informações com os processos do tribunal e encontrou outra entrada. Em 11 de junho de 2001, Verno foi considerado inocente no tribunal da cidade de Pensacola. Caso encerrado.

Naquela época, Ross Bannick tinha 36 anos e trabalhava com advocacia havia dez.

Será que foi ali que os caminhos deles se cruzaram? Foi assim que aconteceu?

Era um tiro no escuro, mas no mundo de Jeri tudo era.

ELA ENCONTROU UM DETETIVE PARTICULAR de Mobile, mas que alegaria ser de Atlanta ou de qualquer outro lugar se fosse necessário. A família de Verno o enterrou perto de Atlanta, de acordo com uma postagem de um serviço funerário na internet.

Ela odiava pagar detetives particulares, mas muitas vezes não tinha escolha. Quase todos os investigadores de polícia eram brancos de meia-idade que não suportavam mulheres que investigavam crimes antigos, especialmente mulheres negras. Aquele trabalho era coisa de homem, e quanto mais branco, melhor. A maior parte de seu dinheiro extra ia para detetives particulares que se pareciam e falavam como policiais.

Seu nome era Rollie Tabor, um ex-policial pragmático que cobrava 150 dólares a hora de trabalho e não se importava com as histórias que ela inventava. Ele já tinha feito isso antes, e ela gostava do trabalho dele. Rollie dirigiu até Pensacola, foi ao departamento de polícia e se deu tão bem com o pessoal da repartição que conseguiu o endereço de um armazém a vários quarteirões de distância, onde eles guardavam todo tipo de velharia. Principalmente evidências – provas apresentadas em audiências, kits de estupro, milhares de armas confiscadas –, mas também bens não reclamados e fileiras e fileiras de estantes altas com uma quantidade inesgotável de pastas antigas. Um funcionário idoso com um uniforme de polícia desbotado o encontrou no balcão e perguntou o que ele queria.

– O nome é Dunlap, Jeff Dunlap – disse Tabor.

Enquanto o funcionário anotava em uma folha de registro, Tabor analisou seu crachá. Sargento Mack Faldo. Ele estava lá havia pelo menos cinquenta anos e não conseguia se lembrar de quando parou de se importar.

– Identidade – grunhiu Faldo.

Tabor tinha uma coleção impressionante de documentos de identidade. Mostrou uma carteira de motorista da Geórgia com o nome Jeff Dunlap, que era uma pessoa que de fato existia e vivia tranquilamente, sem levantar qualquer suspeita, na cidade de Conyers, nos arredores de Atlanta. Se o sargento verificasse, o que em momento algum pensou em fazer, encontraria uma pessoa de verdade em um endereço de verdade. Mas Faldo estava cansado demais para sequer olhar para o documento e comparar a fotografia com o rosto de Dunlap. Ele grunhiu novamente:

– Preciso fazer uma cópia.

Ele caminhou até uma antiga máquina de xerox, fez o que precisava sem pressa alguma e voltou com a carteira na mão.

– Muito bem, como posso te ajudar? – perguntou ele, como se fazer qualquer coisa fosse perturbar seu dia.

– Estou procurando os autos de um processo que data de cerca de quinze anos atrás. Um cara chamado Lanny Verno foi preso, mas foi inocentado. Ele foi assassinado há alguns meses em Biloxi, e a família dele me contratou pra investigar seu passado. Ele viveu aqui por um tempo e pode ter deixado pra trás um filho, ou quem sabe mais. Ele era meio que um andarilho.

Tabor entregou uma folha de papel onde estava impresso o nome de Lanny L. Verno, seu registro social, sua data de nascimento e a data de falecimento. Não era nada oficial, mas Faldo aceitou.

– Quando exatamente?

– Junho de 2001.

As pálpebras de Faldo se semicerraram, como se ele fosse dormir a qualquer momento, e então ele apontou para uma porta.

– Me encontra ali.

Tabor seguiu o velho até uma sala cavernosa onde havia mais arquivos. Cada gaveta estava rotulada com o mês e o ano. Faldo parou diante da gaveta rotulada como "Junho de 2001", estendeu a mão, abriu e a removeu inteira.

– Junho de 2001 – murmurou ele. Carregou a gaveta até uma longa mesa coberta de poeira e bagunça, e disse: – Aqui está. Divirta-se.

Tabor olhou em volta e perguntou:

– Isso não está na internet?

– Nem tudo. Essas são as pastas dos casos que foram encerrados, seja lá por qual motivo. Se houve condenação, as pastas devem ter sido arquivadas. Essas aqui, Sr. Dunlap, precisam ser queimadas.

– Entendi.

Faldo já estava cansado ao ir trabalhar e estava exausto àquela altura.

– Nada de fotos – informou ele. – Se você precisar de cópias, é só falar comigo. Um dólar por página.

– Obrigado.

– Não há de quê.

Faldo se retirou, deixando Dunlap sozinho com um milhão de pastas inúteis.

Havia pelo menos uma centena de pastas na gaveta em cima da mesa, organizadas por data. Em questão de minutos, Tabor encontrou 12 de junho, folheou a papelada em ordem alfabética e puxou uma pasta com o nome Lanny L. Verno.

Dentro dela havia várias folhas de papel grampeadas. Na primeira, classificada como Registro de Ocorrência, havia as seguintes informações, digitadas pelo Oficial N. Ozment: A vítima [nome redigido] veio à delegacia, informou que naquele dia mais cedo teve uma discussão com Verno em sua garagem; houve uma discordância a respeito do pagamento dos serviços; Verno o ameaçou e sacou uma arma; depois disso as coisas se acalmaram e Verno foi embora. Não houve testemunhas. Sob juramento, a vítima [nome redigido] alega tentativa de agressão.

Alguém obviamente havia coberto o nome da suposta vítima com um marcador preto grosso.

Na segunda página havia um Auto de Prisão com uma foto de Verno na cadeia da cidade. Ele o definia como profissional autônomo e incluía seu endereço, número de telefone e registro social. Sua ficha criminal tinha apenas um registro de direção sob o efeito de álcool.

Na terceira página havia uma cópia do comprovante de pagamento da fiança no valor de quinhentos dólares.

O título da quarta página era: Resumo do Processo. Mas a folha inteira estava em branco.

Tabor passou os minutos seguintes folheando outras pastas na gaveta e analisando os resumos dos processos. Cada um deles era um formulário padrão que, quando preenchido, dava um resumo conciso do que havia acontecido na audiência, com o nome do juiz, do promotor, do réu, do advogado de defesa (quando havia), da parte reclamante, da vítima, das testemunhas e seus depoimentos. Ele encontrou um resumo completo para cada um dos outros arquivos. Furtos em lojas, agressões, cães sem coleira na rua, embriaguez em via pública, atentado ao pudor, assédio e assim por diante. A gaveta estava cheia de todo tipo de alegação, mas nenhuma que tivesse sido comprovada em tribunal.

Uma placa avisava: Proibidas fotos e cópias não autorizadas.

Ele se perguntou quem, além dele e seu cliente, poderia querer cópias ou fotos, autorizadas ou não.

Levou a pasta até o balcão da frente e perturbou Faldo mais uma vez.

– Posso ter uma cópia desse arquivo? Quatro páginas.

Faldo se levantou e se aproximou, quase sorrindo.

– Um dólar cada uma – disse ele enquanto pegava a pasta.

Tabor observou enquanto ele metodicamente soltava as quatro folhas, fazia as cópias, prendia-as de volta e as colocava de volta no balcão. O investigador ofereceu uma nota de cinco dólares, mas Faldo não aceitou.

– Só cartão de crédito – disse ele.

– Não tenho – disse Tabor. – Parei de usar depois de pedir falência anos atrás.

Aquilo realmente incomodou Faldo, e ele franziu a testa como se estivesse sentindo uma cólica.

– Não aceitamos dinheiro, sinto muito.

As quatro folhas que ninguém mais iria querer estavam sobre o balcão.

Tabor largou a nota de cinco dólares na bancada, pegou as cópias e perguntou:

– Devolvo a pasta pro lugar?

– Não. Pode deixar. É o meu trabalho.

Um trabalho crucial.

– Obrigado.

– Não há de quê.

No carro, Tabor ligou para Jeri, mas a ligação caiu na caixa postal. Ele decidiu ir a uma cafeteria e, para matar o tempo, tirou fotos das quatro folhas de papel e as enviou para ela. Depois la terceira xícara de café, ela finalmente retornou a ligação. Ele descreveu o que havia encontrado e como eram as outras pastas. Era óbvio que a de Verno tinha sido adulterada.

– Esse policial, N. Ozment... ainda está por aí? – perguntou ela.

– Não, já verifiquei.

– E não tem nenhum outro nome na pasta? Só tem o de Verno e o de Ozment?

– Só.

– Bem, isso facilita o próximo passo. Vê se você consegue encontrar o Sr. N. Ozment.

JERI ESTAVA EM SUA SALA no campus, com a porta aberta para que qualquer estudante pudesse entrar para bater um papo se quisesse, mas naquele momento estava sozinha enquanto comia uma salada e tomava um refrigerante zero. Seu estômago revirava ao lembrar que estava pagando 150 dólares por hora a alguém para fazer um trabalho que não tinha ideia de quanto tempo poderia levar. Havia também a emoção de encontrar a papelada que havia sido adulterada. Ela lembrou a si mesma que ainda não sabia se o Lanny Verno que estava rastreando em Pensacola era o mesmo que havia sido assassinado em Biloxi, e admitiu que as chances eram grandes. Havia 98 Lanny Vernos no país.

No entanto, os fatos talvez estivessem a seu favor. Membro estimado do judiciário, o juiz Bannick certamente teria fácil acesso a antigos autos e evidências de tribunais. Certamente era respeitado pela polícia. Enquanto funcionário eleito, precisaria do apoio deles a cada quatro anos. Seria capaz de passar por seus muitos protocolos e procedimentos.

Lanny Verno, um pintor de casas, apontou uma arma para Ross Bannick, um advogado famoso, treze anos atrás? E ganhou o caso?

Como sempre, ela lia vários jornais enquanto almoçava. O mesmo no café da manhã e no jantar. Encontrou um item interessante no *Tallahassee Democrat*. Na parte inferior da página seis, na seção Estado, havia um resumo das notícias sobre o governo. O último item era um anúncio de que Lacy Stoltz havia sido nomeada diretora interina da Comissão de Justiça, substituindo Charlotte Baskin, que havia sido indicada pelo governador para dirigir a Comissão de Jogos de Azar.

14

Ao longo de sua carreira, indo de um escritório para outro, Cleo havia aprendido a ter poucas coisas e a jamais entupir gavetas ou decorar o ambiente. Sem dizer uma palavra a ninguém, embora a fofoca estivesse rolando solta, ela arrumou tudo e deixou o edifício. As fofocas envolvendo Cleo pararam por ali, voltando-se para Lacy e o boato de que, felizmente, ela assumiria a direção do departamento.

Na manhã seguinte, ela reuniu toda a equipe no salão adjacente à deprimente sala da diretoria e confirmou que seria a diretora interina, e apenas interina, por algum tempo. A notícia deixou seus colegas e a equipe entusiasmados, e houve muitos sorrisos pela primeira vez em meses. Ela citou algumas mudanças nas regras do escritório: (1) será permitido trabalhar de casa o quanto quiser, desde que o trabalho seja feito; (2) no verão as tardes de sexta-feira serão de folga, desde que tenha alguém para atender o telefone; (3) reuniões de equipe serão feitas apenas quando forem absolutamente necessárias; (4) será criado um fundo para comprar um café melhor; (5) a política de portas abertas acabará; (6) todos terão uma semana a mais de férias, extraoficialmente. Ela prometeu correr atrás de mais financiamento e ao mesmo tempo reduzir os níveis de estresse. Ela manteria sua antiga sala porque nunca gostou da grande e não queria ser associada a ela.

Lacy foi parabenizada por todos e finalmente voltou para sua mesa, onde uma florista havia acabado de entregar um lindo arranjo. O cartão era de Allie, com amor e admiração. Felicity entregou-lhe um papel, alguém havia ligado para ela. Jeri Crosby a parabenizava pela importante promoção.

TABOR CONSEGUIU A PISTA ao parar por acaso em uma subestação de polícia no leste de Pensacola e perguntar a um policial mais velho atrás do balcão se ele sabia onde o policial Ozment trabalhava naquele momento.

– O Norris? – perguntou o sargento.

Como Tabor tinha apenas a inicial "N" para o primeiro nome, olhou para um bloco de anotações em branco, franziu a testa e respondeu:

– Ele mesmo. Norris Ozment.

– O que ele aprontou agora?

– Nada de mais. Um tio dele do condado de Duval morreu e deixou um cheque pra ele. Eu trabalho pros advogados responsáveis pelo espólio.

– Entendi. O Norris largou a polícia uns cinco, talvez seis anos atrás, foi pro setor de segurança privada. A última vez que soube, ele estava no litoral trabalhando em um resort.

Tabor rabiscou algo ilegível em seu bloco.

– Lembra qual?

Outro policial entrou e o sargento perguntou:

– Ô, Ted, você lembra o nome do hotel que contratou o Norris?

Ted deu uma mordida em um donut e refletiu sobre a pergunta difícil.

– Foi um em Seagrove Beach, não foi? The Pelican Point?

– Isso aí – respondeu o sargento. – Conseguiu um empreguinho bacana no Pelican Point. Não tenho certeza se ele ainda tá lá.

– Muito obrigado, pessoal – disse Tabor com um sorriso.

– Pode deixar o cheque aqui com a gente – disse o sargento e todos gritaram e assoviaram. Que engraçado.

Tabor saiu da cidade pela Rodovia 98 e serpenteou pela costa em direção ao leste. Ele ligou para o Pelican Point e confirmou que Norris Ozment ainda trabalhava lá, embora estivesse ocupado demais para atender seu telefone fixo. Não podiam informar o número do celular dele. Tabor chegou ao hotel, encontrou o homem no saguão e ativou seu charme. Disse que era de Atlanta e que a família de um senhor recém-falecido o havia contratado para rastrear alguns potenciais herdeiros.

– Cinco minutos é tudo de que preciso – disse ele com um sorriso amigável.

O saguão estava vazio, o resort só tinha metade dos quartos ocupados. Ozment conseguiu tirar alguns minutos. Sentaram-se a uma mesa no restaurante do hotel e pediram café.

– É sobre um caso no qual você trabalhou em Pensacola em 2001.

– Você só pode estar brincando. Não sei te dizer nem o que eu fiz na semana passada.

– Nem eu. O caso foi a julgamento.

– Pior ainda.

Tabor pegou uma folha de papel dobrada e a deslizou na direção dele. Era uma cópia do auto de prisão.

– Quem sabe isso te ajuda.

Ozment leu o que havia escrito numa outra vida, deu de ombros e disse:

– Me lembro vagamente. Por que o nome tá apagado?

– Não sei. Boa pergunta. O Verno foi assassinado cinco meses atrás em Biloxi. A família dele me contratou. Nada nesse caso chama sua atenção?

– Assim de cara, não. Olha, eu ia para o fórum todos os dias, uma rotina pesada. Esse é um dos motivos que me fizeram sair de lá. Cansei de advogados e juízes.

– Você se lembra de um advogado chamado Ross Bannick?

– Claro. Eu conhecia a maioria deles. Ele foi eleito juiz. Acho que ainda tá lá.

– Alguma chance de ele ser o outro cara aqui, a suposta vítima?

Ozment olhou novamente para o auto de prisão e por fim sorriu.

– Isso mesmo. Você tem razão. Eu me lembro agora. Esse cara, o Verno, pintou a casa que o Bannick tinha na cidade e alegou que ele não queria pagar tudo que devia. O Bannick disse que o trabalho não tinha sido concluído. Eles se estranharam um dia e o Bannick alegou que o Verno apontou uma arma pra ele. O Verno negou. Se bem me lembro, o juiz encerrou o caso porque não havia provas. Era a palavra de um contra a do outro.

– Tem certeza?

– Tenho, estou lembrando agora. Não era comum um advogado ser a vítima em um caso. Não testemunhei porque não vi nada. Lembro que o Bannick ficou puto porque era advogado e achava que a visão do juiz tinha que ser mais como a dele.

– Você viu o Bannick depois disso?

– Claro. Depois que ele foi eleito pro tribunal federal, eu esbarrava com ele o tempo todo. Mas fui embora há anos. Não sinto a menor falta.

– Nunca mais falou com ele desde que você saiu da polícia?

– Não tenho motivo nenhum pra isso.

– Obrigado. Talvez eu precise te ligar mais tarde.

– Quando precisar.

Enquanto conversavam, a equipe de Ozment verificou o número da placa do carro do investigador. Era alugado. Sua história era estranha. Se Ozment tivesse se interessado um pouco mais, teria conseguido rastrear Jeff Dunlap. Mas não valia a pena se estressar por um antigo caso que não interessava a ninguém.

Enquanto ia embora em seu carro alugado, Tabor ligou para sua cliente.

JERI SE SENTIU TONTA e seus joelhos fraquejaram. Ela se reclinou no sofá em seu apartamento bagunçado, fechou os olhos e se obrigou a respirar fundo. Oito pessoas mortas em sete estados diferentes. Sete vítimas do mesmo tipo de estrangulamento, todas tiveram o azar de esbarrar com Ross Bannick em algum momento da vida.

A polícia de Biloxi jamais encontraria Norris Ozment e jamais teria conhecimento da disputa judicial entre Lanny Verno e Bannick. Eles conseguiriam descobrir apenas que Verno dirigiu alcoolizado na Flórida, e não dariam a menor importância pra isso. Afinal, Verno era a vítima, não o assassino, e eles não estavam exatamente preocupados com seu passado. O caso já estava parado, a investigação já tinha virado um beco sem saída.

O assassino perseguiu sua presa por quase treze anos. Ele estava muito à frente da polícia.

Respire fundo, disse a si mesma. Você não pode resolver todos esses assassinatos. Você só precisa resolver um.

15

Além do aumento considerável no salário, que ela ficou feliz em aceitar, e da sala maior, que ela ficou mais feliz ainda em recusar, a promoção tinha poucas vantagens. Uma delas, porém, era um carro oferecido pelo governo, um Impala antigo com pouquíssimos quilômetros rodados. Antigamente, todos os investigadores dirigiam carros como esse e nunca se preocupavam com as despesas de viagem. Mas cortes no orçamento mudaram as coisas.

Lacy havia decidido que Darren Trope se tornaria seu braço direito e, como tal, dirigiria bastante. Logo, logo ele seria apresentado à misteriosa testemunha e a suas acusações de tirar o fôlego, mas a sua verdadeira identidade ainda seria mantida em segredo.

Darren parou no estacionamento parcialmente vazio de um hotel ao lado da interestadual 10, alguns quilômetros a oeste de Tallahassee.

– O meu contato vai ver a gente entrando no hotel, então vai saber que você tá aqui.

– Seu contato?

– Desculpe, mas é o máximo que posso dizer por enquanto.

– Adoro isso. Todo esse mistério.

– Você não faz ideia de onde tá se metendo. Fica pelo saguão ou pelo café.

– Onde você vai encontrar o seu contato?

– Num quarto no terceiro andar.

– E você acha seguro?

– Claro, além disso tenho você lá embaixo pronto pra vir me socorrer. Tá com a sua arma aí?

– Esqueci.

– Que tipo de agente você é?

– Não sei. Eu achava que era só um investigador humilde, que ganha um salário mínimo.

– Vou te dar um aumento. Se eu não voltar em uma hora, pode considerar que fui sequestrada e estou sendo torturada.

– E aí eu faço o quê?

– Corre.

– Pode deixar. Tá, mas olha só, Lacy, qual é exatamente o propósito dessa reuniãozinha?

– Mas que diabo estamos fazendo aqui, não é mesmo? Bem, estou esperando que o contato faça uma denúncia formal contra um juiz federal, e que nesse documento haverá alegações de que o juiz cometeu um homicídio já depois de assumir o cargo na magistratura. Talvez mais de um. Sugeri várias vezes que o contato fosse até o FBI ou algum outro grupo de combate ao crime, mas ele é inflexível e está bastante assustado. A investigação, seja lá como for, vai começar com a gente. E para onde vai depois disso, não faço ideia.

– E você conhece bem esse contato?

– Não. A gente se conheceu faz duas semanas. Na cafeteria do Edifício Siler. Você tirou uma foto dela.

– Ah, então é ela?

– É.

– Você acredita nela?

– Acho que sim. Tenho minhas dúvidas de vez em quando. É uma acusação muito séria, mas ela apresentou algumas evidências bem convincentes. Nenhuma prova de fato, veja bem, mas suspeitas suficientes pra tornar a história interessante.

– Que demais, Lacy. Você tem que me deixar entrar nessa investigação. Eu amo esse clima de mistério.

– Você já tá dentro, Darren. Você e Sadelle. Essa é a equipe. Entendido? Só nós três. E você precisa me prometer que não vai perguntar a verdadeira identidade dela.

– Prometo – disse ele, fazendo um gesto de selar os lábios.

– Vamos lá.

Havia um café no lado esquerdo do saguão logo atrás da bancada da recepção. Darren se afastou sem dizer uma palavra enquanto Lacy caminhava em direção aos elevadores. Ela foi sozinha até o terceiro andar, encontrou o quarto certo e tocou a campainha.

Jeri abriu a porta sem sorrir, sem dizer uma palavra. Ela apontou a cabeça na direção do quarto atrás dela e Lacy entrou lentamente, olhando ao redor. Era um cômodo pequeno com apenas uma cama.

– Obrigada por vir – disse Jeri. – Senta.

Havia uma cadeira ao lado da televisão.

– Você tá bem? – perguntou Lacy.

– Eu tô um lixo, um desastre completo.

As roupas elegantes e a armação de grife falsa haviam desaparecido. Jeri vestia um velho conjunto de moletom preto e tênis surrados. Estava sem maquiagem e parecia anos mais velha.

– Senta, por favor.

Lacy se sentou na cadeira, e Jeri, na beirada da cama. Ela apontou para alguns papéis em cima da mesa.

– Tá aí a denúncia, Lacy. Não me estendi demais e usei o nome Betty Roe. Você promete que ninguém mais vai saber o meu verdadeiro nome?

– Não posso prometer isso, Jeri. Já falamos sobre esse assunto. Mas posso garantir que ninguém na comissão vai saber quem você é, nada mais além disso.

– Além disso? O que há além disso, Lacy?

– Agora nós temos quarenta e cinco dias pra investigar a sua denúncia. Se encontrarmos evidências que embasem as suas alegações, não teremos escolha a não ser ir à polícia ou ao FBI. Não podemos prender esse juiz por homicídio, Jeri. Já discutimos isso. Ele pode até ser expulso da tribuna, mas, até lá, perder o emprego será a menor das suas preocupações.

– Você precisa me proteger o tempo todo.

– Faremos nosso trabalho, é tudo que posso te prometer. Na comissão ninguém ficará sabendo o seu nome.

– Prefiro ficar fora da lista dele, Lacy.

– Bem, eu também.

Jeri enfiou as mãos nos bolsos e se balançou para a frente, depois para trás, perdida em outro mundo. Depois de uma longa e constrangedora pausa, ela disse:

– Ele vai matar de novo, Lacy, ele nunca parou.

– Você disse que talvez houvesse outra vítima.

– Sim. Cinco meses atrás, ele matou um homem chamado Lanny Verno em Biloxi, no Mississippi. Mesmo método, mesma corda. Eu descobri o motivo. Eu, Lacy, não a polícia, *eu*. Encontrei o rastro do Verno em Pensacola, treze anos atrás. Procurei o ponto onde os caminhos deles se cruzaram e encontrei. A polícia não, eles não fazem ideia.

– Eles também não fazem ideia de que o Bannick existe – disse Lacy. – O que aconteceu?

– Um problema antigo envolvendo uma reforma na casa do Bannick. Parece que o Verno apontou uma arma… deveria era ter puxado o gatilho. O Bannick era só um advogado na época, não um juiz, e levou o caso pro tribunal acusando o cara de tentativa de agressão. Perdeu. O Verno foi inocentado, e acho que acabou entrando direto na lista do Bannick. Ele esperou treze anos. Você acredita nisso, Lacy?

– Não.

– Ele anda matando com mais frequência, o que é comum. Cada serial killer é diferente, e não existe de fato nenhuma regra nesse jogo. Mas não é incomum que eles acelerem o ritmo e depois diminuam. – Ela se balançou lentamente para a frente e para trás, olhando para algum ponto adiante, como se estivesse em transe. – Ele também está se arriscando, cometendo erros. Quase foi pego com o Verno quando um coitado acabou aparecendo na hora errada, no lugar errado. O Bannick partiu o crânio dele, o matou, mas não usou a corda. Ela é só pros escolhidos.

Mais uma vez, Lacy ficou chocada com a certeza com que Jeri descrevia coisas que não tinha visto e que certamente não podia provar. Era frustrante como ela era convincente.

– E o local do crime? – perguntou Lacy.

– Não sabemos muita coisa porque a investigação está aberta e a polícia tá segurando as informações. O segundo cara era um empreiteiro com muitos amigos, e a polícia tá sendo bombardeada. Mas, como sempre, parece que o Bannick não deixou nenhum rastro.

– Seis mais dois são oito.

– Que a gente saiba, Lacy. Pode haver outros.

Lacy estendeu a mão e pegou a denúncia, mas não a leu.

– O que tem aqui?

Jeri parou de se balançar e esfregou os olhos como se estivesse com sono.

— Apenas três casos. Os três últimos. Lanny Verno e Mike Dunwoody, no ano passado, e Perry Kronke, de dois anos atrás. O caso do Kronke está com o Keys, o advogado de um escritório grande que supostamente não ofereceu um emprego ao Bannick quando ele estava terminando a faculdade de direito.

— E por que esses casos?

— O Verno porque é fácil provar a conexão com Pensacola. Ele já morou lá, e eu consegui localizá-lo. Vai ser fácil depois que a gente disser pra polícia como proceder. Envolve pautas antigas dos tribunais enterradas em bancos de dados esquecidos e pastas velhas empilhadas em depósitos. Coisas que eu encontrei, Lacy. A gente dá de bandeja essas informações pra polícia e quem sabe eles possam estruturar um caso.

— Pra isso eles vão precisar de provas, Jeri, e não de meras coincidências.

— Verdade. Mas eles nunca ouviram o nome de Ross Bannick. Depois que isso acontecer, depois que a gente ligar os pontos pra eles, aí, sim, eles podem fazer as intimações.

— E o Kronke? Por que ele?

— É o único caso da Flórida e envolveu um deslocamento. São dez horas de carro de Pensacola até Marathon, então o Bannick provavelmente não fez isso em um único dia. Deve ter tido gastos com hotel, gasolina, talvez até tenha ido de avião. São muitos registros ao longo do caminho. Deve ser possível rastrear a movimentação dele antes e depois do crime. Ver as pautas dele no tribunal, em que dias ele esteve em audiência, esse tipo de coisa. O trabalho básico de um detetive.

— Nós não somos detetives, Jeri.

— Bem, vocês são investigadores, não são?

— Tipo isso.

Jeri se levantou, se espreguiçou e caminhou até a janela. Olhando para ela, perguntou:

— Quem é o cara que veio com você?

— Darren, um colega de trabalho.

— Por que você trouxe ele?

— Porque é assim que eu quero trabalhar, Jeri. Sou a chefe agora e vou fazer as regras.

— Sim, mas posso confiar em você?

– Se você não confia em mim, então leve o assunto pra polícia. É onde deveria estar mesmo. Eu nunca quis cuidar desse caso.

Jeri de repente cobriu os olhos com as mãos e chorou por alguns segundos. Lacy ficou atordoada com aquela reação repentina e se sentiu culpada pela falta de sensibilidade. Ela estava lidando com uma mulher frágil.

Lacy levou lenços de papel para ela e esperou o momento passar. Depois que terminou de secar o rosto, Jeri disse:

– Desculpe, Lacy. Eu tô um lixo e não sei mais por quanto tempo consigo continuar com isso. Nunca imaginei que chegaria a esse ponto.

– Tudo bem, Jeri. Prometo que farei o que puder e prometo proteger seu nome.

– Obrigada.

Lacy olhou para o relógio e percebeu que estava lá há apenas dezoito minutos. Jeri tinha dirigido por quatro horas de Mobile até lá. Não havia sinal de café, água, pães, nada relacionado ao café da manhã.

– Preciso de um café. Você quer?

– Quero. Obrigada.

Lacy mandou uma mensagem para Darren e pediu a ele que pedisse dois cafés grandes para viagem. Ela iria encontrá-lo lá embaixo em frente aos elevadores em dez minutos. Ao guardar o celular, ela disse:

– Peraí. Você incluiu o Verno porque ele já morou em Pensacola e foi lá que ele e o Bannick se cruzaram, certo?

– Isso mesmo.

– Mas ele não é o único de Pensacola. O primeiro deles, Thad Leawood, o chefe dos escoteiros, cresceu na cidade, não muito longe do Bannick. Assassinado em 1991, certo?

– Exatamente.

– E você acha que ele foi o primeiro?

– Espero que sim, mas realmente não sei. Só o Bannick sabe.

– E o repórter, Danny Cleveland, escrevia pro *Pensacola Ledger* e morou lá uns quinze anos atrás. Foi encontrado morto no apartamento dele em Little Rock em 2009.

– Você fez o dever de casa.

Lacy saiu do quarto balançando a cabeça. Pegou os cafés com Darren e voltou em minutos. Jeri deixou o dela no aparador. Depois de um longo gole, Lacy foi até a porta e voltou.

— Nos primeiros documentos que você me mostrou, há duas mulheres entre as vítimas. Mas você não falou muito sobre elas. Você pode me contar um pouco mais?

— Certo. Na época em que estava na faculdade, na Flórida, ele conheceu uma garota chamada Eileen Nickleberry. Ele era membro de uma fraternidade, ela fazia parte de uma irmandade, e os dois frequentavam os mesmos eventos. Eles estavam em uma festinha dessas no campus e todo mundo estava bebendo. Muita bebida, maconha, sexo. Bannick e Eileen foram para o quarto dele, e ele não deu conta. Ela tirou sarro dele e contou pra todo mundo. Ele foi muito humilhado. Virou o alvo de muitas piadas entre os membros da fraternidade. Isso foi por volta de 1985. Uns treze anos depois, Eileen foi assassinada perto de Wilmington, na Carolina do Norte.

Lacy ouviu incrédula.

— A outra garota se chamava Ashley Barasso. Eles estudaram juntos na faculdade em Miami, isso é fato. Ela foi estrangulada, com a mesma corda, seis anos depois de se formarem. Não sei muito sobre ela, comparada a qualquer uma das outras vítimas.

— Onde ela foi morta?

— Em Columbus, na Geórgia. Era casada e tinha dois filhos pequenos.

— Que horror.

— É sempre um horror, Lacy.

— Com certeza.

— Então, a minha teoria é que o Bannick tem um problema real com sexo. Provavelmente por conta do abuso que sofreu quando tinha 11 ou 12 anos, nas mãos de Thad Leawood. Ele provavelmente não recebeu a ajuda e o apoio de que precisava. Isso costuma acontecer com as crianças. De qualquer forma, ele nunca se recuperou desse trauma. Ele matou a Eileen porque ela riu dele. Não sei o que aconteceu entre ele e a Ashley Barasso, e provavelmente nunca vou descobrir. Mas eles estudaram juntos, na mesma turma, então imagino que se conheciam.

— Elas foram violentadas?

— Não, ele é esperto demais pra isso. Na cena de um crime, a prova mais importante é o cadáver. Pode revelar muita coisa, e geralmente é isso que acontece. Mas o Bannick é cuidadoso, deixa pra trás apenas a corda e o golpe na cabeça. A motivação é sempre vingança, exceto por Mike Dunwoody. O azar dele foi aparecer na hora errada.

– Sim, sim. Bom, vou dizer uma coisa que é bem óbvia pra gente. Você é uma mulher negra.

– Sim.

– E acho que em 1985, mais ou menos, as fraternidades na Universidade da Flórida eram basicamente brancas.

– Com certeza.

– E você nunca estudou lá?

– Nunca.

– Então, como você conseguiu descobrir a história do Bannick com a Eileen? É tudo um boato, uma lenda urbana, um evento lembrado e contado por um bando de garotos ricos e bêbados. Certo?

– De certa forma, sim.

– Então?

Jeri pegou uma pasta grande e surrada, abriu-a e tirou um livro de dentro. Entregou-o a Lacy, que o pegou e analisou.

– Quem é Jill Monroe?

– Eu. É um livro que publiquei por conta própria, um entre vários, todos com pseudônimos diferentes. É uma editora pequena que só publica quem paga pelo serviço. É praticamente ilegível, e não espero que ninguém leia. Faz parte do disfarce, Lacy, parte da ficção que é a minha vida.

– O que tem no livro?

– Crimes reais, coisas que tirei da internet, todas roubadas, mas que não são protegidas por direitos autorais.

– Prossiga.

– Uso isso para chamar a atenção e gerar credibilidade. Digo que sou uma escritora de crimes reais e histórias policiais. Freelancer, é claro, sempre freelancer. Digo que estou trabalhando em um livro sobre casos não solucionados envolvendo mulheres jovens que foram estranguladas. Nesse caso, verifiquei as listas das fraternidades e irmandades da Universidade da Flórida e no fim montei o quebra-cabeça. Nenhum dos antigos amigos de Eileen queria falar. Demorou meses, anos até, mas finalmente encontrei um membro da fraternidade linguarudo. Me encontrei com ele em um bar em St. Pete e ele disse que conhecia a Eileen, disse que muitos rapazes conheciam. Disse que não falava com o Bannick havia anos, mas, depois de alguns drinques, me contou a história sobre aquela noite. Disse que o Bannick foi humilhado de verdade.

Lacy andava de um lado para outro enquanto tentava assimilar tudo.

– Tá, mas como você ficou sabendo da morte da Eileen?

– Tenho uma fonte. Um cientista maluco. Um ex-policial que coleta e estuda estatísticas de crimes mais do que qualquer outra pessoa no planeta. Cerca de trezentos assassinatos por estrangulamento são registrados a cada ano. Eles chegam de muitas formas à base de dados do FBI que envolve crimes violentos. Essa minha fonte estuda os casos não solucionados, em busca de padrões e semelhanças. Ele descobriu a Eileen Nickleberry dez anos atrás e me avisou. Descobriu o caso do Lanny Verno e me avisou. Ele não sabe nada a respeito do Bannick e não faz ideia de como eu uso a informação. Acha que eu sou uma espécie de escritora de thrillers.

– Ele concorda com sua teoria? De que Bannick é um serial killer?

– Ele não é pago pra concordar nem discordar, e nós nunca debatemos isso. Ele é pago pra vasculhar os escombros e me alertar se algo parecer suspeito.

– Só por curiosidade. Onde esse cara está?

– Não sei. Ele usa nomes e endereços diferentes, como eu. Nós nunca nos encontramos, nunca nos falamos por telefone, e jamais faremos qualquer uma dessas coisas. Ele oferece cem por cento de anonimato.

– E como você o paga? Se você não se importar em me contar.

– Dinheiro vivo para uma caixa postal no Maine.

Impressionada, Lacy se sentou. Tomou um gole de café e respirou fundo. Ela percebeu quanto Jeri havia descoberto e coletado nos últimos vinte e tantos anos.

Como se pudesse ler a mente dela, Jeri disse:

– Eu sei que é muita coisa. – De um bolso, ela tirou um pen drive e entregou a Lacy. – Tá tudo aqui, mais de seiscentas páginas de pesquisa, matérias de jornal, arquivos da polícia, tudo que encontrei que pode ser útil. E provavelmente muitas coisas que não são.

Lacy pegou o pen drive e o enfiou no bolso.

– Está criptografado – informou Jeri. – Vou te mandar o código por mensagem.

– Por que está criptografado?

– Porque toda a minha vida está criptografada, Lacy. Tudo que a gente faz deixa um rastro.

– E você acha que ele está por aí, em algum lugar, seguindo esse rastro?

– Não sei, mas evito me expor.

– Bem, seguindo essa mesma linha de raciocínio, quais são as chances de o Bannick saber que tem alguém atrás dele? Estamos falando de oito homicídios, Jeri. Você chegou muito longe.

– E você acha que eu não sei disso? Oito homicídios em vinte e dois anos, e ainda podemos descobrir outros. Falei com centenas de pessoas, mas a maioria não me ajudou em nada. Claro, algum colega de faculdade pode ter dito a ele que uma desconhecida andou fazendo perguntas por aí, mas nunca uso meu nome verdadeiro. E, sim, algum policial em Little Rock, Signal Mountain ou Wilmington pode deixar escapar que um investigador particular estava fuçando um antigo caso de homicídio, mas é impossível me vincular a ele. Sou muito cuidadosa.

– Então por que você está tão preocupada?

– Porque ele é muito esperto e muito paciente, e porque não me surpreenderia se ele voltasse.

Lacy aguardou, então perguntou:

– Voltasse aonde?

– Aos locais dos crimes. Ted Bundy fez isso, por exemplo, e outros assassinos também. O Bannick não é tão desleixado assim, mas talvez ele monitore a polícia, acompanhe o que acontece com antigos casos, pergunte se alguém apareceu recentemente.

– Mas como?

– Pela internet. Ele poderia facilmente hackear os arquivos da polícia e monitorar tudo. Detetives particulares também, Lacy. Basta pagar o suficiente para fazerem o trabalho, e ficam de bico calado.

O celular de Lacy tocou e ela olhou para a tela. Era Darren querendo saber como ela estava.

– Tudo bem aí em cima? – perguntou ele.

– Sim, dez minutos. – Ela desligou o telefone e olhou para Jeri, que estava secando o rosto novamente e se balançando.

– Bem, Jeri, sua denúncia foi apresentada e o relógio já começou a correr.

– Vou receber atualizações?

– Vai.

– Diariamente?

– Não. Eu te aviso quando e se fizermos algum avanço.

– Vocês precisam fazer algum avanço, Lacy, você precisa parar esse cara. Não tem mais nada que eu possa fazer. Pra mim já deu. Estou fisicamente, emocionalmente e financeiramente acabada, cheguei ao meu limite. Não consigo acreditar que finalmente cheguei a esse ponto e não tenho mais como continuar.

– Eu mantenho contato, prometo.

– Obrigada, Lacy. E, por favor, tome cuidado.

16

No sábado, dia 22 de março, o dia estava quente e lindo. Darren Trope, 28 anos, solteiro, não estava nem um pouco a fim de passar o dia inteiro enfiado no escritório. Havia chegado a Tallahassee dez anos antes como calouro, estudou administração e direito por oito gloriosos anos e àquela altura não tinha planos de se afastar muito do campus nem de todas as atividades relacionadas ao lugar. No entanto, estava obcecado por Lacy Stoltz, sua nova chefe, e quando ela pediu que a encontrasse no escritório às dez da manhã de sábado e levasse um café caro para ela, Darren chegou dez minutos mais cedo. Levou também um café comum para Sadelle, o terceiro membro de sua "força-tarefa". Sendo o mais novo, Darren era o responsável por tudo que envolvia tecnologia, além do café.

Lacy avisou ao resto da equipe que o escritório estaria interditado no sábado de manhã. De qualquer forma, ela não esperava encontrar uma multidão. Uma equipe que quase sempre encerrava o expediente de sexta-feira ao meio-dia com certeza não faria hora extra no fim de semana. Nove horas da manhã de segunda-feira já era cedo demais para eles.

Reuniram-se na sala de conferências ao lado do gabinete da direção. Como havia levado a chefe para se encontrar com "O Contato" na quarta-feira anterior, Darren sabia de alguns detalhes e estava ansioso por mais. Sadelle, cinzenta, pálida, doente e tão fantasmagórica como sempre fora ao longo dos últimos sete anos, aproximou-se da mesa em sua cadeira motorizada e sorveu seu oxigênio.

Lacy entregou a cada um uma cópia da denúncia de Betty Roe e eles leram em silêncio. Sadelle respirou fundo.

– Então esta é a denúncia de assassinato que você mencionou.

– Exatamente.

– E Betty Roe é a nossa garota misteriosa?

– Sim.

– Por que estamos nos metendo nisso? Parece que esse assunto pertence aos garotos que andam armados por aí.

– Eu disse que não podíamos fazer nada, mas ela não me ouviu. Ela tem medo de ir à polícia porque tem medo de Ross Bannick. Ela está convencida de que pode acabar se tornando mais um alvo dele.

Sadelle olhou para Darren um pouco em dúvida e em seguida ambos olharam para o papel. Quando terminaram de ler, refletiram acerca das alegações e houve um longo silêncio. Por fim, Darren disse a Lacy:

– Você usou a palavra "alvos". Como se ainda houvesse mais nessa história toda.

Lacy sorriu.

– São oito vítimas. As três que estão nessa denúncia, mais outras cinco. De acordo com a teoria da Betty, os assassinatos começaram em 1991 e prosseguiram, pelo menos até o Verno, cinco meses atrás. A Betty acredita que o Bannick ainda está na ativa e talvez esteja começando a ficar descuidado.

– Ela é especialista em serial killers? – perguntou Darren.

– Bem, não sei exatamente como alguém se torna especialista nesse assunto, mas ela entende bastante. Faz mais de vinte anos que ela está *perseguindo* o Bannick. Palavras dela, não minhas.

– E por que ela começou essa perseguição?

– Ele matou o pai dela. Aparentemente, ele foi sua segunda vítima, em 1992.

Houve outro longo silêncio enquanto Darren e Sadelle olhavam para a mesa.

– Ela é confiável? – perguntou Sadelle.

– Às vezes, sim. Bastante. Ela acha que o Bannick está se vingando e que ele tem uma lista de possíveis vítimas. Ela o enxerga como um sujeito metódico, paciente e brilhante.

– E o que a gente sabe sobre ele aqui na Comissão? – perguntou Darren.

– A ficha é praticamente limpa, não há nenhuma queixa sequer sobre o trabalho dele na tribuna. Tem excelentes avaliações na ordem dos advogados.

Sadelle inspirou oxigênio e disse:

– Se for mesmo vingança, isso significa que ele conhecia todas as vítimas, certo?

– Correto.

Darren começou a rir e, quando as duas mulheres olharam para ele, declarou:

– Desculpem, mas não consigo não pensar nas outras quatro pastas que estão em cima da minha mesa neste momento. Uma envolve um juiz de 90 anos que não consegue mais ir ao fórum. Talvez esteja conectado a aparelhos. Outra é sobre um juiz que fala demais no Rotary Club e anda comentando sobre um caso em andamento.

– A gente entende, Darren – disse Lacy. – Todos nós lidamos com esse tipo de caso.

– Eu sei, desculpe. É só que agora a gente precisa resolver oito homicídios.

– Não. A denúncia abrange apenas três.

Sadelle olhou novamente para sua cópia e disse:

– Muito bem, esses dois primeiros aqui. Lanny Verno e Mike Dunwoody. Qual era a conexão do Bannick, ou a suposta conexão, com esses dois?

– Não há nenhuma conexão com o Dunwoody. Ele apareceu na cena do crime pouco depois que o Bannick matou o Verno. O Verno e o Bannick se enfrentaram no tribunal de Pensacola há mais ou menos treze anos. O Verno ganhou. E o nome dele foi parar na lista.

– Por que a Betty escolheu incluir esse caso?

– Porque ele está aberto, em andamento, e há dois cadáveres na mesma cena. Talvez a polícia do Mississippi saiba de alguma coisa.

– E esse outro, Perry Kronke?

– É um caso aberto, e o único na Flórida. A Betty diz que a polícia de Marathon não tem nenhuma pista. O Bannick sabe o que tá fazendo e não deixa nada pra trás, nada além da corda no pescoço da vítima.

– Todos os oito foram estrangulados? – perguntou Darren.

– Menos o Dunwoody. Os outros sete foram estrangulados com o mesmo tipo de corda. Enrolada e amarrada com o mesmo nó esquisito de marinheiro.

– Qual era a conexão com o Kronke?
– Como ele entrou na lista?
– Isso.
– O Bannick fez direito na Universidade de Miami. Ele trabalhou pra um escritório grande de lá e conheceu o Kronke, um sócio sênior. A Betty acha que o escritório retirou uma oferta de emprego no último minuto e Bannick se sentiu traído. Isso deve ter realmente chateado ele.
– Ele esperou vinte e um anos? – perguntou Sadelle.
– É o que a Betty acha.
– E eles encontraram o cara num barco de pesca com uma corda enrolada no pescoço?
– De acordo com um relatório preliminar da polícia, sim. Como eu disse, o caso está aberto, mesmo depois de dois anos sem qualquer pista, e a polícia ainda tem os autos do inquérito.

Os três tomaram café e tentaram organizar os pensamentos. Depois de um tempo, Lacy quis saber:
– Temos quarenta e cinco dias pra avaliar, pra fazer alguma coisa. Vocês têm alguma ideia?

Sadelle ofegou e disse:
– Acho que chegou a hora de me aposentar.

Os outros dois riram, embora ela não fosse conhecida pelo bom humor. Seus colegas da comissão achavam que ela morreria antes de se aposentar.
– Sua carta de demissão foi rejeitada – disse Lacy. – Preciso de você comigo nessa. Darren?
– Não sei. Esses homicídios estão sendo investigados por pessoas treinadas e experientes. E mesmo assim eles não encontraram nenhuma pista? Não têm nenhum suspeito? Que diabos *a gente* pode fazer? Gosto da ideia de trabalhar num caso tão emocionante, mas acho que isso não é pra gente.

Lacy ouviu e assentiu.
– Tenho certeza de que você tem um plano – disse Sadelle.
– Sim. A Betty tem medo de falar com a polícia porque quer permanecer anônima. Por isso ela tá usando a gente pra chegar à polícia. Ela sabe que não podemos fazer muita coisa, que os recursos são limitados, tudo é limitado. Ela também sabe que a lei exige que a gente investigue todas as denúncias, então não podemos simplesmente empurrar com a barriga. Eu

voto para fazermos isso na surdina, de maneira segura, tomando cuidado pra não chamar a atenção do Bannick, e daqui a um mês reavaliamos. Mas provavelmente vamos jogar isso no colo da polícia estadual.

– Agora sim – comentou Darren. – Se o Bannick é um serial killer, e tenho minhas dúvidas em relação a isso, então é melhor deixar que os verdadeiros policiais corram atrás dele.

– Sadelle?

– Só me deixa fora da lista dele.

17

Na terça-feira seguinte, dois terços da força-tarefa saíram de Tallahassee às oito da manhã para uma viagem de cinco horas até Biloxi. Darren – o braço direito de Lacy – dirigia, enquanto ela – a chefe – lia relatórios, dava telefonemas e, em geral, agia exatamente como qualquer diretor interino da Comissão de Justiça agiria. Ela estava aprendendo depressa que gerenciar pessoas era uma parte desagradável do trabalho.

Em um instante de calmaria, Darren, que estava à espera do momento certo para atacar, disse:

– Então, tenho lido algumas coisas sobre serial killers. Sabe quem apagou mais gente na história dos Estados Unidos?

– Apagou?

– Apagou. Matou. É assim que os policiais falam.

– Nossa, sei lá. Aquele tal de Gacy não matou dezenas de pessoas em Chicago?

– John Wayne Gacy matou trinta e duas pessoas, ou ao menos é o que ele consegue lembrar. Enterrou todo mundo debaixo da casa onde ele morava no subúrbio. A perícia encontrou os restos mortais de vinte e oito pessoas, então os policiais acreditaram na confissão dele. Ele disse que jogou algumas no rio, mas não sabia dizer quantas.

– E o Ted Bundy?

– Oficialmente, o Bundy confessou trinta, mas mudava as histórias o tempo todo. Antes de fritarem ele na cadeira elétrica, aqui no nosso querido estado, aliás. Mas investigadores do país inteiro o interrogaram, principalmente os do Oeste, de onde ele era. Ele tinha uma mente brilhante, mas simplesmente não conseguia se lembrar de todas as suas vítimas. Dizem que ele matou umas cem mulheres, mas é impossível confirmar. Ele matou várias pessoas em um mesmo dia e chegou a sequestrar diferentes vítimas no mesmo local. Pra mim ele é o mais doido de todos esses doidos.

– E o recorde é dele?

– Não, não para mortes confirmadas. Um cara chamado Samuel Little confessou noventa assassinatos e esteve na ativa até dez anos atrás. As autoridades ainda estão investigando e até agora já confirmaram uns sessenta crimes.

– Você tá curtindo isso, né?

– É fascinante. Já ouviu falar do Assassino de Green River?

– Acho que já.

– Confessou setenta crimes, foi condenado por quarenta e nove. Quase todas profissionais do sexo na região de Seattle.

– Aonde você quer chegar?

– A lugar nenhum, na verdade. O que é fascinante é que nenhum desses caras parece com o Bannick. Ainda não encontrei ninguém que tenha feito isso por vinte anos e matado apenas pessoas que ele conhecia. São todos sociopatas, perturbados, alguns são brilhantes, a maioria não, mas nenhum, até agora, em minha vasta pesquisa, lembra o Bannick. Alguém que mata apenas por vingança e tem uma lista.

– Nós não sabemos se ele tem uma lista.

– Chame do que quiser, ok? Ele anota o nome de quem cruza com ele e persegue a pessoa por anos. Isso não parece comum.

Lacy suspirou e balançou a cabeça.

– Ainda não consigo acreditar nisso – disse ela. – Estamos falando de um juiz como se tivéssemos certeza de que ele matou várias pessoas. Que matou todas a sangue-frio.

– Você não tá convencida?

– Ainda não sei. Você tá?

– Acho que sim. Considerando que tudo que Betty Roe apresentou esteja correto e que o Bannick realmente conhecia as primeiras sete vítimas, então isso não pode ser só uma coincidência.

O telefone de Lacy vibrou e ela atendeu.

DALE BLACK, O XERIFE DO CONDADO de Harrison, estava aguardando quando eles chegaram pontualmente às duas da tarde. Ele os conduziu por um corredor até uma salinha com uma mesa nos fundos e os apresentou ao detetive Napier, encarregado da investigação. Depois de alguns cumprimentos rápidos, eles se sentaram ao redor da mesa. O xerife começou a conversa:

– Então, nós demos uma olhada na internet e sabemos um pouco a respeito do seu trabalho. Vocês não são investigadores criminais de fato, certo?

Lacy sorriu, pois sabia que, quando lidava com homens de sua idade ou mais velhos, seu sorriso encantador normalmente dava o resultado desejado, ou quase isso. E, mesmo quando isso não acontecia, sempre conseguia deixá-los desarmados e evitar seu comportamento agressivo.

– Exatamente – respondeu ela. – Somos advogados e analisamos denúncias apresentadas contra juízes.

Napier gostou do sorriso dela e sorriu de volta, embora com muito menos charme.

– Na Flórida, certo? – perguntou ele.

– Sim, somos de Tallahassee, mas trabalhamos para o estado.

Darren foi instruído a ficar em silêncio e tomar notas, e era exatamente o que estava fazendo.

– Bem, então, a pergunta óbvia é por que vocês estão interessados nesse duplo homicídio?

– Isso é óbvio, não? Estamos pescando informações, ok? Acabamos de receber uma denúncia contra um juiz, em um caso não relacionado, e encontramos algumas informações sobre Lanny Verno. Vocês sabem que ele já morou na Flórida, certo?

O sorriso de Napier desapareceu, e ele olhou para seu chefe.

– Acho que sim – murmurou ele enquanto abria uma pasta volumosa. Ele lambeu o polegar, virou algumas páginas e disse: – Sim, foi pego dirigindo embriagado lá alguns anos atrás.

– Vocês têm algum registro de ele ter morado na região de Pensacola por volta de 2001?

Napier franziu a testa e continuou folheando à procura da informação. Por fim balançou a cabeça, sem encontrar nada.

Com muita tranquilidade, Lacy disse:

– Sabemos que ele morou lá por volta de 2000 e que trabalhava pintando e reformando casas. Talvez isso seja útil pra vocês.

Napier fechou a pasta e conseguiu abrir outro sorriso.

– A namorada dele, com quem ele morava, disse que ele se mudou pra essa área há alguns anos, mas ela provou não ser confiável, pra dizer o mínimo.

– E a família dele é de Atlanta? – perguntou Lacy, mas seu tom não deixava dúvidas de que ela sabia a resposta.

– Como você sabe disso?

– Encontramos o obituário dele, se é que se pode chamar assim.

– Tivemos pouco contato com a família dele – disse Napier. – Falamos mais com os Dunwoody.

Lacy ofereceu outro sorriso.

– Posso perguntar se vocês têm um suspeito?

Napier franziu a testa para o xerife, que retribuiu a cara amarrada. Antes que eles pudessem dizer não, Lacy continuou:

– Não estou pedindo o nome do suspeito, estou apenas curiosa pra saber se vocês têm alguma pista concreta.

– Não temos nenhum suspeito – desabafou o xerife Black.

– *Vocês* têm? – perguntou Napier.

– Talvez – disse Lacy, sem sorrir dessa vez.

Os dois policiais soltaram o ar ruidosamente, como se de repente tivessem se livrado de um fardo. Darren diria mais tarde que os pegou olhando um para o outro como se quisessem se agarrar àquela única palavra, "talvez".

– O que vocês podem nos dizer sobre a cena do crime? – perguntou Lacy.

Napier deu de ombros como se aquela fosse uma pergunta difícil.

– Tá bem, o que tá rolando aqui? – perguntou Black. – Vocês não são da polícia, nem mesmo desse estado. Quão confidencial é essa nossa conversa? Se dermos detalhes, eles morrem aqui, certo?

– É claro. Não somos da polícia, mas ocasionalmente lidamos com alguns criminosos, por isso entendemos a confidencialidade. Não temos nada a ganhar repetindo nada disso por aí. Você tem a minha palavra.

– A cena do crime não revelou nada – explicou Black. – Impressões digitais, fibras, pelos, cabelos, nada. Os únicos vestígios de sangue pertenciam às duas vítimas. Nenhum sinal de resistência ou luta. O Verno foi estrangulado, mas também sofreu um ferimento grave na cabeça. O crânio do Dunwoody foi estilhaçado.

– E a corda?

– A corda?

– A corda em volta do pescoço do Verno.

Napier estava prestes a responder quando Black o interrompeu.

– Um momento. Você pode descrever a corda? – perguntou ele a Lacy.

– Provavelmente. Um pedaço de setenta e poucos centímetros de uma corda de náilon de um centímetro de espessura, trançado duplo, uso náutico, azul e branca ou verde e branca. – Ela fez uma pausa e observou como ambos os rostos demonstraram descrença. Então prosseguiu: – Amarrada na base do crânio com um nó de engate de dois dentes.

Os dois policiais se recuperaram rapidamente e seus rostos voltaram a ficar inexpressivos.

– Acho que você conhece o nosso homem de outro lugar – disse Napier.

– Possivelmente. Podemos dar uma olhada nas fotos?

Lacy não fazia ideia da frustração deles. Ao longo de cinco meses, todas as pistas não os levaram a lugar algum. As dicas decorrentes de denúncias anônimas só os fizeram desperdiçar mais tempo. Todas as novas teorias acabaram se extinguindo. O assassinato de Verno havia sido planejado com tanto cuidado que era impossível não haver uma razão para aquilo, mas a motivação lhes escapava. Pouco se sabia sobre seu passado ordinário. Por outro lado, eles estavam convencidos de que Dunwoody simplesmente estava no lugar errado. Sabiam tudo a seu respeito, e nada sugeria um motivo.

Será que Lacy e a Comissão de Justiça seriam sua primeira chance?

Eles passaram meia hora debruçados sobre as horripilantes fotos da cena do crime. O xerife Black tinha reuniões importantes em outros lugares, mas de repente foram canceladas.

Quando já tinham visto o suficiente, Lacy e Darren, ainda em silêncio, arrumaram suas pastas e se prepararam para sair.

– Então, quando vamos falar sobre esse tal suspeito de vocês? – perguntou o xerife.

– Agora não – respondeu Lacy, sorrindo. – Esse encontro será o primeiro de vários. Queremos manter uma boa relação profissional com vocês, baseada na confiança. Só precisamos de algum tempo. Vamos prosseguir com a investigação e logo voltaremos.

– Está bem. Tem uma outra evidência aqui que pode ser útil. Não está nos autos porque temos mantido isso em segredo desde os assassinatos. Parece que o nosso homem pode ter cometido um erro. Sabemos o que ele estava dirigindo.

– Útil? Parece bastante crucial.

– Talvez. Você viu as fotos dos dois celulares que ele pegou das vítimas. Ele dirigiu por cerca de uma hora em direção ao norte, até uma cidadezinha chamada Neely, no Mississippi. Depois colocou os telefones dentro de um envelope pequeno acolchoado, pôs o endereço da minha filha, em Biloxi, no remetente e jogou o pacote em uma caixa azul do lado de fora da agência.

Napier pegou outra foto, do envelope com o endereço.

– Em poucas horas, conseguimos rastrear os celulares e os encontramos na caixa em Neely. Eles ainda estão no laboratório de criminalística do estado, mas até agora não nos deram nada.

Ele olhou para Napier, que pegou a deixa:

– Uma pessoa o viu parar no correio. Eram mais ou menos sete da noite, duas horas após os assassinatos. Não havia trânsito em Neely porque nunca há, mas um vizinho viu uma caminhonete parar na frente dos correios. Um homem caminhou até a caixa e jogou o pacote, o único depositado depois das cinco da tarde naquela sexta-feira. As pessoas também não usam muito o correio em Neely. O vizinho achou estranho que alguém escolhesse aquele horário pra deixar alguma correspondência. Ele estava na varanda de casa, bem distante do correio, e não conseguiu identificar o motorista. Mas a caminhonete era cinza, um modelo bastante antigo da Chevrolet, com placa do Mississippi.

– E você tem certeza de que era o assassino? – indagou Lacy, fazendo uma pergunta muito antiprofissional.

– Não. Temos certeza de que foi o homem que deixou os celulares. Provavelmente o assassino, mas não temos certeza.

– Certo. Por que ele iria até lá pra deixar os telefones?

Napier deu de ombros e sorriu.

– Agora você tá entrando no jogo dele – disse Black. – Acho que ele só estava tirando sarro da gente, especialmente de mim. Ele tinha certeza de que encontraríamos em questão de horas e que eles não seriam enviados pra minha filha.

– Ou talvez ele quisesse ser visto dirigindo um veículo com placa do Mississippi porque ele não é do Mississippi – acrescentou Napier. – Ele é bem inteligente, né?

– Extremamente.

– E ele já fez isso antes? – perguntou o xerife.

– Acreditamos que sim.

– E ele não é do Mississippi, é?

– Nós achamos que não.

18

Jeri não estava preparada para a próxima fase de sua vida. Ao longo de mais de vinte anos ela foi movida pelo sonho de encontrar e confrontar o assassino de seu pai. Identificá-lo já tinha sido difícil o bastante, e ela o fizera contando apenas com uma determinação e uma perseverança que ela nem imaginava ter. Denunciá-lo era outra questão. Apontar o dedo para Ross Bannick era assustador, não porque ela temia estar errada, mas porque o temia.

Mas ela tinha feito isso. Ela havia feito a denúncia a um órgão oficial, estabelecido por lei para investigar juízes transgressores, e agora cabia à Comissão de Justiça ir atrás de Bannick. Ela não tinha certeza do que esperar de Lacy Stoltz e da comissão, mas o caso estava com ela agora. Se tudo corresse conforme o planejado, o homem que tomava conta dos pensamentos de Jeri seria preso e julgado.

Nos dias após seu último encontro com Lacy, Jeri não conseguiu preparar suas aulas, fazer pesquisas para seu livro nem ver os poucos amigos que tinha. Teve duas sessões com seu terapeuta e reclamou de se sentir deprimida, solitária, inútil. Lutou contra a tentação de voltar à internet e investigar crimes antigos. Muitas vezes olhava para o telefone e ficava esperando uma ligação de Lacy, e lutava contra o desejo de lhe enviar um e-mail toda hora.

No décimo dia, Lacy ligou e elas conversaram por alguns minutos. Como já era esperado, ela não tinha nada a relatar. Ela e sua equipe estavam se organizando, revisando o caso, fazendo planos e assim por diante. Jeri desligou abruptamente e saiu para dar uma volta.

Trinta e cinco dias se passaram e aparentemente nada tinha acontecido, pelo menos não nos arredores da Comissão de Justiça.

DE ACORDO COM OS REGISTROS TRIBUTÁRIOS do condado de Chávez, em maio de 2012, Ross Bannick comprou uma caminhonete Chevrolet usada, cinza-clara, modelo 2009, e a manteve por dois anos antes de vendê-la em novembro, um mês após os assassinatos de Verno e Dunwoody. O comprador era um vendedor de carros usados chamado Udell, que o repassou a um homem chamado Robert Trager, o atual proprietário. Darren dirigiu até Pensacola e se encontrou com o Sr. Trager, que explicou que não tinha mais a caminhonete. Na véspera do Ano Novo, um motorista bêbado atravessou uma placa de "Pare" e colidiu com ele, levando à perda total do veículo. Ele havia recebido uma indenização da State Farm, já que seu seguro cobria danos de terceiros, e vendido a caminhonete para um ferro-velho, e se sentia um homem de sorte por estar vivo. Enquanto tomavam chá gelado na varanda da frente, a Sra. Trager encontrou uma foto de Robert e seu neto segurando varas de pescar e posando ao lado da picape cinza. Com o celular, Darren tirou uma foto da imagem e a enviou para o detetive Napier em Biloxi, que acabou indo até Neely e a mostrou à única testemunha ocular dos acontecimentos.

Em um e-mail para Lacy, Napier disse, sucintamente:

> A testemunha diz que o carro parece "muito semelhante" ao que ele viu. Isso reduz nossas opções para cerca de cinco mil picapes Chevrolet cinza neste estado. Boa sorte.

Investigações posteriores revelaram que Bannick vivia negociando caminhonetes. Nos quinze anos anteriores, ele havia comprado e vendido pelo menos oito picapes usadas de várias marcas, modelos e cores.

Por que um juiz precisaria de tantas caminhonetes?

Atualmente, ele dirigia um Ford Explorer 2013, alugado de um revendedor local.

NA SEGUNDA-FEIRA, 31 DE MARÇO, décimo terceiro dia do período de análise iniciado no momento em que a denúncia foi feita, Lacy e Darren pegaram um avião de Tallahassee até Miami, onde alugaram um carro e dirigiram para o sul passando por Keys até a cidade de Marathon, um local com apenas nove mil habitantes. Dois anos antes, um advogado aposentado chamado Perry Kronke havia sido encontrado morto, espancado e estrangulado em seu barco de pesca, que flutuava em águas rasas próximo à reserva Great White Heron. Seu crânio havia sido estilhaçado e havia sangue por toda parte; a morte tinha sido causada por asfixia provocada por um pedaço de corda de náilon puxado com tanta violência que rasgou a pele do pescoço da vítima. Não houve testemunhas, nenhum suspeito, nenhuma prova encontrada durante a perícia. O caso ainda era considerado aberto e poucos detalhes haviam sido divulgados.

O homem de confiança de Jeri, Kenny Lee, não tinha conseguido fotos da cena do crime na base de dados do FBI.

O departamento de polícia de Marathon era território de Turnbull, um chefe de polícia natural do estado de Michigan, mas que nunca havia voltado para sua terra natal. Ele também era responsável pela investigação de homicídios, entre outras funções. Ele cumprimentou Lacy e Darren de forma amigável, embora estivesse desconfiado, e, como o xerife Black em Biloxi, foi direto ao ponto, deixando claro que os dois não eram policiais.

– Nós não fingimos ser – disse Lacy, com um sorriso potente. – Investigamos denúncias apresentadas contra juízes, e como nesse estado são pelo menos mil, estamos sempre muito ocupados.

Todos riram constrangidos. Ninguém queria ter que investigar juízes desonestos.

– Então, por que vocês estão interessados no caso Kronke? – perguntou Turnbull.

Darren mais uma vez fora instruído a ficar quieto. Sua chefe falaria tudo que fosse necessário. Eles haviam ensaiado a história que contariam, e ambos achavam que parecia plausível.

– São só algumas questões de rotina, na verdade – disse ela. – Estamos investigando uma nova denúncia apresentada contra um juiz de Miami e encontramos algumas possíveis atividades criminosas envolvendo o falecido Sr. Kronke. Você por acaso o conhecia antes de ele ser assassinado?

– Não. Ele morava em Grassy Key. Você conhece essa região?

— Não.

— Fica em uma baía ao norte daqui, um lugar sofisticado e cheio de aposentados. Os moradores tendem a se relacionar entre eles. Tá fora do meu orçamento.

— O crime foi há dois anos. Vocês têm algum suspeito?

O chefe de polícia riu, como se a possibilidade de haver alguma pista decente fosse tão absurda que chegasse a ser engraçada. Ele se recompôs rapidamente e disse:

— Não tenho certeza se devo responder a essa pergunta, por mais ousada que seja. Aonde você quer chegar com isso?

— Estamos apenas fazendo nosso trabalho, chefe Turnbull.

— Quão confidencial é essa conversa?

— Cem por cento. Não temos nada a ganhar repetindo nada disso por aí. Trabalhamos para o estado da Flórida, e é nosso trabalho investigar denúncias de irregularidades, assim como é o de vocês.

Turnbull refletiu por um momento, seus olhos agitados passando de um em um. Por fim, respirou fundo e relaxou.

— Sim, no começo nós tínhamos um suspeito, ou pelo menos achávamos que era o caminho certo. Sempre presumimos que o assassino estava em um barco. Ele encontrou o Sr. Kronke sozinho, pescando corvinas, algo que ele fazia sempre. Na geladeira dele havia vários peixes que ele mesmo tinha pescado. A esposa disse que ele saiu de casa por volta das sete da manhã com a expectativa de passar um dia agradável no mar. Fomos a todas as marinas em um raio de oitenta quilômetros e verificamos os registros de aluguel de barcos. — Ele fez uma pausa longa o suficiente para tirar os óculos de leitura do bolso da camisa e abrir uma pasta. Passou rapidamente os olhos pelo papel e encontrou a informação que queria. — Vinte e sete barcos foram alugados naquela manhã, todos, é claro, por pescadores. O crime aconteceu no dia 5 de agosto, durante a época das corvinas, entende?

— Claro — concordou Lacy, que nunca tinha ouvido falar em corvinas e não sabia ao certo do que se tratava.

— Verificamos os vinte e sete nomes. Demorou um pouco, mas, bem, esse é o nosso trabalho. Um dos caras era um criminoso condenado, tinha passado um tempo em uma prisão federal por agredir um agente do FBI, um sujeito muito desagradável. Ficamos empolgados e passamos algum tempo investigando ele. Mas ele acabou sendo descartado em determinado momento.

Lacy duvidava que Ross Bannick fosse descuidado a ponto de alugar um barco nas proximidades na mesma época em que matou Perry Kronke, depois de persegui-lo por mais de vinte anos, mas fingiu profundo interesse. Depois de passar quinze minutos junto ao chefe de polícia Turnbull e ver sua operação, ela não estava nem um pouco impressionada.

– Vocês pediram ajuda à polícia estadual? – perguntou ela.

– Claro. Logo no começo. Eles são os profissionais, você sabe como é. Fizeram a autópsia, a perícia, a maior parte da investigação preliminar. Trabalhamos lado a lado, um esforço conjunto em todos os aspectos. Os caras são ótimos. Eu gosto deles.

Muito bacana.

– Podemos dar uma olhada nos autos? – perguntou ela docemente.

Rugas profundas surgiram na testa de Turnbull. Ele arrancou os óculos e mastigou uma das hastes, olhando para Lacy como se ela tivesse feito uma pergunta sobre a vida sexual da esposa dele.

– Por quê?

– Pode ser que tenha alguma coisa nesse caso que seja relevante pra nossa investigação.

– Acho que não entendi. Um homicídio aqui, um juiz mau-caráter lá. Qual é a conexão?

– Nós não sabemos, chefe Turnbull, estamos apenas desenterrando coisas, como vocês costumam fazer. É apenas um bom trabalho investigativo.

– Não posso liberar os autos. Desculpe. Se vocês conseguirem uma ordem judicial ou algo assim, ficarei feliz em ajudar. Caso contrário, sem chance.

– É justo. – Ela deu de ombros como se fosse desistir. Não havia mais nada para dizer. – Obrigada pela atenção.

– Não há de quê.

– Vamos voltar com uma ordem judicial.

– Ótimo.

– Só uma última pergunta, se você não se importa.

– Manda.

– A corda usada pelo assassino está no arquivo de evidências?

– Com certeza. Temos ela aqui.

– E você já a viu?

– Claro. É a arma do crime.

– Você pode descrevê-la?

– Sem dúvida, mas não vou fazer isso. Volte aqui com sua ordem judicial.

– Aposto que é de náilon, mais ou menos setenta centímetros de comprimento, trançado duplo, uso náutico, azul e branca ou verde e branca.

As rugas surgiram novamente e seu queixo caiu. Ele balançou a cadeira para trás e juntou as mãos atrás da cabeça.

– Ora, ora.

– Cheguei perto? – perguntou Lacy.

– Sim. O suficiente. Acho que você já viu o trabalho desse cara antes.

– Talvez a gente tenha um suspeito. Não posso falar sobre ele agora, mas quem sabe na semana que vem ou no mês que vem. Estamos no mesmo time, chefe.

– O que você quer?

– Quero ter acesso ao arquivo. É tudo confidencial.

Turnbull se levantou e disse:

– Me acompanhe.

DUAS HORAS DEPOIS, eles estacionaram em uma marina e seguiram Turnbull, seu novo amigo, por uma doca até um barco onde se via escrita a palavra "Polícia" pintada em negrito em ambos os lados. O capitão era um velho policial que usava uma bermuda como parte do uniforme e os recebeu a bordo como se estivessem embarcando em um cruzeiro de luxo. Lacy e Darren se sentaram lado a lado em um banco a estibordo e aproveitaram o passeio sobre o mar tranquilo. Turnbull e o capitão engataram uma conversa impossível de entender devido ao vocabulário policial. Após quinze minutos de viagem, o barco desacelerou e flutuou até quase parar.

Turnbull foi até a proa da embarcação e apontou para a água.

– Foi mais ou menos por aqui que encontraram ele. Como vocês podem ver, é bem afastado.

Lacy e Darren se levantaram e observaram os arredores, apenas água em todas as direções. A costa mais próxima ficava a mais de um quilômetro e quase não dava para ver o pontilhado formado pelas casas. Não havia nenhuma outra embarcação à vista.

– Quem o encontrou? – perguntou Lacy.

– A guarda costeira. A esposa ficou preocupada quando ele não apareceu e contatou algumas pessoas. Encontramos a caminhonete e o reboque do barco na marina, e concluímos que ele ainda estava na água. Ligamos para a guarda costeira e iniciamos as buscas.

– Esse lugar parece ideal pra um assassinato – refletiu Darren, falando o que deviam ser suas primeiras palavras do dia.

Turnbull resmungou e disse:

– Vou te dizer que é de fato perfeito, infelizmente.

ELE COMPRARA O BARCO um ano antes, quando o plano foi elaborado. Não era exatamente bonito, nem de longe tão chique quanto a embarcação de seu alvo, mas seu objetivo não era impressionar. Para evitar a carreta, o estacionamento e toda essa confusão, ele alugou uma vaga em uma marina ao sul de Marathon. Ter o próprio barco eliminaria a necessidade de alugar um. Ele o venderia depois, assim como a casinha perto do porto, e, com sorte, teria algum lucro. Uma vez estabelecido no local e sem nenhum conhecido por perto, ele saía para pescar, algo de que passou a gostar, e perseguia seu alvo, algo que dava sentido à sua vida. A papelada – a nota fiscal do barco, a conta bancária local, os registros do terreno, a licença para pesca, os impostos sobre a propriedade, os recibos de combustível – tinha sido toda facilmente falsificada. A burocracia estadual e local parecia brincadeira de criança para um homem com cem contas bancárias, que comprava e vendia coisas com nomes falsos apenas por diversão. Um dia, ele esbarrou com Kronke no cais e chegou perto o suficiente para cumprimentá-lo. O babaca não respondeu. Antigamente ele era conhecido por ser um escroto. E parece que não havia mudado. Ficar longe daquele escritório tinha sido uma bênção.

No dia, ele viu Kronke descarregar o barco, abastecer, arrumar suas varas e iscas e, por fim, se afastar do cais. Ele se movia rápido demais e deixava um rastro. Que idiota. Ele o seguiu a uma certa distância, que foi aumentando porque os motores de Kronke eram mais potentes. Quando Kronke encontrou o lugar certo, parou e começou a lançar as iscas, ele recuou ainda mais e o observou com um binóculo. Dois meses antes, ele havia se aproximado e usado a desculpa de problemas com o motor. Kronke, sempre um babaca, o deixou ilhado a mais de um quilômetro da costa.

No dia, Kronke estava ocupado com as corvinas, mas percebeu alguém chegando muito perto. Kronke ficou paralisado e o encarou como se fosse um idiota.

– Ei, meu barco tá inundando – gritou, se aproximando.

Kronke deu de ombros como se dissesse "Problema seu" e largou sua vara. Quando os barcos se tocaram com força, Kronke esbravejou:

– Que porra é essa?

Foram suas últimas palavras. Ele tinha 81 anos, estava em forma para a idade, mas mesmo assim não era tão ágil.

Rapidamente o assassino amarrou uma corda em uma cunha, pulou no barco de Kronke, sacou Leddie, sacudiu duas vezes e acertou a bola de chumbo na lateral da cabeça de Kronke, esmagando seu crânio. Ele adorava aquele som. Bateu nele novamente, embora não fosse necessário. Puxou a corda de náilon, enrolou duas vezes no pescoço do homem, colocou o joelho no topo de sua coluna e puxou com força suficiente para rasgar a pele.

Prezado Sr. Bannick,

Gostamos muito de seu desempenho como estagiário no último verão. Ficamos impressionados com o seu trabalho e tínhamos a intenção de efetivá-lo nos próximos meses. No entanto, como você deve ter ficado sabendo, nosso escritório acaba de se fundir com a Reed & Gabbanoff, uma empresa com sede em Londres. Isso vem causando grandes mudanças no quadro de funcionários. Infelizmente, no momento, não temos condições de contratar todos os estagiários do verão passado.

Desejamos-lhe um futuro brilhante.

Atenciosamente,

H. Perry Kronke, sócio-gerente

Enquanto apertava cada vez mais, ele dizia sem parar:

– Isso aqui é pelo seu futuro brilhante, H. Perry.

Vinte e três anos se passaram e a rejeição ainda lhe doía.

A ferida ainda estava lá. Todos os outros estagiários haviam recebido uma proposta de emprego. A fusão nunca aconteceu. Alguém, sem dúvida um outro estagiário, começou o boato de que Bannick não gostava de mulheres.

Ele atou a corda com um nó fiel duplo e, por alguns segundos, admirou seu trabalho. Olhou ao redor e viu o barco mais próximo a quase um qui-

lômetro de distância, seguindo para mar aberto. Agarrou a corda de seu barco e o puxou para mais perto, em seguida entrou na água e afundou, lavando qualquer sangue que pudesse ter respingado nele.
– Isso aqui é pelo seu futuro brilhante, H. Perry.

UM ANO DEPOIS, ele vendeu o barco e a casa, o que lhe rendeu lucros modestos. Ambas as transações foram feitas em nome de Robert West, um dos trinta e quatro do estado.
Ele adorava aquele jogo de pseudônimos.

19

Com base em sua vasta pesquisa sobre serial killers, Jeri sabia que quase nenhum deles parava até ser pego ou morto, fosse pela polícia ou por eles mesmos, ou forçado a se aposentar por conta da idade ou da prisão. Os demônios que os guiavam eram implacáveis, cruéis e impossíveis de ser exorcizados. Poderiam ser aplacados pela morte ou pelo encarceramento, mas nada além disso. Os poucos criminosos que tentaram conter seu ímpeto assassino o fizeram na cela de um presídio.

De acordo com sua linha do tempo, Bannick já havia passado onze anos sem matar ninguém. Assassinou Eileen Nickleberry perto de Wilmington em 1998, depois esperou até 2009 para pegar Danny Cleveland, o repórter, sozinho em seu apartamento em Little Rock. Desde então, havia matado mais três vezes. Seu ritmo estava acelerando, o que não era incomum.

Ela lembrou a si mesma que sua linha do tempo era em tese inútil, porque não sabia exatamente quantas vítimas ele havia feito por aí. Será que havia mais vítimas? Alguns assassinos escondiam os corpos e, anos depois, se esqueciam de onde os haviam enterrado. Outros assassinos, como Bannick, queriam que as vítimas fossem encontradas, e com pistas. Na condição de quase especialista em perfis criminosos, Jeri acreditava que Bannick queria que alguém – a polícia, a imprensa, as famílias – soubesse que os crimes estavam relacionados. Mas por quê? Provavelmente era seu ego distorcido, um desejo de que reconhecessem que ele era mais esperto que a polícia. Tinha tanto orgulho de seus métodos que seria uma pena não receber admiração, mesmo que por parte de estranhos a uma certa distância. Possivelmente, o desejo dele era que seu trabalho se tornasse lendário.

Ela nunca havia cogitado a ideia de que Bannick quisesse ser pego. Ele tinha status, prestígio, popularidade, dinheiro, educação – tinha muito mais a perder do que o serial killer médio, se é que isso existia. Mas ele adorava o jogo. Era um sociopata que matava por vingança, mas era excelente no planejamento, na execução e na perfeição de seus crimes.

Ao longo de vinte e dois anos, ela havia descoberto oito assassinatos em sete estados. Ele tinha apenas 49 anos e provavelmente estava em seu auge como assassino. Cada homicídio lhe trazia ainda mais confiança, mais emoção. Um veterano agora, ele provavelmente acreditava que jamais seria pego. Quem mais estava na lista dele?

O papel era tamanho carta, branco, comum, e havia sido comprado um ano antes na Staples em Dallas. O envelope era igualmente comum e impossível de ser rastreado. O processador de texto era um antigo Olivetti da primeira geração, com tela pequena e pouca memória, datado de 1985 aproximadamente. Ela o havia comprado de segunda ou terceira mão em um armazém de antiguidades em Montgomery.

Usando luvas de plástico descartáveis, Jeri colocou cuidadosamente várias folhas de papel na bandeja, abriu a tela e a observou por um bom tempo. Sentiu um embrulho no estômago e não teve como prosseguir. Por fim, conseguiu digitar lenta e desajeitadamente, uma tecla de cada vez:

Excelentíssimo Dr. Bannick: A Comissão de Justiça da Flórida está investigando suas atividades recentes, envolvendo Verno, Dunwoody e Kronke. Será que existem outros? Creio que sim.

Ela não costumava comer muito, então ficou surpresa quando seu estômago revirou. Ela correu para o banheiro e vomitou sem parar até o peito e as costas doerem. Movendo-se com cuidado, bebeu um pouco de água e finalmente voltou para sua mesa. Olhou para o que escrevera, uma nota que tinha elaborado mil vezes em sua mente, palavras que havia pronunciado e ensaiado repetidas vezes.

Como ele reagiria? Receber a carta anônima seria catastrófico, devastador, aterrorizante, uma virada na vida dele. Ou pelo menos ela esperava que sim. Ele era muito insensível, tinha sangue-frio demais para entrar em pânico, mas seu mundo nunca mais seria o mesmo. Seu mundo seria abalado, e ele e seus demônios ficariam ainda mais alucinados agora que alguém estava em seu encalço. Não havia ninguém com quem ele pudesse conversar, ninguém em quem confiar, ninguém que pudesse socorrê-lo.

Ela queria abalar o mundo dele. Queria que Bannick observasse cada passo, olhasse para trás, desse um pulo a cada ruído, analisasse cada desconhecido. Queria que ele passasse a noite em claro, ouvindo cada som e tremendo de medo, exatamente como ela vivera por tanto tempo.

Pensou em Lacy e novamente refletiu sobre a estratégia de expô-la. Jeri estava convencida de que Bannick era esperto demais para cometer algum erro. Além disso, Lacy era uma garota durona que podia cuidar de si mesma. Em algum momento Jeri iria avisá-la.

Imprimiu o bilhete em uma folha de papel e o colocou no envelope. Digitar o nome lhe deu outro calafrio. *R. Bannick, Eastman Lane, 825, Cullman, Flórida, CEP 32533.*

O selo era comum e foi aplicado sem o uso de saliva. Ela estava suando e passou um longo tempo deitada no sofá.

O próximo bilhete também estava em uma folha tamanho carta branca, mas de um fabricante diferente. Ela digitou:

> *Sei quem você é agora*
> *Do túmulo, saudações envio.*
> *Estamos tão longe desde outrora,*
> *Com você e Dave naquele dia sombrio.*
> *Você me perseguiu e esperou todos esses anos*
> *Para enfim me achar num lugar nunca visto*
> *E descontar o medo, a raiva e os danos*
> *Em Eileen, o nome que em usar ainda insisto.*

Instável do jeito que estava, deu uma gargalhada ao pensar na imagem de Bannick lendo seu poema. Riu do horror, da descrença e da raiva que ele sentiria ao se dar conta de que fora descoberto por uma vítima.

NO SÁBADO, JERI SAIU de Mobile e dirigiu por uma hora até Pensacola. Em um shopping no subúrbio, encontrou uma caixa azul de depósito dos correios entre uma da FedEx e outra da UPS. A câmera de segurança mais próxima estava longe, acima da entrada de uma cafeteria. Usando luvas e sem sair do carro, ela jogou a primeira carta pela fenda. Seria carimbada na segunda-feira, no centro de distribuição de Pensacola, e entregue na caixa de correio que ficava ao lado da porta da frente da casa de Bannick o mais tardar na terça-feira seguinte.

Duas horas depois, ela saiu da via expressa em Greenville, no Alabama, e deixou seu poema na agência dos correios da cidade. O envelope seria coletado na segunda-feira e transportado para Montgomery, onde seria carimbado e enviado de volta ao sul, para Pensacola. Bannick deveria recebê-lo até quinta-feira.

Ela pegou as estradas secundárias em direção a Mobile e aproveitou a viagem. Ouvia jazz no rádio e checava seu sorriso toda hora no espelho. Ela enviara suas duas primeiras cartas. Tinha conseguido reunir a coragem necessária para confrontar o assassino ou ao menos fazer com que ele desse entrada em sua aposentadoria. A fase de caça havia terminado, e por isso ela estava radiante. Agora tinha passado para a fase seguinte, ainda sem nome. Seu trabalho não havia terminado, de forma alguma, mas o trabalho pesado tinha sido feito, durante todos aqueles 22 anos.

Agora o caso estava nas mãos de Lacy, e ela em algum momento o levaria à polícia, talvez ao FBI. E Bannick jamais saberia quem estava atrás dele.

TARDE DA NOITE, ela estava lendo um romance, tomando sua segunda taça de vinho e lutando contra a tentação de entrar na internet e fuçar um pouco mais. Seu telefone vibrou com a notificação de um e-mail. Era KL, ou Kenny Lee, e ele perguntou se ela estava acordada. Ela estava cansada de investigar e só queria ficar sozinha, mas ele era um velho amigo, um que ela jamais conheceria pessoalmente.

Ela escreveu de volta:

Olá. Como está?
No meu melhor momento. Encontrei outro estrangulamento por uma corda no Missouri, o caso tem quatro meses, parece semelhante.

Como sempre, o rosto de Jeri se contorceu com a notícia de outro homicídio e, também como sempre, ela concluiu que era Bannick. Mas estava farta e não queria gastar mais dinheiro nem desperdiçar mais energia.

   Quão semelhante?
   Ainda não há fotos nem a descrição da corda. Mas nada de suspeitos ou provas no local.

Ela lembrou que trezentas pessoas por ano eram assassinadas por estrangulamento e cerca de sessenta por cento desses casos eram resolvidos em algum momento. Sobravam 120 sem solução, casos demais para um único homem.

   Amanhã eu te dou uma resposta.

Em outras palavras, "não comece a contar ainda seus duzentos dólares por hora de honorários". Kenny Lee a levara a quatro das vítimas de Bannick, e ela já tinha investido dinheiro suficiente.

   Bons sonhos.
   Ainda está nevando por aí?

Jeri enviava o pagamento em dinheiro para uma caixa postal em Camden, no Maine. Ela presumiu que ele morasse em algum lugar na região.

   Neste exato momento. Quantas vítimas até agora?
   Oito. Sete com a corda e o Dunwoody.
   Tá na hora de procurar ajuda. Alguém precisa parar esse cara. Eu tenho contatos.
   Eu também. As coisas estão caminhando.
   Ok.

20

A força-tarefa se reuniu na sala de trabalho na segunda-feira de manhã e conferiu as anotações. Vinte dias se passaram, mas seus esforços ainda não haviam rendido muita coisa. Para inteirar Sadelle, Lacy contou o que havia acontecido na viagem a Marathon, mas a pobre senhora estava sonolenta demais ou entorpecida de analgésicos.

Darren, por outro lado, tinha algumas notícias interessantes. Tomando seu café caro, ele disse:

– Então, conversei com um tal de Larry Toscano, sócio da filial de Miami do Paine & Steinholtz, um derivado do Paine & Grubber, o antigo escritório onde Bannick trabalhou como estagiário nas férias. No começo o Toscano não queria se envolver, mas mudou de ideia quando expliquei que a Comissão de Justiça também pode intimar testemunhas em determinados casos e que, se necessário, iríamos invadir os escritórios deles e sair carregando os arquivos com a gente, o que obviamente era uma piada, considerando a nossa limitada equipe. De qualquer forma, o blefe deu certo e o Toscano mordeu a isca. Ele encontrou os registros rapidinho e confirmou que o Bannick realmente trabalhou lá no verão antes de seu último ano na faculdade de direito. Ele disse que a ficha do garoto estava limpa e que ele fez um bom trabalho, ganhou notas altas de seu supervisor e tal, mas não ganhou uma proposta de trabalho. Pressionei o Toscano pra tentar conseguir mais detalhes e ele teve que voltar ao arquivo. Parece que havia 27 estagiários naquele verão, de várias faculdades diferentes, e que todos, menos o Bannick, receberam uma proposta. Vinte e um aceitaram. Perguntei por que o Bannick foi descartado se a ficha dele estava limpa, e, claro, o Toscano não fazia ideia. Na época, Perry Kronke era um dos dois sócios-gerentes e estava encarregado do programa de estágio de verão. O Toscano disse que no arquivo eles têm uma cópia da carta que o Kronke escreveu pro Bannick quando o dispensou. Ele me mandou uma cópia da pasta completa depois que eu mencionei uma possível intimação. Não tem muita coisa, mas prova o que já sabíamos... os caminhos deles se cruzaram em 1989.

Sadelle respirou fundo e disse:

– E me explica de novo. Como a Betty Roe ficou sabendo dessa conexão?

– Na denúncia, ela diz que encontrou um ex-sócio do escritório, um cara da mesma idade que o Bannick e que estava na turma de estagiários de 1989. Por isso, ele conhecia bem o Bannick, talvez ainda conheça, pelo que a gente sabe. Ele disse que o Bannick queria muito o emprego e que ficou muito ressentido com a rejeição.

– E aí o cara foi parar na lista – disse Sadelle. – Um dia seu nome é anotado, anos depois você vai parar no caixão.

– Tipo isso. Foram mais de vinte anos.

– Espero muito não ter feito nada pra irritar esse cara. Mas já tô meio morta mesmo.

– Para com isso.

– Você vai viver mais que todos nós – disse Darren. – Quer apostar?

– Quem vai pagar minha recompensa se eu ganhar?

– Boa pergunta.

Lacy fechou a pasta e olhou para sua força-tarefa.

– Então, pessoal, em que ponto exatamente nós estamos nesse momento? De acordo com as alegações da Betty, o Bannick conhecia duas das vítimas. Como eu disse, ela me deu a documentação, extraoficialmente por enquanto, de mais cinco assassinatos envolvendo outras cinco vítimas que tiveram a infelicidade de irritar o juiz Bannick em algum momento ao longo da vida. Felizmente, não precisamos nos preocupar com isso.

– Por que simplesmente não vamos à polícia? – perguntou Sadelle.

– Porque eles já estão no caso desde o assassinato do Kronke. Nós vimos os autos, são centenas de páginas.

– Milhares – corrigiu Darren.

– Tá bem, milhares. Eles conversaram com dezenas de pessoas que conheciam o Kronke por toda Marathon. Nada. Checaram cada registro de aluguel de barco, cada compra de combustível, cada nova licença de pesca. Nada. Conversaram com seus ex-colegas de advocacia em Miami. Nada. Com ex-clientes. Nada. Com a família dele. Nada. Eles fizeram um trabalho minucioso de investigar o passado e o presente da vítima e não encontraram absolutamente nada. Não há nenhuma pista decente em lugar algum. Eles fizeram o trabalho deles, não têm nada pra mostrar, e por isso o caso está parado, outro caso sem solução esperando por um milagre.

– Vou pegar um avião pra Miami na quarta-feira para me encontrar com os investigadores do estado – informou Darren. – Falei com eles várias vezes ao telefone, e parecem dispostos a pelo menos fazer a nossa vontade. Tenho certeza de que verei a mesma coisa que vimos em Marathon, mas nunca se sabe. Talvez eles saibam de alguma coisa que o chefe Turnbull não sabe.

Sadelle ofegou e disse:

– Vem cá, por que não contamos a eles sobre o Bannick? Se nós sabemos o nome do assassino, ou pelo menos temos uma denúncia oficial alegando que ele fez isso, por que não entregar essa informação aos investigadores? – Ela arqueou os ombros e se preparou para outra ingestão de oxigênio. Sua máquina zumbiu um pouco mais alto enquanto ela se esforçava. – Porque assim, Lacy, a gente só tá desperdiçando energia nisso. No fundo, não há muito que fazer. A polícia de verdade tem orçamentos de bilhões de dólares, desde cães de caça a helicópteros e satélites, e eles não conseguem resolver os crimes. Como a gente vai fazer isso? Eu voto em levarmos isso pra polícia e deixarmos que eles corram atrás desse cara.

– É pra onde estamos nos encaminhando – concordou Darren.

– Talvez sim, mas prometi à Betty que não envolveríamos a polícia até que ela aprovasse – explicou Lacy.

– Não é assim que funciona, Lacy – disse Sadelle. – Uma vez que a denúncia é feita, ela se torna nossa competência. Denunciantes não podem dizer como devemos proceder. Você sabe disso.

– Sim, mas obrigada pelo sermão.

– Não há de quê.

– Ela tá usando a gente, Lacy – disse Darren. – Exatamente como falamos na semana passada. A Betty quer se esconder atrás da gente e envolver a polícia. Então, esse é o nosso próximo passo.

– Vamos ver. Vá pra Miami, encontre o pessoal do estado e traga um relatório pra gente na próxima segunda-feira.

NAQUELA TARDE, LACY SAIU cedo e cruzou a cidade até um complexo cheio de prédios comerciais de dois andares. A sala de R. Buford Furr era silenciosa, luxuosa e bem mobiliada, um espaço claramente pensado para projetar a imagem de advogado bem-sucedido. Não havia outros clientes esperando na recepção, em que um belo e jovem estagiário atendia o telefone. Precisamente às quatro horas, ele escoltou Lacy até um amplo gabinete de guerra onde Buford lutava contra o mundo. Ele a abraçou calorosamente como se fossem amigos há anos e a levou até um sofá que provavelmente era mais caro que o carro dela.

Furr era um dos principais advogados de litígio da Flórida e tinha muitos veredito importantes dos quais se gabar. O que ele, de fato, fazia, exibindo manchetes de jornais emolduradas e fotos nas paredes. Todos os advogados sabiam quem ele era, e quando Lacy decidiu abrir um processo por conta da colisão de carro premeditada que a feriu e matou Hugo Hatch, seu ex--colega, ele acabou sendo a única escolha possível.

Verna Hatch, a viúva de Hugo, o contratou primeiro e eles entraram com uma ação de indenização em decorrência do homicídio culposo pedindo dez milhões de dólares. Uma semana depois, Furr abriu o processo em nome de Lacy. Os processos acabaram parados por um obstáculo incomum – a abundância de dinheiro. A quadrilha que havia roubado milhões de um cassino indígena havia enterrado o dinheiro em vários locais diferentes ao redor do mundo. O FBI ainda estava atrás da grana, e o fato de ser uma imensa quantia estava atraindo uma quantidade surpreendente de partes lesadas. E seus advogados. Os tribunais estaduais e federais estavam tendo que lidar com milhares de processos.

O impedimento mais sério para que chegassem a uma resolução foi um enorme e complicado processo federal envolvendo as reivindicações conflitantes dos nativos norte-americanos que eram donos do cassino. Até a confusão ser resolvida, ninguém saberia realmente quanto dinheiro sobraria para as outras partes prejudicadas, incluindo Lacy e Verna Hatch. Furr a acompanhou nos últimos desdobramentos envolvendo pedidos de confisco de ativos e outros litígios.

– Lacy, acho que eles querem um depoimento seu – disse ele, franzindo a testa.

– Não quero passar por isso – disse ela. – Nós já falamos sobre esse assunto.

– Eu sei. O problema é que os advogados nomeados pelo tribunal pra distribuir o dinheiro estão trabalhando por hora, a um preço muito bom, e não têm pressa de chegar a uma conclusão.

– Uau. Nunca ouvi isso antes.

Furr riu e continuou:

– Não estamos falando de honorários como os de Tallahassee ou outras cidadezinhas como essa. Esses caras estão faturando oitocentos dólares por hora. Teremos sorte se sobrar alguma coisa.

– Você não tem como reclamar com os juízes?

– Há inúmeros processos. Está tudo bastante conflituoso nesse momento. – Lacy pensou por um momento enquanto Furr a observava. – Não será tão ruim assim depor – concluiu.

– Não sei se tenho condições de reviver aquele acidente, a imagem de Hugo coberto de sangue – disse ela. – Morrendo, eu acho.

– A gente vai te preparar pra isso. Você precisa passar por essa experiência, talvez tenha que depor se o caso for a julgamento.

– Não quero um julgamento, Buford. Deixei isso bem claro. Tenho certeza de que você adoraria uma megaprodução, com vários bandidos sentados na mesa da defesa, o júri no seu bolso como sempre. Outro grande veredito.

– Eu vivo pra isso, Lacy – disse ele com uma gargalhada. – Você consegue imaginar a sensação de arrastar esses bandidos pra um julgamento? É o sonho de todo advogado.

– Bem, não é o meu. Até consigo lidar com um depoimento, mas não com um julgamento. Eu realmente quero chegar a um acordo, Buford.

– Nós vamos, prometo. Mas agora precisamos participar da instrução do processo.

– Não sei se consigo.

– Você quer desistir do caso?

– Não. Quero que isso tudo acabe depois do acordo. Ainda tenho pesadelos por causa disso, e o processo não ajuda.

– Eu entendo, Lacy. Só confia em mim, tá bem? Já passei por isso tudo muitas vezes. Você merece um acordo generoso e prometo que vou conseguir um.

Ela assentiu em agradecimento.

21

O sargento Faldo estava reindexando kits de estupro quando o celular em seu bolso fez barulho. Era seu chefe, *o chefe*, o chefe de toda a polícia de Pensacola, e ele foi direto como sempre. Disse que o juiz Ross Bannick precisava verificar um arquivo antigo naquela tarde. Ele estaria no tribunal até pelo menos as quatro, mas se encontraria com Faldo exatamente às quatro e meia. Faldo foi instruído a fazer o que Sua Excelência quisesse.

– Vê se puxa o saco dele, beleza?

– Sim, senhor – disparou Faldo.

Ele não precisava que ninguém lhe dissesse como fazer seu trabalho.

Lembrava-se vagamente de quando Bannick apareceu por lá, anos antes. Não era comum que um juiz federal, ou qualquer outro juiz na verdade, fosse até o depósito de evidências. Os visitantes de Faldo eram quase exclusivamente policiais trabalhando em seus casos, trazendo provas para serem armazenadas até o julgamento ou vasculhando arquivos antigos. Mas Faldo tinha aprendido décadas antes que aquelas velhas pistas, o verdadeiro tesouro que ele guardava, poderiam atrair qualquer pessoa. Ele havia registrado a entrada de detetives particulares, repórteres, escritores, famílias desesperadas em busca de fragmentos de provas, até mesmo um médium e pelo menos uma bruxa.

Às quatro e meia, o juiz Bannick apareceu com um sorriso agradável e o cumprimentou. Ele parecia genuinamente contente em conhecer o sargento e perguntou sobre sua distinta carreira na polícia. Sempre com uma postura muito política, agradeceu a Faldo por seu serviço e disse que ele poderia ligar se algum dia precisasse de alguma coisa.

A questão envolvia um caso antigo, de 2001. Julgado no tribunal da cidade, o pedido tinha sido indeferido; um assunto trivial que não tinha importância para ninguém além de um amigo aposentado em Tampa que precisava de um favor. E essa foi a história que ele contou.

Enquanto eles se metiam nas entranhas do depósito, conversando sobre futebol, Faldo pareceu se lembrar de tudo relacionado àquele arquivo. Encontrou abril, maio, depois junho e puxou uma gaveta inteira.

– O nome do réu é Verno – disse Bannick enquanto observava Faldo folhear a fileira de pastas.

– Aqui está – disse Faldo, orgulhoso, enquanto a removia da gaveta e a entregava ao juiz.

Bannick ajustou os óculos de leitura e perguntou:

– Por acaso alguém acessou isso aqui recentemente?

Agora ele se lembrava.

– Sim, Excelência. Curiosamente, um cara veio aqui umas semanas atrás. Fiz uma cópia da carteira de motorista dele. Deve estar bem ali.

Bannick pegou a folha de papel e olhou para o rosto de um tal Jeff Dunlap, de Conyers, na Geórgia.

– O que ele queria?

– Não sei, só o arquivo. Fiz as cópias pra ele, um dólar por página. Quatro dólares, se bem me lembro.

E lembrou também que Dunlap atirou uma nota de cinco dólares no balcão porque Faldo aceitava apenas cartões de crédito, mas decidiu não mencionar isso. Foi apenas um pequeno desvio, uma infração irrelevante de policial veterano que sempre tinha sido muito mal pago.

Bannick analisou as páginas, seus óculos de leitura perfeitamente equilibrados na ponta do nariz.

– Quem encobriu o nome da parte reclamante? – perguntou ele, sem exatamente esperar que Faldo tivesse uma resposta.

Faldo sabia a resposta e pensou: "Bem, provavelmente foi o senhor, Excelência. De acordo com meu caderno de registros, apenas duas pessoas se interessaram por esse arquivo nos últimos treze anos. Você, vinte e três meses atrás, e agora esse tal Dunlap." Mas ele leu a situação corretamente e preferiu não se meter em confusão.

– Não faço ideia, Excelência.

– Muito bem. Você pode me dar uma cópia da carteira de motorista desse cara?

– Sim, Excelência.

O JUIZ BANNICK FOI EMBORA em seu Ford SUV, um carro nada espalhafatoso, que não chamava a atenção. Nunca.

Um detetive particular da Geórgia tinha ido até Pensacola para vasculhar um arquivo inútil da polícia cerca de treze anos depois que o caso foi encerrado. Ao fazer isso, ele encontrou os escassos registros da prisão e do julgamento de Lanny Verno, que Deus o tenha. Estranho e difícil de entender. A única explicação possível era de que alguém andou vasculhando seu passado.

Fazia 24 horas que a cabeça de Bannick rodava. Ele estava se alimentando de ibuprofeno para combater as dores de cabeça. Era crucial pensar com clareza, inteligência, tranquilidade, e se antecipar ao que estava por vir, mas as imagens estavam muito borradas. Ele dirigiu até o norte de Pensacola e parou em um centro comercial, um dos dois que eram de sua propriedade. Havia uma loja da Kroger em uma ponta e um cinema na outra, e no meio havia oito lojas menores, todas em dia com seus aluguéis. Estacionou perto de uma academia popular, que frequentava quase todos os dias, e caminhou pela calçada como qualquer outro cliente. Entre a academia e um estúdio de ioga, entrou em uma galeria e parou em uma porta sem identificação, que abriu usando um cartão magnético e olhando para o scanner facial. A porta se abriu e ele rapidamente entrou, desligando os alarmes quando a porta se fechou.

Aquele era seu segundo local de trabalho, seu santuário, seu refúgio, sua caverna. Sem janelas, havia apenas uma entrada, vigiada 24 horas por dia por câmeras escondidas e protegida por alarmes. Não havia registro de sua existência, alvarás, nem contas de serviços públicos. Ninguém mais tinha acesso além dele. Eletricidade, água, esgoto, internet e TV a cabo eram desviados da academia que ficava do outro lado de uma parede grossa, e o aluguel havia sido combinado com o locatário em um acordo de aperto de mãos. Tecnicamente, aquilo violava algumas leis e regulamentos insignificantes e, enquanto juiz, ele não gostava dessa pequena trapaça. Mas ninguém jamais ficaria sabendo. A privacidade proporcionada por aquele local era maior que qualquer sentimento de culpa.

Ele morava a quinze quilômetros de distância, na cidade de Cullman, em uma bela casa onde havia um escritório típico de um sujeito ocupado e que poderia ser facilmente invadido por homens com mandados de busca e apreensão. E seu sombrio gabinete profissional, localizado no segundo andar do Tribunal do Condado de Chávez, era um espaço de propriedade dos contribuintes e, embora não fosse exatamente aberto ao público, poderia ser revistado.

Que venham. Que apreendam todos os arquivos e computadores em sua casa e seus aposentos oficiais; não encontrarão qualquer evidência contra ele. Poderiam persegui-lo on-line, vasculhar seus computadores e arquivos do servidor de dados judiciais, rastrear todos os e-mails que ele já havia enviado desses computadores, e não encontrariam nada.

Tinha vivido a maior parte da vida adulta com medo de ser preso, de mandados de busca e apreensão, de detetives, de ser descoberto. O medo o consumira de tal forma e por tanto tempo que suas rotinas diárias incluíam todo tipo de precaução. E, até então, havia estado à frente dos cães de caça.

O medo de ser pego não era motivado pelo medo de pagar o preço. Pelo contrário, era o medo de ter que parar.

Sua paixão por tecnologia, segurança, vigilância, ciência, até mesmo espionagem, vinha de um filme de que já não recordava mais o nome. Assistira a esse filme quando era um menino de 13 anos assustado e maltratado, sozinho no porão uma noite, depois que seus pais tinham ido para a cama. O protagonista era um garoto esquelético e desajustado que era o alvo favorito dos valentões da vizinhança. Em vez de levantar pesos e aprender karatê, ele mergulhou no mundo da ciência, da espionagem, das armas, da balística e até da guerra química. Comprou o primeiro computador da cidade e aprendeu sozinho a programá-lo. No devido tempo, vingou-se dos valentões e depois pendurou as chuteiras. O filme não era lá essas coisas, mas havia inspirado o jovem Ross Bannick a abraçar a ciência e a tecnologia. Ele implorou para que os pais lhe dessem um computador de Natal e aniversário. Para completar, ele tirou 450 dólares de suas próprias economias. Ao longo do ensino médio e da faculdade, cada salário e cada moeda sobrando iam para a última atualização, o último gadget. Durante a juventude, havia grampeado telefones secretamente, filmado irmãos de fraternidade transando com suas namoradas, gravado aulas sem autorização, desativado câmeras de vigilância, arrombado fechaduras, entrado em escritórios trancados e corrido centenas de outros riscos idiotas dos quais nunca se arrependeu. Ele nunca tinha sido pego, nem perto disso.

A chegada da internet lhe trouxe infinitas possibilidades.

TIROU A GRAVATA e o paletó e os arremessou em um sofá de couro, lugar onde dormia. Havia roupas em um armário nos fundos, uma pequena geladeira com refrigerantes e sucos. A cem metros dali, perto do cinema, havia uma cafeteria aonde ele costumava ir sozinho quando ficava trabalhando até tarde. Caminhou até uma pesada porta de metal, digitou um código, esperou que os ferrolhos destravassem, então a abriu e entrou ainda mais fundo em seu mundo secreto. A Caixa-forte, como a chamava com orgulho, era um escritório de pouco menos de 1,5 metro quadrado à prova d'água, de som, fogo, à prova de tudo. Ninguém nunca o tinha visto e ninguém jamais o veria. Havia uma mesa no centro com duas telas de computador de trinta polegadas. Uma das paredes estava coberta com imagens de câmeras de segurança mostrando sua casa, seu gabinete, o tribunal e o prédio em que ele estava. Em outra havia uma televisão de plasma de sessenta polegadas. As duas paredes restantes estavam vazias – nenhum símbolo de status, prêmio, homenagem nem diplomas. Todo esse lixo era reservado para paredes que podiam ser vistas. Na verdade, não havia nada ali que indicasse quem era o dono do local. O nome de Ross Bannick não poderia ser encontrado em lugar nenhum.

Se ele caísse morto no dia seguinte, seus computadores e telefones aguardariam pacientemente o período de 48 horas, depois seriam formatados automaticamente.

Sentou-se à mesa, ligou o computador e esperou que a tela ganhasse vida. Tirou as duas cartas de sua pasta e as colocou à sua frente. A que estava em um envelope com o carimbo de Pensacola o informava da investigação da Comissão de Justiça. A outra era um poema idiota, envelopado com o carimbo de Montgomery. Ambos enviados pela mesma pessoa praticamente ao mesmo tempo.

Ele entrou na internet, ativou sua VPN para conseguir passar pelas paredes de segurança e digitou sua senha na deep web, onde Rafe estava sempre esperando. Enquanto funcionário do Estado, Bannick havia invadido os bancos de dados do governo da Flórida. Usando seu *spyware* personalizado, chamado Maggotz, ele criou seu próprio *data sleuth*, uma espécie de detetive virtual que batizou de Rafe, um troll que percorria os sistemas e a nuvem anonimamente. Como Rafe não era criminoso, não estava roubando nem se apropriando de dados para chantagear alguém; estava apenas bisbilhotando informações privadas. Suas chances de ser descoberto eram quase zero.

Rafe era capaz de, por exemplo, acompanhar os memorandos internos entre os sete membros da Suprema Corte da Flórida e seus funcionários, e Bannick saberia exatamente qual seria a decisão proferida em um recurso relacionado a qualquer um de seus casos. Como não podia fazer nada sobre o caso, a informação era basicamente inútil, mas certamente era interessante saber para que lado o vento soprava.

Rafe também tinha acesso à troca de correspondências entre o procurador-geral e o governador. Podia ler comentários feitos por promotores sobre juízes em exercício, cavar fundo nos arquivos da polícia estadual e relatar o progresso dos investigadores, ou a ausência dele.

E, o mais importante naquele momento, Rafe pôde acompanhar o que acontecia na Comissão de Justiça. Bannick verificou pelo segundo dia consecutivo e não encontrou nada envolvendo seu nome. Aquilo era confuso e preocupante.

Caramba, naquele momento tudo era preocupante.

Engoliu mais um ibuprofeno e pensou em tomar uma dose de vodca. Mas ele não era muito de beber e planejava ir à academia. Precisava levantar pesos por umas duas horas para afastar o estresse.

Era divertido ler as denúncias que estavam sendo investigadas pela Comissão de Justiça. Ele adorava acompanhar as acusações contra seus colegas membros do judiciário, alguns dos quais conhecia bem, e um ou dois inclusive desprezava. No entanto, passar o dia todo fazendo isso estava fora de questão.

Bannick se divertia violando as regras. As outras queixas apresentadas na comissão eram brincadeira de criança comparadas aos seus crimes. Mas agora outra pessoa conhecia sua história. E, se havia uma denúncia contra ele, por que a estavam escondendo?

Isso aumentou a confusão, e ele esticou a mão para pegar mais comprimidos.

A pessoa que enviou a carta e o poema sabia a verdade. Essa pessoa mencionou Kronke, Verno e Dunwoody, e sugeriu a existência de outros. Até que ponto eles sabiam? Se essa pessoa havia feito uma denúncia à Comissão de Justiça, então ela exigiu anonimato, pelo menos durante o período de avaliação de 45 dias.

Ele foi para uma pequena sala nos fundos, despiu-se, tomou um longo banho quente e vestiu roupas de ginástica. De volta à sua mesa, colocou Rafe para rastrear os arquivos confidenciais da polícia estadual, arquivos tão bem protegidos que havia quase três anos que Rafe passeava por eles. Ele encontrou o arquivo de Perry Kronke da cidade de Marathon e ficou surpreso ao ver uma nova entrada do detetive Grimsley, o investigador principal do estado. Dizia assim:

> Telefonema hoje do chefe Turnbull, de Marathon; em 31 de março, ele recebeu a visita de dois advogados da Comissão de Justiça da Flórida – Lacy Stoltz e Darren Trope; disseram que estavam curiosos em relação ao assassinato de Kronke; disseram que talvez tenham um suspeito, mas não revelaram nada; não deram nomes; foram até o local aproximado onde Kronke foi encontrado; nada foi revelado; foram embora e prometeram entrar em contato no futuro; Turnbull não ficou muito impressionado, disse que não espera receber nenhum retorno e que, de nossa parte, nenhuma medida é necessária.

Ele não havia deixado nada para trás no assassinato de Kronke. Tinha até mesmo mergulhado no mar.

"Talvez tenham um suspeito", repetiu para si mesmo. Depois de 23 anos invisível, seria possível que alguém finalmente o considerasse um "suspeito"? Se sim, então quem? Não era Lacy Stoltz ou Darren Trope. Eles eram apenas funcionários de baixo escalão reagindo a uma denúncia, apresentada pela mesma pessoa que agora lhe enviava correspondências.

Respirar profundamente e meditar não ajudou em nada a diminuir o estresse.

Ele considerou a vodca, mas foi para a academia, trancando o outro gabinete, sempre cuidadoso, sempre observando tudo, cada pessoa. Por mais confuso e assustado que estivesse, disse a si mesmo que relaxasse e pensasse com clareza. Virou a esquina em direção à academia e se juntou a uma aula de ioga para suar um pouco antes de começar a puxar ferro.

22

Na manhã de sexta-feira, 11 de abril, Norris Ozment havia acabado de chegar à sua sala na recepção principal do resort Pelican Point quando recebeu uma ligação da operadora do hotel no telefone fixo.

– É um tal juiz Bannick, de Cullman.

Curioso ao ouvir o nome do juiz novamente tão cedo, Ozment atendeu. Ambos disseram lembrar-se um do outro dos velhos tempos em que Ozment integrava a polícia de Pensacola; então, aproveitando a brecha, Bannick disse:

– Estou atrás de uma pista para um velho amigo em Tampa, procurando algumas informações sobre um tal de Lanny Verno. Parece um verdadeiro mau-caráter, foi assassinado há uns meses em Biloxi. Ele esteve envolvido em um caso que parou no tribunal da cidade anos atrás e você foi o policial que o prendeu. Lembra de alguma coisa?

– Olha, Excelência, normalmente não lembraria, mas nesse momento, sim. Eu me lembro desse caso.

– Jura? Isso foi treze anos atrás.

– Sim, Excelência, eu sei. O senhor emitiu um mandado e eu prendi o Verno.

– Isso mesmo – disse Bannick com uma gargalhada forçada. – Aquele cara apontou uma arma pra mim dentro da minha própria casa, e o juiz soltou ele.

– Faz muito tempo, Excelência. Tentei esquecer tudo dessa época, não sinto a menor falta. Tenho certeza de que não teria me lembrado do caso, mas no mês passado apareceu aqui um detetive particular fazendo umas perguntas sobre o Verno.

– É mesmo?

– Sim, Excelência.

– O que ele queria?

– Disse que só estava curioso.

– Bem, se você não se importa que eu pergunte, sobre o que ele estava curioso?

Na verdade, Ozment ficou incomodado com a pergunta, mas Bannick era um juiz federal com competência para julgar processos criminais. Ele provavelmente poderia emitir um mandado de apreensão dos registros do resort se quisesse. Ele também esteve envolvido na acusação de Verno enquanto suposta vítima. Esses pensamentos embaralhavam a mente de Ozment enquanto ele tentava decidir até onde contaria a Bannick.

– Ele disse que o Verno foi assassinado e que ele tinha sido contratado pela família na Geórgia para investigar um boato envolvendo filhos desconhecidos que ele poderia ter deixado para trás.

– De onde era esse cara?

– Ele disse que era da Geórgia, da região de Atlanta, Conyers.

– Ele se identificou de alguma forma?

– Não, Excelência. Em momento nenhum ele me ofereceu um cartão de visita. Eu não pedi e também não ofereci o meu a ele. Mas nossas câmeras pegaram o carro dele no estacionamento e nós rastreamos a placa. O carro foi alugado pela Hertz em Mobile.

– Interessante.

– Também achei. Na época, imaginei que ele tivesse pegado um avião de Atlanta para Mobile e depois alugado o carro. Pra ser sincero, Excelência, nem pensei muito sobre esse assunto. Foi só um caso sem muita importância de cem anos atrás, e o réu, o Verno, foi considerado inocente. Agora alguém o matou no Mississippi. Não tenho mesmo nada com isso.

– Claro, claro. Você deu uma olhada no carro dele?

– Dei. Está no vídeo.

– Se importa de me enviar as imagens por e-mail?

– Bom, vou ter que falar com o gerente. Pode ser que isso envolva algumas questões de segurança.

– Terei prazer em falar com o seu gerente.

A declaração tinha um tom ligeiramente ameaçador. Ele era um juiz e estava acostumado a conseguir o que queria.

Houve uma pausa enquanto Ozment olhava ao redor da sala vazia.

– Claro, Excelência. Me passe o seu e-mail.

Sua Excelência forneceu um endereço de e-mail temporário, um dos muitos que ele usava e descartava, e meia hora depois estava olhando para duas fotos: uma da traseira de um sedã Buick branco com placa da Louisiana; a segunda, da mesma câmera, com Jeff Dunlap no quadro. Bannick respondeu ao e-mail de Ozment agradecendo e anexou a ele um folheto qualquer descrevendo a missão e os deveres dos juízes e oficiais do Vigésimo Segundo Distrito Judicial da Flórida. Quando Ozment abriu o arquivo, Maggotz invadiu a rede do Pelican Point, que foi imediatamente infectada. Agora Bannick tinha acesso às listas de hóspedes do resort, registros financeiros, arquivos pessoais, toneladas de cartões de crédito e dados bancários. E não apenas do Pelican Point. O local fazia parte de uma pequena cadeia de vinte resorts, e Rafe agora poderia explorar ainda mais se quisesse.

Mas havia assuntos mais urgentes. Bannick ligou para seu gabinete e falou com seu assessor. Além de uma reunião com advogados às onze horas, não havia nada importante em sua agenda.

Havia sete Jeff ou Jeffrey Dunlap na região de Atlanta, mas apenas dois na cidade de Conyers. Um era um professor cuja esposa parecia uma adolescente de 15 anos. O outro era um motorista de ônibus aposentado que afirmou jamais ter ido a Mobile. Ambos confirmaram o que Bannick suspeitava desde o início: Jeff Dunlap era uma identidade falsa do detetive particular. Ele rastrearia os outros cinco mais tarde, só para garantir.

Ele ligou para um escritório da Hertz em Mobile e falou com uma jovem chamada Janet, que foi bastante prestativa e passou os detalhes para um aluguel de fim de semana. Ela enviou a confirmação da reserva para um dos endereços de e-mail de Bannick e ele respondeu dizendo: "Obrigado, Janet. A cotação que recebi difere do valor que me passou de 120 dólares. Por favor, revise o anexo e resolva essa discrepância." Assim que Janet abriu o anexo, Rafe se infiltrou no sistema da Hertz. Bannick odiava hackear empresas grandes como aquela porque seus sistemas de segurança eram muito mais sofisticados, mas, contanto que Rafe apenas bisbilhotasse e não tentasse roubar nada nem extorquir ninguém, provavelmente passaria despercebido. Bannick esperaria algumas horas e cancelaria a reserva. Nesse meio-tempo, ele enviou Rafe para os dados de veículos da Hertz registrados na Louisiana.

Por experiências anteriores, ele sabia que a Hertz alugava meio milhão de veículos nos Estados Unidos, e mantinha os registros de todos os cinquenta estados. A Enterprise, a maior locadora de carros, fazia o mesmo com mais de seiscentos mil veículos.

Como ele já imaginava, a tarefa foi um pouco trabalhosa para Rafe, embora ele nunca reclamasse ou parasse. Era programado para trabalhar 24 horas por dia todos os dias da semana, se necessário. Enquanto trabalhava nas sombras, Bannick foi para o telefone a fim de garantir que todos os Jeff Dunlap na área de Atlanta fossem devidamente verificados.

ÀS DEZ E MEIA, ele ajeitou a gravata, olhou-se no espelho e achou que parecia bastante abatido e preocupado, com razão. Tinha dormido pouco e naquele momento tudo estava desabando. Pela primeira vez na vida, sentiu como se estivesse fugindo. Dirigiu por quinze minutos até o Tribunal do Condado de Escambia, em Pensacola, para sua reunião. Os advogados eram todos do centro da cidade e ele tinha agendado o encontro de acordo com a disponibilidade deles. Conseguiu parecer cordial e gentil como sempre. Ouviu cada lado e prometeu uma rápida mediação. Em seguida, correu de volta para seu outro escritório e se trancou lá dentro.

No dia 11 de março, o Buick foi alugado para um tal Rollie Tabor, investigador particular licenciado pelo estado do Alabama. Ele o usou por dois dias e o devolveu em 12 de março, viajando apenas 678 quilômetros.

Não havia muitas informações sobre Tabor na internet, o que era bastante comum quando se tratava de investigadores particulares. Eles costumavam anunciar apenas o suficiente para atrair novos negócios, mas não o suficiente para revelar algo de útil. De acordo com seu site, ele era um ex-investigador policial, experiente, confiável, discreto. O que isso queria dizer? Ele lidava com pessoas desaparecidas, divórcios, questões de custódia, investigações de antecedentes, o de sempre. Endereço do escritório no centro de Mobile, número de telefone e e-mail. Não havia nenhuma fotografia de Tabor.

Comparando a imagem da câmera de segurança obtida no resort com a cópia da carteira de motorista falsa fornecida pelo sargento Faldo, ficou claro que o mesmo homem, que se autointitulava Jeff Dunlap, esteve em ambos os lugares procurando informações a respeito de Lanny Verno. O homem de fato se chamava Rollie Tabor, então por que estava mentindo?

Bannick trabalhou em seu plano por uma hora, mudando de estratégia diversas vezes. Quando a inspiração finalmente chegou, ele criou outra conta de e-mail e enviou uma mensagem para Tabor:

> Caro Sr. Tabor. Sou médico em Birmingham e preciso dos serviços de um investigador particular na região de Mobile. Uma possível questão de ordem familiar. Você foi altamente recomendado. Está disponível? Se sim, qual é o valor da sua hora de trabalho? Dr. Albert Marbury.

Bannick enviou o e-mail, rastreou-o e esperou. Trinta e um minutos depois, Tabor abriu a mensagem e respondeu:

> Dr. Marbury. Obrigado. Estou disponível. O valor é duzentos dólares a hora. R.T.

Bannick zombou dos duzentos dólares por hora. Obviamente, era o Preço do Médico. Ele respondeu concordando com a tarifa e anexou um link para o site de um hotel em Gulf Shores, onde ele suspeitava que sua esposa pudesse estar hospedada. Quando Tabor abriu o e-mail e olhou para o anexo, Rafe já estava à espreita e infiltrou o computador do detetive. Ele começou buscando por clientes atuais. Os registros de Tabor eram, na melhor das hipóteses, banais, pelo menos levando em consideração os dados que ele guardava em seu computador. Bannick sabia muito bem que muitos detetives particulares mantinham dois livros-caixa diferentes – um para a receita federal, o outro para eles mesmos. O dinheiro ainda fazia as engrenagens girar. Depois de uma hora, não havia encontrado nada. Nenhuma menção a Lanny Verno ou a Jeff Dunlap, nem à viagem para Pensacola e para Seagrove Beach um mês antes. E, consequentemente, nenhuma pista sobre a identidade do cliente por trás daquela investigação.

Engoliu um ibuprofeno e tomou um diazepam para acalmar os nervos. Percebeu que estava fraco de fome, mas seu organismo estava em fúria e ele estava com medo de irritar o estômago comendo alguma coisa. Estava cansado da Caixa-forte e naquele momento queria ficar atrás do volante e apenas dirigir, ir embora, pegar a estrada e dar o fora da cidade no fim de semana. Talvez de um píer distante, uma praia ou uma montanha ele fosse capaz de olhar para aquilo tudo e enxergar com mais clareza.

Alguém sabia. E esse alguém sabia muita coisa.

ELE SAIU DA CAIXA-FORTE e foi para a salinha nos fundos, onde tirou a cueca e vestiu shorts de ginástica e uma camiseta. Precisava de ar fresco, uma caminhada na floresta, mas não podia sair. Não naquele momento crucial. Tomou um café puro e comeu uma laranja que encontrou na geladeira.

MAGGOTZ ESTAVA ESCONDIDO nas sombras do gabinete do xerife do condado de Harrison desde os assassinatos de Lanny Verno e Mike Dunwoody. Depois que eles foram encontrados, Rafe voltou à vida e começou a bisbilhotar.

Quando terminou de comer a laranja, Bannick ativou Rafe e o enviou aos arquivos do detetive Napier, o investigador-chefe em Biloxi. Napier fazia registros diários e havia inserido uma nota no dia 25 de março: "Reunião hoje com Lacy Stoltz e Darren Trope, da Comissão de Justiça da Flórida, sobre os assassinatos de Verno/Dunwoody. Permitimos o acesso ao arquivo, mas nada foi retirado nem copiado. Eles fizeram uma vaga referência a um suspeito, mas não forneceram detalhes. Sabem mais do que estão dispostos a dizer. Entrarão em contato. E. Napier."

Bannick praguejou e se afastou da mesa. Sentiu-se como um animal sangrando, tropeçando pela floresta, enquanto os cães de caça e seus latidos se aproximavam cada vez mais.

EILEEN ERA A NÚMERO QUATRO. Eileen Nickleberry. Trinta e dois anos na época de sua morte. Divorciada, de acordo com o obituário.

Ele adorava colecionar os obituários. Estavam todos nas pastas.

Ele a encontrou treze anos depois, treze anos depois de ela ter zombado dele no quarto da fraternidade, treze anos depois que ela saiu tropeçando escada abaixo, bêbada como todos os demais, e comunicou para o resto da festa que Ross "brochou". Não deu conta. Ela riu e tagarelou sem parar, embora na manhã seguinte quase todo mundo já tivesse esquecido o incidente. Mas ela continuou falando, e a notícia se espalhou pelo campus. Bannick tem um problema. Bannick é brocha.

Seis anos depois, ele encontrou sua primeira vítima, seu Chefe Escoteiro. A morte dele tinha saído conforme o planejado. Não havia sentido nem um pingo de remorso, nem mesmo uma pontinha de culpa ao se afastar e olhar para o corpo de Thad Leawood. Na verdade, sentiu-se eufórico, e aquilo o invadiu com uma sensação indescritível de poder, controle e – ainda melhor – vingança. Daquele momento em diante, ele sabia que jamais pararia.

Sete anos depois de Leawood, e já com três na conta, ele finalmente encontrou Eileen. Ela era uma corretora de imóveis no norte de Myrtle Beach, seu belo rosto e sorriso estavam estampados em placas espetadas nos jardins de todas as casas possíveis, como se estivesse concorrendo à prefeitura. Ela estava envolvida em um empreendimento de quarenta casas na orla. Ele alugou uma delas durante o verão em 1998, antes de se tornar juiz. Na manhã de domingo, ele a atraiu para uma unidade vazia, uma que ela estava tentando vender – BAIXA DE PREÇO! –, e no momento em que ela lembrou quem ele era, Bannick acertou seu crânio com Leddie. Enquanto a corda cortava profundamente sua pele e ela dava o último suspiro, ele sussurrava no ouvido dela, lembrando-a da chacota que fizera com ele.

Cinco horas se passaram até que houvesse uma comoção. Enquanto a situação provocava um grande frenesi e as pessoas gritavam, ele estava sentado na varanda de sua casa alugada, com uma cerveja, e observava os socorristas correndo do outro lado do pátio. O som das sirenes o fez sorrir. Ele esperou uma semana até que os policiais chegassem batendo de porta em porta em busca de testemunhas, mas eles não apareceram. Ele pagou o aluguel integralmente e nunca mais voltou.

O crime ocorreu na cidade litorânea de Sunset Beach, no condado de Brunswick, na Carolina do Norte. Nove anos se passaram até que o condado digitalizasse os registros, e, quando isso aconteceu, Bannick já estava esperando com a primeira geração de seu *spyware*. Como fazia com todos os outros departamentos de polícia, atualizava seus dados com frequência, sempre à espreita de qualquer movimento, sempre observando com seus mais recentes brinquedinhos de hackeamento.

Depois de alguns anos, o caso de Eileen foi considerado sem solução. Nunca houve um suspeito de verdade. Ocasionalmente, alguns escritores de romances policiais, repórteres, familiares e outros departamentos de polícia demonstravam interesse nos arquivos.

No final da tarde de sexta-feira, Bannick enviou Rafe para bisbilhotar o sistema pela primeira vez em meses. Com base no último carimbo digital de data e hora, ninguém tocava no arquivo havia três anos, desde que uma pessoa que se apresentara como repórter quis dar uma olhada.

23

Seu estômago conseguiu segurar a laranja. Tentou tirar uma soneca, mas estava muito agitado. Pegou sua bolsa de ginástica e foi para a academia, onde passou duas horas pedalando, remando, levantando peso e correndo na esteira. Ao atingir a completa exaustão, foi para a sauna. Quando teve certeza de que estava sozinho, se despiu, esticou a toalha e se deitou em cima dela.

Foi um erro ligar para Norris Ozment, mas ele não teve escolha. Ozment agora podia conectá-lo diretamente a Verno, da mesma forma que Tabor o fizera. Mas era improvável que a polícia do Mississippi algum dia encontrasse Ozment, e mais ainda que ele se desse ao trabalho de ir até as autoridades. Por que faria isso?

O juiz massageou as têmporas e tentou respirar lentamente enquanto o vapor acalmava seus pulmões. A pessoa que fizera a denúncia para a Comissão de Justiça escolhera se manter anônima e estava ciente de que não seria criado um arquivo digital. Tudo seria mantido off-line. A pessoa que contratou Rollie Tabor para se passar por Jeff Dunlap e vasculhar a antiga ação judicial fez isso sob a condição de que Tabor não armazenasse nenhuma informação on-line. A pessoa que enviou as duas cartas anônimas havia feito um imenso esforço para remover todas as pistas possíveis.

A pessoa sabia sobre Eileen Nickleberry.

Todas elas eram a mesma pessoa. Simplesmente não havia outra explicação. Havia coincidências demais. Ele precisava encontrá-la.

E, se a encontrasse, o que faria o bom juiz? Certamente poderia matá-la, isso seria fácil. Mas será que era tarde demais? Será que a Dra. Stoltz, da Comissão de Justiça, tinha provas suficientes para levar o caso à polícia? Disse a si mesmo que a resposta era não, e acreditou. Acusá-lo e indiciá-lo até seria fácil, mas condená-lo, impossível. Ele tinha presidido audiências de homicídio, estudado criminalística e sabia mais sobre o assunto do que os peritos e, mais importante, sabia bem a quantidade de evidências necessária para condenar alguém. Coisa pra cacete! Além do benefício da dúvida. Precisariam de mais evidências do que qualquer policial mal pago tinha sido capaz de descobrir ao longo de sua trajetória de crimes.

Havia umas doze pessoas em sua lista. Mais ou menos. Dez já tinham ido, restavam duas. Talvez três. Dunwoody não contava por que nunca esteve na lista. Havia sido uma questão de timing ruim, e ele era uma vítima que ainda incomodava o juiz. Não merecia morrer, ao contrário dos outros. Mas, perturbado como estava, não havia nada que pudesse fazer a respeito.

E agora havia problemas muito mais sérios a resolver.

Um assassino está sempre de olho vivo, e por anos ele temeu esse acerto de contas. Na verdade, tivera tanto tempo para pensar sobre isso que chegou a várias conclusões possíveis. Uma era simplesmente ir embora, desaparecer, antes de ser exposto à humilhação de ser acusado, condenado e preso. Ele tinha muito dinheiro e havia um mundo enorme lá fora. Tinha viajado muito e visitado vários lugares onde poderia facilmente se misturar e nunca ser encontrado. Preferia países que não tivessem acordos de extradição com os Estados Unidos.

Outra estratégia era ficar e lutar. Alegar inocência, até perseguição, e contratar um advogado para um julgamento grandioso. Ele sabia exatamente quem chamaria para defendê-lo. Júri nenhum poderia condená-lo, porque a polícia não tinha provas. Estava convicto de que nenhum promotor o indiciaria, pelo mesmo motivo. Nenhum juiz havia sido julgado por homicídio nos Estados Unidos, e isso criaria um verdadeiro circo de proporções épicas na mídia. Até o promotor mais ambicioso evitaria passar por uma audiência desse tamanho.

Qual de seus assassinatos seria mais fácil de provar em juízo? Essa era a grande pergunta que se fazia praticamente todos os dias. Por conta da sua astúcia e arrogância, ele acreditava que nenhum deles chegaria à denúncia. Ficar e lutar era a opção mais atraente.

Ficar lhe permitiria concluir a lista.

A última estratégia era a mais fácil. Poderia simplesmente acabar com tudo ele mesmo e levar seus crimes para o túmulo.

O JUIZ BANNICK SE PERMITIA tomar um martíni nas tardes de sexta-feira, geralmente com mais um ou dois outros juízes, e havia vários bares de que gostava na região. Um de seus favoritos ficava em um clube à beira-mar, com o golfo se estendendo ao longe. Naquela sexta-feira, entretanto, ele não estava com disposição para socializar, mas precisava do martíni. Preparou-o na salinha dos fundos e tomou um gole bem ali na Caixa-Forte. Em seguida, se fez a pergunta óbvia: "Quem é essa pessoa?"

Um policial não daria importância a uma correspondência anônima. Por que perder tempo? Por que alertar o suspeito? Por que dar atenção a esses joguinhos? E os policiais não estavam investigando. Ele havia invadido todos os departamentos de polícia e sabia que todos os casos estavam parados. O xerife de Biloxi e seu detetive, Napier, ainda trabalhavam no caso todos os dias, mas só porque havia duas vítimas e uma era moradora da cidade. Eles não tinham tido nenhum resultado, e agora, depois de seis meses, estavam seguindo o mesmo padrão dos outros.

Um investigador particular sairia muito caro. Independentemente do valor da hora, daria muito trabalho vinculá-lo ao assassinato de Eileen, em 1998, na Carolina do Norte, ao de Perry Kronke, em 2012, depois a Verno e Dunwoody em Biloxi, no outono passado. Ninguém seria capaz de arcar com os custos de uma investigação desse nível. Ele conhecia bem suas vítimas e as famílias delas. Perry Kronke era de longe o mais rico de todos, mas sua viúva estava com problemas de saúde e provavelmente não poderia gastar uma fortuna tentando encontrar seu assassino. Seus dois filhos eram modestos empresários em Miami.

Bannick foi até um canto e levantou um tapete. Com uma chave, destrancou um cofre escondido sob o piso e removeu um pen drive. Ele o enfiou no computador, digitou algumas palavras e em segundos um arquivo chamado *kronke* apareceu. Como havia pesquisado e escrito tudo no arquivo, sabia seu conteúdo de cor, mas a constante revisão do passado fazia parte de sua vida. Vigilância constante era algo tão importante quanto um planejamento meticuloso.

O processo envolvendo o espólio de Kronke havia sido aberto no condado de Monroe, na Flórida, quatro meses após seu assassinato. Seu filho mais velho, Roger, foi nomeado testamenteiro pelo pai e posteriormente confirmado pelo tribunal. A auditoria dos bens foi apresentada no prazo devido. Não havia hipotecas nem dívidas, além de cobranças de cartão de crédito de rotina. No momento de sua morte, Kronke e a esposa eram coproprietários da casa onde iriam viver após a aposentadoria, avaliada em oitocentos mil dólares, duas casas então alugadas no valor de duzentos mil cada, uma carteira de ações avaliada em 2,6 milhões, uma conta no mercado financeiro com saldo de 340 mil e várias contas bancárias que totalizavam noventa mil dólares. Com seus carros e barcos e outros ativos menores, o inventário somava 4,4 milhões de dólares.

Os autos do inventário eram registro público. Hackear o e-mail do gabinete do juiz de sucessões tinha sido extremamente fácil por causa de Maggotz e sua familiaridade com todo o sistema judiciário da Flórida. Rafe também estava espionando a Sra. Kronke e suas finanças. Ele acompanhava seus registros bancários e sabia que ela recebia todo mês dois mil dólares da Previdência Social, a aposentadoria do escritório de advocacia no valor de 4.500 por mês e 3.800 dólares de uma previdência privada.

Conclusão: ela tinha muito dinheiro, mas não havia nenhum indício de que estivesse passando cheques polpudos para detetives particulares. Não enviava muitos e-mails, mas mantinha contato com os dois filhos. Ela estava pensando em vender a casa e se mudar para um bairro mais seguro e tranquilo. E-mails entre os filhos indicavam as preocupações habituais sobre a mãe gastar muito e arruinar a herança.

Não houve nenhuma conversa sobre dedicar tempo e dinheiro a procurar o assassino.

Bannick se convenceu de que "a pessoa" não o estava perseguindo em nome da família Kronke.

No outro extremo, em termos econômicos, estava Lanny Verno. Como não tinha bens, não havia sido realizado um inventário. Não deixara nenhum patrimônio, filho, familiar próximo, nada para hackear, nada além de uma mulher que foi morar com ele depois de muitas idas e vindas. Verno era a última pessoa em sua lista que poderia contratar os investigadores.

Bannick pulou para outra pasta, chamada *eileen nickleberry*.

Sua família era igualmente improvável. Ela havia morrido dezesseis anos antes, sem testamento e com poucos bens. Sua mãe havia sido arrastada ao tribunal para representar a filha, enquanto administradora de seu patrimônio. A casa e o carro foram penhorados e vendidos para pagar alguns empréstimos e as faturas de seus cartões de crédito. Depois que todos os credores foram pagos, seus pais, que eram divorciados, e dois irmãos dividiram cerca de quatro mil dólares.

Curiosamente, seu pai contratou um advogado para dar entrada em um pedido de indenização por homicídio culposo contra o proprietário do imóvel onde ela foi assassinada. Rafe acompanhou os e-mails por mais ou menos um ano, enquanto o processo definhava. Bannick estava intrigado com a ideia de ter advogados, não policiais, investigando o homicídio. A polícia desde o início não soube o que fazer, assim como os advogados, e as investigações não deram em nada. Além de um faz-tudo sem antecedentes criminais e com um álibi sólido, nunca houve um suspeito. Mais um crime perfeito.

O último mencionado pela "pessoa" foi Mike Dunwoody. Bannick foi até a pasta dele, certo de que sua família não havia contratado nenhum detetive particular. Seu assassinato tinha ocorrido apenas cinco meses antes, e o xerife Black e o detetive Napier faziam e diziam todas as coisas certas para convencer o público de que estavam fazendo algum progresso. A família parecia satisfeita em passar pelo luto de maneira privada e confiar nas autoridades. O testamento de Dunwoody deixava tudo para a esposa e a nomeava como testamenteira. Cinco meses depois, ela ainda não havia requerido a abertura do inventário. De acordo com seus registros bancários, pessoais e comerciais, a empresa seguia mais ou menos a mesma linha da maioria dos empreiteiros independentes – melhorava num ano, piorava em outro, bem-sucedida como um todo, mas não havia ninguém ficando rico. Era impossível acreditar que eles tinham condições de gastar dezenas de milhares de dólares para tocar uma investigação própria.

A pessoa não era policial nem detetive particular. No entanto, estava claramente usando pessoas como Rollie Tabor. Quem contrataria um investigador de Mobile?

Alguém em busca de uma reportagem, um jornalista, um freelancer, um escritor, não teria paciência para investir em um projeto desses por tanto tempo. Sua motivação seria sempre ganhar dinheiro, então quem poderia sobreviver décadas sem receber uma recompensa?

Ele preparou outro martíni e o levou para a sala da frente, onde se sentou no sofá com as luzes apagadas. Tomou um gole lentamente e sentiu o gim penetrar seu cérebro confuso. Por alguns momentos a dor diminuiu. Estava cansado daquele lugar, mas se sentia seguro lá. Ninguém podia vê-lo. Ninguém no mundo sabia onde ele estava. Depois de passar a maior parte da vida adulta perseguindo suas presas, ele achava aterrorizante a ideia de ter alguém atrás dele. Suas vítimas nunca fizeram a menor ideia de que estavam sendo perseguidas. Ele, por outro lado, tinha conhecimento da terrível verdade: havia alguém atrás dele.

Havia perdido a noção do tempo e seu celular tinha ficado na Caixa-forte. Ele se esticou no sofá e caiu em um sono profundo.

ENQUANTO DORMIA, RAFE CONTINUOU seu trabalho, vasculhando a rede esparsa e desconexa do Atlas Finders, também conhecido como o pequeno escritório de Rollie Tabor, investigador particular. Ele se infiltrou no computador de uma secretária de meio período chamada Susie e lá encontrou algumas fotos. Uma era dela e de seu chefe, o Sr. Tabor.

Horas depois, Bannick olhou para o rosto sorridente de Rollie e concluiu com facilidade que se tratava do mesmo sujeito na imagem capturada pela câmera de segurança de Norris Ozment e na carteira de motorista falsa de Dunlap. Aquilo confirmou apenas o que ele já sabia: Rollie Tabor, um idiota qualquer de Mobile, havia sido contratado por alguém para vasculhar os podres de Bannick.

Mas Rafe não conseguiu encontrar outras pistas no Atlas. Seria necessário invadir o celular de Tabor, uma tarefa da qual Bannick não estava à altura. Com muito estudo e muita prática, ele se tornara um hacker amador de computadores, mas telefones eram outra história. Ele ainda estava aprendendo, mas não tinha chegado lá.

Ainda estava escuro quando ele finalmente decidiu sair de seu bunker, poucos minutos antes das seis da manhã de sábado. A academia 24 horas estava deserta, assim como o estacionamento. Ele estava ansioso para chegar em casa e saiu às pressas, o único carro na estrada. Virando na rua, ele se pegou olhando pelo retrovisor, então quase riu diante do absurdo que aquilo representava.

Vinte minutos depois, cruzou os portões de seu superprotegido condomínio em Cullman e estacionou na frente de sua garagem enquanto o sol espreitava em meio às nuvens a leste. Desligou o motor, pegou seu celular, desligou o sistema de segurança e verificou as câmeras de vigilância e as imagens recentes. Após ter certeza de que estava seguro, ele finalmente saiu do carro e entrou em casa, onde acendeu as luzes e preparou um café. Ele observou enquanto o café passava e tentou se livrar do sono provocado pelos martínis. Se serviu uma xícara e caminhou lentamente até a porta de entrada. Ele a abriu, deu um passo para a varanda, olhou para os dois lados na rua, então esticou a mão em direção à caixinha de correio montada ao lado da porta.

Outro envelope branco comum, sem endereço de remetente.

Parecia inofensivo o suficiente
    outro parque aquático na praia
para demolir, queimar e construir
    mais dinheiro que o distraia
você tentou esconder no escuro
    seu nome, impossível de encontrar,
oculto atrás de seus sócios
    seu esqueminha a prosperar.

Ah, a beleza da imprensa livre
    para a verdade e as mentiras descobrir e expor,
pros bandidos dos gabinetes afastar
    e os juízes do castigo manterem o temor
sua derrota para o antigo muito lhe doeu
    e de morte seu imenso orgulho feriu
Você enfim por sua corrupção me culpou
    e o dia em que morri de seu trono aplaudiu.

24

A preguiçosa manhã de sábado foi interrompida duas vezes antes de Lacy chegar ao bule de café. A primeira ligação a despertou três minutos depois das oito. Número desconhecido. Em outras palavras, não atenda. Mas algo dizia que ela devia atender, e, se fosse um robô do outro lado, ela poderia simplesmente desligar, como sempre.

– Bom dia, Lacy – disse Jeri suavemente.

Ela sentiu uma pontada de raiva, mas se controlou.

– Bom dia, Jeri. A que devo a honra?

– Pensei muito em você nos últimos dias. Como está?

– Bem, eu estava dormindo antes de você ligar. É sábado, dia de folga, e não estou trabalhando hoje. Achei que tinha explicado isso.

– Desculpe – disse Jeri, em um tom que transmitia tudo menos remorso. – Por que acha que estou ligando pra falar de trabalho? Por que não podemos conversar como amigas?

– Porque não somos amigas, Jeri. Somos conhecidas, que se viram pela primeira vez há mais ou menos um mês. Quem sabe um dia, depois que esse trabalho terminar, a gente construa uma amizade, mas ainda não chegamos lá.

– Entendo.

– A palavra "amiga" anda banalizada, você não acha?

– Pode ser.

– E qualquer que seja o motivo dessa ligação, não tem a ver com amizade. Provavelmente está mais para trabalho.

– É verdade, Lacy. E desculpe por te incomodar.

– É sábado de manhã, Jeri, e eu estava dormindo.

– Já entendi. Olha, vou desligar agora, mas primeiro deixa eu te dizer o que quero. Tudo bem?

– Tudo bem.

– Existe uma grande chance de que o Bannick descubra sobre a denúncia e saiba que você está investigando o passado dele. Não posso provar isso, mas cheguei até a pensar que ele tem alguma espécie de superpoder, algo extrassensorial, uma coisa assim. Não sei. Mas ele é extremamente inteligente e cuidadoso, e, bem, acho que talvez eu esteja sendo um pouco paranoica. Eu o acompanho há tanto tempo que sempre presumo que ele está em todos os lugares. Cuidado, Lacy. Se ele souber que você está atrás dele, é capaz de fazer qualquer coisa.

– Já pensei nisso, Jeri.

– Está bem. Até logo.

Ela desligou, e Lacy imediatamente se sentiu péssima por ter sido tão grossa. A coitada estava acabada e já vivia assim havia muitos anos. Lacy deveria ter sido mais paciente.

Mas era o início da manhã de sábado.

Ela fechou os olhos e estava pensando em dormir mais um pouco, mas o cachorro estava fazendo barulho. Ela pensou em Allie e em como seria bom tê-lo ao seu lado. E, já completamente desperta, pensou em Jeri Crosby e na tristeza que era a vida da mulher.

Apesar de tantos pensamentos sobre outras pessoas, seu irmão nem lhe passou pela cabeça. Então, quando Gunther ligou, menos de dez minutos depois de Jeri, Lacy teve um palpite de que seu dia tranquilo não sairia como planejado. Ele disse que tinha um avião novo e queria exibi-lo por aí, e naquele lindo e perfeito dia de primavera sentiu vontade de voar até lá e levar a irmã caçula para almoçar.

– Estou na pista, decolando nesse instante, chego em Tallahassee em 84 minutos. Me encontra no aeroporto.

Aquilo era tão típico de Gunther. O mundo girava em torno dele e todas as outras pessoas eram apenas coadjuvantes em sua vida. Ela alimentou seu cachorro e o deixou sair, vestiu uma calça jeans, escovou os dentes e foi para o aeroporto. Seu sábado tranquilo tinha ido pelos ares. Mas ela não estava exatamente surpresa. Nada sobre seu irmão a surpreendia. Ele era um ávido piloto que trocava de avião quase tão rapidamente quanto comprava e vendia carros esportivos. Também administrava com afinco mulheres, banqueiros e investidores. Quando os mercados estavam em alta, torrava dinheiro e, quando as coisas pioravam, fazia empréstimos até não poder mais. Mesmo quando a procura pelos seus shoppings e condomínios estava alta, ele parecia cambalear à beira do desastre financeiro. Como ele sempre aumentava demais as coisas, Lacy havia perdido a conta das vezes em que havia entrado em falência. Ela achava que tinham sido três, somadas a dois divórcios e um quase indiciamento.

Mas, apesar de todos os problemas, Gunther dormia pesado todas as noites e encarava todos os dias com energia e confiança. Seu entusiasmo pela vida era contagiante, e, se ele sentisse vontade de pegar um avião para ir almoçar, não havia como detê-lo, independentemente do que ela havia planejado.

Esperando no terminal privado, observando os pequenos aviões irem e virem enquanto tomava um café ruim, ela tanto temia quanto ansiava por ver Gunther. Depois da morte dos pais, eles precisavam um do outro. Ambos eram solteiros e não tinham filhos. Aparentemente, aquela seria a última geração da família. Trudy, a irmã da mãe deles, estava tentando se tornar a matriarca e se intrometendo demais. Lacy e Gunther estavam unidos em sua resistência.

Mas ela não estava exatamente animada para vê-lo, porque ele tinha sempre opiniões demais a respeito de quase tudo. Desde a colisão de carro, ele tivera muita coisa a dizer sobre o processo, o advogado dela e as estratégias legais. Achava que ela estava perdendo tempo na Comissão de Justiça. Não curtia muito Allie Pacheco, embora isso fosse uma reação à antipatia de Lacy por todas as namoradas que ele ousara lhe apresentar. Ele achava que Tallahassee era uma cidade de fim de mundo e que ela devia se mudar para Atlanta. Ele não do gostava do carro dela. E assim por diante.

Lá estava ele, rastejando para fora de um aviãozinho cintilante, saltando da asa sem bagagem, sem maleta, um playboy dando uma voltinha e indo almoçar em um local bacana. Eles se abraçaram na porta e saíram do terminal.

– Ainda dirigindo essa porcaria? – disse ele assim que colocou o cinto de segurança.

– Gunther, sempre é muito bom te ver. Mas, veja bem, a última coisa que quero ouvir hoje são seus comentários sobre a minha vida. Incluindo o meu carro. Entendido?

– Eita, mana. Acordou de ovo virado?

– Acordei.

– Você viu o meu avião? Não é uma beleza?

– Vi. É o mais lindo que um avião pode ser.

– Comprei no mês passado de um cara que foi flagrado pela esposa com outra. Triste.

Gunther estava tudo, menos triste.

– Que avião é esse? – perguntou ela, mas só por obrigação.

– Um monomotor turbo-hélice Socata TBM 700, completíssimo. Pense numa Ferrari com asas. Chega a 480 quilômetros por hora. Foi um excelente negócio.

Um excelente negócio para Gunther significava que ele havia convencido outro banqueiro a lhe dar um empréstimo.

– Parece emocionante. É bem pequeno, né?

– Quatro lugares, é o suficiente pra mim. Quer dar uma volta?

– Achei que a gente fosse almoçar.

Lacy tinha sido sua passageira em duas ocasiões e já fora o suficiente. Gunther era um piloto sério que não brincava nem se arriscava, mas ainda assim era Gunther.

– Claro – disse ele, de repente verificando o celular. Ao guardar o aparelho, perguntou: – Como tá o Allie? Você ainda tá com ele?

– Sim, firme e forte. Quem é a sua namorada nova?

– Qual delas? Olha, acho que já tá na hora de esse cara agir ou é melhor seguir em frente. Já faz, o quê, dois anos?

– Ah, então você tem tudo planejado pro nosso casamento?

Gunther gargalhou e Lacy começou a rir logo em seguida. A ideia de ele dar conselhos amorosos era de fato engraçada.

– Tá, chega desse assunto. Tem falado com a tia Trudy ultimamente? Pra onde a gente tá indo?

– Pra casa, pra eu poder tomar um banho e escovar os dentes. Você não me deu tempo pra fazer isso.

– Como você pode enrolar tanto numa linda manhã de sábado como essa?

– Não, não falei com a Trudy. Tô devendo uma ligação pra ela. E você?

– Não, tô fugindo dela também. Pobre coitada. Ela tá perdida sem a mamãe. Elas eram melhores amigas e agora ela está presa com aquele marido dela.

– O Ronald é legal.

– Ele é um esquisitão, e você sabe disso. Eles com certeza não gostam mais um do outro, mas acho que depois de cinquenta anos não conseguem mais se separar.

– Vamos falar de outra coisa. Como andam os negócios?

– Prefiro falar sobre o Ronald.

– Nada bem, né?

– Não, na verdade eu tô arrasando. Mas tô precisando de ajuda, Lacy, e quero que você venha pra Atlanta trabalhar comigo. Cidade grande, glamour, muito mais coisas pra fazer. Vamos fazer uma fortuna, e tem vários caras bacanas que eu poderia te apresentar.

– Não sei se quero sair com um amigo seu.

– Vamos lá, Lacy. Confia em mim. Esses caras têm dinheiro e futuro. Quanto o Allie ganha no FBI?

– Não faço a menor ideia e não me importo.

– Não muito. Ele trabalha pro governo.

– Eu também.

– É disso que eu tô falando. Você consegue coisa melhor. A maioria desses caras já são milionários e donos de empresa. Eles têm tudo.

– Sim, incluindo pensão alimentícia pra pagar.

Gunther começou a rir.

– É, isso também.

É claro que o telefone de Gunther tocou e ele logo se perdeu em uma conversa tensa sobre uma linha de crédito. Em um sábado de manhã?

Ele ainda estava ao celular quando ela estacionou próximo a seu apartamento. Eles entraram e ela o deixou na sala enquanto se dirigia para seu quarto no andar de cima.

O ALMOÇO FOI AO AR LIVRE no terraço sombreado de um restaurante sofisticado longe do centro da cidade. Lacy convenceu a atendente a reservar uma mesa um pouco mais cedo do que o normal, principalmente porque ela ainda tinha a esperança de garantir uma parte de sua tarde só para si. Às onze e meia já estavam sentados, e o terraço estava deserto.

Pediram chá gelado para começar, Lacy tomando a dianteira. Se Gunther pedisse sua habitual garrafa de vinho, não voaria mais naquela tarde. Ela ficou aliviada quando ele ignorou a carta de vinhos e comentou sobre o menu. Normalmente, quando comiam na cidade dela, ele fazia algum comentário sobre o fato de não haver comida boa por lá. Atlanta, mais uma vez, era muito superior. Mas ele deixou passar e escolheu uma salada de caranguejo. Lacy pediu camarão grelhado.

– Você ainda come feito um passarinho – disse ele, admirando a irmã. – E está em ótima forma, Lacy.

– Obrigada, mas não vamos falar do meu peso. Eu sei aonde você quer chegar.

– Fala sério. Você não ganhou nem um único quilo em vinte anos.

– Não, e não vou começar agora. Sobre o que mais você gostaria de conversar?

– Claro, você ficou só pele e osso depois da colisão. Quase chamei o evento de "acidente", mas não foi tão simples assim, né? – Uma ótima deixa para falar sobre o processo, exatamente como ela imaginava.

Ela sorriu e disse:

– Depois de remover todo o gesso e a gaze, eu estava pesando 45 quilos.

– Eu lembro, e você se saiu muito bem. Estou orgulhoso de você, Lacy. Ainda está fazendo terapia?

– Você quis dizer fisioterapia?

– Isso.

– Sim, duas vezes por semana, mas está quase acabando. Aceitei o fato de que sempre vou sentir dores, um pouco de rigidez aqui e ali, mas tenho sorte, acho.

Gunther misturou um pouco de limão em seu chá e desviou o olhar.

– Eu não chamaria de sorte, mas você se deu melhor que o Hugo. Coitado do cara. Você ainda tem contato com a viúva dele? Qual é o nome dela?

– Verna, e, sim, ainda somos bem próximas.

– O advogado dela é o mesmo que o seu, certo?

– Sim. Nós trocamos impressões e damos apoio uma à outra. Não queremos um julgamento. Não tenho certeza se ela consegue lidar com isso.

– Esse caso nunca chegará perto do tribunal. Esses otários vão fazer um acordo.

Gunther tinha muito mais experiência com casos cíveis, embora seus processos tivessem a ver com contratos descumpridos e empréstimos inadimplentes. Até onde ela sabia, ele não tinha experiência com crimes contra a integridade física.

– Acho que eles estão enrolando você – disse ele, tentando se aprofundar no assunto.

– Parece que sim. O meu advogado disse que talvez eu tenha que prestar depoimento. Tenho certeza que você já passou por isso.

Gunther bufou de desgosto.

– Ah, sim. Muito divertido – disse ele. – Olhar para o outro lado da mesa e ver cinco advogados, todos planejando te atacar com cada palavra, cada sílaba, salivando enquanto sonham em arrancar mais dinheiro de você. Por que o seu advogado não tá conseguindo o acordo? Isso já deveria ter acontecido há meses.

– É complicado. Claro, tem uma montanha de dinheiro em questão, mas isso só atrai mais abutres, mais advogados famintos.

– Eu entendo. Mas com quanto você se contentaria, Lacy? Qual é o seu número?

– Não sei. Ainda não chegamos lá.

– Você tem direito a milhões, mana. Aqueles escrotos armaram pra cima de vocês e bateram no seu carro. Vocês…

– Por favor. Sei de tudo isso, Gunther, não precisamos voltar a esse assunto.

– Tá bem, me desculpa, mas é que eu me preocupo com você. Não tenho certeza se você tem o advogado certo.

– Como eu já disse, Gunther, eu posso cuidar de mim e do meu advogado. Você não precisa perder tempo se preocupando com isso.

– Eu sei. Desculpa. Sou seu irmão mais velho e não consigo evitar.

Os pratos chegaram e ambos pareceram contentes com a interrupção. Eles começaram a comer e o silêncio se instaurou entre os dois. Ele estava obviamente preocupado, mas não conseguia falar sobre isso.

O maior medo de Lacy era que o irmão fosse precisar de dinheiro assim que saísse o acordo. Ele jamais lhe pediria dinheiro assim na lata, como um presente, mas usaria a desculpa de se tratar de um empréstimo urgente. Se isso acontecesse, ela estava determinada a dizer não. Ela sabia que ele pegava dinheiro emprestado com uma pessoa para pagar a outra, penhorava tudo que possuía e andava na corda bamba entre a prosperidade e a ruína financeira. Ele não iria tocar no dinheiro dela caso ela conseguisse fazer um acordo e, se a recusa dela provocasse um racha entre eles, então que assim fosse. Ela preferia ficar com o dinheiro e lidar com as consequências dessa decisão a entregá-lo a Gunther, vê-lo perder tudo e depois lidar com um futuro repleto de promessas vazias.

Ele desistiu de continuar o papo sobre o processo dela e começou a falar sobre seu assunto favorito: seu mais recente projeto. Seria um condomínio planejado com habitações de baixo custo, uma praça central com um tribunal no meio, igrejas e escolas, muita água e trilhas, e o obrigatório campo de golfe. Uma utopia, como sempre. Um empreendimento de cinquenta milhões de dólares, com outros investidores, é claro. Lacy se forçou a parecer interessada.

O terraço começou a encher e em pouco tempo eles estavam no meio da multidão. Gunther pensou em pedir uma taça de vinho de sobremesa, mas mudou de ideia quando ela pediu um expresso. Ele pagou a conta à uma da tarde e disse que era hora de ir para o aeroporto. Mais um de seus negócios estava por um fio e precisavam dele em Atlanta.

Ela lhe deu um abraço de despedida dentro do terminal privado e observou enquanto o avião partia. Lacy o amava muito, mas, quando ele se foi, ela respirou fundo e relaxou.

25

De seu armário bem abastecido, o juiz Bannick escolheu um terno de grife em lã penteada cinza-clara, uma camisa branca com abotoaduras e uma gravata azul-marinho. Admirou-se no espelho e achou o visual bastante europeu. No final da tarde de sábado, ele saiu de sua casa em Cullman e dirigiu até o centro de Pensacola, em um distrito histórico conhecido como North Hills. A copa dos velhos carvalhos sombreava as ruas e seus galhos grossos estavam cobertos de musgo espanhol. Muitas das casas tinham duzentos anos de idade e haviam resistido a furacões e crises econômicas. Durante a infância, em Pensacola, Ross e seus amigos andavam de bicicleta por North Hills e admiravam as belas residências. Nunca lhe ocorreu que um dia seria bem-vindo na vizinhança.

Ele pegou a entrada de paralelepípedos de uma casa vitoriana lindamente preservada e estacionou seu SUV ao lado de um sedã Mercedes reluzente, em seguida atravessou o pátio dos fundos e bateu em uma porta. Melba, a velha empregada que mantinha a vida de Helen em ordem, cumprimentou-o com o sorriso caloroso de sempre e disse que a senhora estava se vestindo. Ela lhe ofereceu algo para beber, então ele pediu um *ginger ale* e se sentou em seu lugar favorito na sala de bilhar.

Viúva, Helen era uma espécie de namorada de Bannick, embora ele não tivesse interesse em romance. Ela tampouco. Seu terceiro ou quarto marido morrera de velhice e a deixara rica, e ela preferia ficar com o dinheiro. Todos os pretendentes em idade razoável estavam apenas atrás de seus bens, ela supunha. Assim, o relacionamento deles não passava de uma conveniência. Ela adorava andar pela cidade acompanhada por um homem mais jovem e bonito, que ainda por cima era juiz. Ele gostava dela porque era espirituosa e extravagante, nada ameaçadora.

Ela dizia que tinha 64 anos, mas era pouco provável. Anos de cirurgias plásticas haviam suavizado algumas rugas, curvado seu queixo e iluminado seus olhos, então ele suspeitava que ela tinha pelo menos 70 anos. Seu harém, como ele secretamente o chamava, consistia em várias mulheres com idades que variavam de 41 até Helen. Para se qualificar, tinham que ser ricas ou abastadas, e felizes com a solteirice. Ele não estava atrás de uma esposa, e ao longo dos anos abrira mão de vários relacionamentos que acabaram se complicando.

Melba trouxe sua bebida e o deixou na sala silenciosa. O jantar era às sete e meia, e seria impossível chegar a tempo. Para um juiz que exigia pontualidade na maioria das situações, esperar por Helen exigia paciência. Então passou o tempo admirando os móveis finos de couro gasto, os tapetes persas, as paredes com lambris, as estantes de carvalho carregadas de livros antigos, o magnífico lustre de outro século. A casa tinha mil metros quadrados divididos em quatro andares, um espaço bem pouco usado por Helen e Melba.

Fechou os olhos e recitou o último poema. Nele, o autor o ligara a Danny Cleveland, o ex-repórter do *Ledger*. Morto em 2009, havia apenas cinco anos. E, antes disso, Eileen Nickleberry em 1998. E depois, Perry Kronke em 2012, e Verno e Dunwoody, menos de um ano antes. Ele sentiu como se suas vítimas estivessem rastejando para fora de seus túmulos e fazendo fila, como zumbis, para vir atrás dele. Estava vivendo em um estado de absoluta descrença, seus pensamentos indo de flashes desenfreados a debates furiosos sobre estratégias que mudavam a cada hora.

Respirou fundo, então enfiou a mão no bolso, pegou uma cápsula solta de alprazolam e a mandou para dentro com a ajuda do *ginger ale*. Bannick vinha tomando remédios demais. Eles deveriam aplacar sua ansiedade e relaxá-lo, mas não estavam mais surtindo efeito.

Seria possível que ele estivesse prestes a perder um lugar tão elevado e privilegiado na vida? Estaria prestes a ser exposto de alguma forma inimaginável? O passado que havia trabalhado tão brilhantemente para esconder estava agora em seu encalço. Sua vida e todo o seu status estavam em risco. O futuro era algo terrível demais para se pensar.

– Olá, querido – disse ela ao entrar na sala.

Bannick levantou-se de um salto, estendeu as mãos para um abraço educado e a cumprimentou com beijos no ar enquanto dizia:

– Você está maravilhosa, Helen.

– Obrigada, querido – respondeu ela, olhando para seu vestido vermelho sem mangas. – Gostou? É Chanel.

– Lindo, deslumbrante.

– Obrigada, querido.

Ela era de uma pequena cidade na Geórgia e se considerava uma verdadeira dama.

Ela se inclinou mais perto, franziu a testa e disse:

– Você parece cansado, Excelência. Está com olheiras. Anda sofrendo de insônia de novo?

Ele nunca se incomodara com a insônia, mas respondeu:

– Acho que sim. Estou com a agenda lotada de processos. – Suas boas maneiras o impediram de dizer: "Bem, Helen, falando nisso, tem uma banha sobrando ao redor do que um dia foi sua cintura. Você não está tão esbelta quanto pensa."

Helen tinha uma qualidade muito boa – algo que ele admirava muito –, que era o fato de nunca parar de tentar. Estava sempre fazendo dieta, suando, comprando peças da última moda, estudando as próximas alternativas cirúrgicas, comprando a maquiagem mais cara e aplicando-a com gosto. Ela dizia estar à espera do Viagra feminino perfeito para que pudesse transar por aí feito uma adolescente. Ambos riam disso porque sexo era um assunto que eles evitavam.

Ela se esforçava tanto para ter uma boa aparência que ele não tinha coragem de dizer algo que pudesse ferir seu ego. Ele olhou para os pés dela, sempre com um sapato diferente, e sorriu para a estampa de leopardo.

– Adorei esses sapatos – disse ele com uma risadinha. – Jimmy Choo?

– Sempre, querido.

Despediram-se de Melba e saíram de casa. Como de costume, iriam no Mercedes dela porque, como era esnobe demais, Helen se sentiria humilhada ao ser vista chegando ao country club em um Ford. Bannick abriu a porta do passageiro para ela e se sentou ao volante. Já eram 19h40 e o clube ficava a quinze minutos de distância. Eles conversaram sobre a semana ocupada dele, os netos dela em Orlando – pessoas com problemas que só muito dinheiro era capaz de criar – e depois de cerca de dez minutos no trânsito ela disse:

– Você parece preocupado, Excelência. Qual é o problema?

– Não é nada. Estou apenas ansioso para um jantar fabuloso com frango borrachudo e ervilhas frias.

– Não é tão ruim assim, vai. Mas parece que eles não conseguem segurar um chef lá por muito tempo.

Ambos eram sócios e sabiam a verdade. Cada novo chef de cozinha trabalhava por cerca de seis meses antes de ser demitido. Todos que passaram por lá chegaram à conclusão de que era impossível atender às exigências de uma clientela supostamente sofisticada que havia se convencido de que entendia tudo a respeito de boa comida e bons vinhos.

O Escambia Country Club tinha cem anos e quinhentos membros, com outros cem na lista de espera. Era "o" country club de Pensacola e o lugar ao qual todas as famílias ricas queriam pertencer. Os alpinistas sociais também. Ficava em uma baía, o salão principal era praticamente todo rodeado de água. Os canais bem cuidados serpenteavam em várias direções. Todo o lugar, desde a estradinha sinuosa e sombreada até os oitenta hectares de uma vegetação perfeita, cheirava a várias gerações de riqueza e exclusividade.

A entrada ficava sob um amplo pórtico aonde os membros chegavam em carros alemães e eram recebidos por porteiros de gravata preta. Só faltava um tapete vermelho para os afortunados. Helen adorava dizer "Boa noite, Herbert" enquanto o sujeito abria a porta, pegava sua mão e a tirava do carro, como fazia há anos. Assim que Herbert soltava sua mão, ela segurava o cotovelo do juiz Bannick e se arrastava para o magnífico vestíbulo onde os garçons circulavam com bandejas de champanhe. Helen praticamente atacou um deles para pegar uma bebida, que já não era a primeira do dia. O juiz pegou um copo de água com gás. Ele tinha uma longa noite e um domingo ainda mais longo pela frente.

Logo se perderam em uma multidão de socialites endinheiradas, homens usando terno e gravata como deveriam, as mulheres em todos os tipos de roupas de grife. As mais velhas preferiam tecidos colados ao corpo, decotes profundos e blusas sem mangas, como se estivessem determinadas a exibir o máximo possível de carne envelhecida para provar que ainda eram bonitas. As mais jovens, uma pequena minoria, pareciam satisfeitas com sua aparência e não sentiam necessidade de ostentar nada. Todos falavam e riam ao mesmo tempo, enquanto a multidão avançava lentamente ao longo de um amplo corredor com tapetes pesados e imensos retratos nas paredes. Dentro do salão de banquetes principal, eles abriram caminho em meio a grandes mesas redondas e finalmente encontraram seus assentos. Não havia palestrante naquela noite, púlpito, nem mesas privilegiadas para patrocinadores. No outro extremo, estava uma banda afinada atrás de uma pista de dança.

O juiz e Helen se acomodaram com oito pessoas que conheciam bem, quatro outros casais, todos devidamente casados, mas ninguém de fato se importava com a organização da mesa. Um médico, um arquiteto, um empresário do ramo de construção e suas respectivas esposas. E um homem, o mais velho da mesa, que jantava no clube todas as noites com a esposa e teria herdado mais dinheiro do que todos os demais juntos. O vinho corria solto e as conversas fluíam.

O juiz Bannick se obrigou a rir, sorrir e falar alto sobre coisas que pouco importavam. Por vezes, porém, sentiu o peso do futuro, a incerteza do correio de segunda-feira, o medo de ser despido e exposto, e se pegou refletindo várias vezes. Era impossível não olhar ao redor do salão para os amigos, líderes e pessoas que ele sempre conhecera e admirara sem se perguntar: "O que eles dirão a respeito disso?"

Ele, em seu terno de grife, sentado na mesma mesa que os ricaços, era um juiz extremamente respeitado, admirado por pessoas importantes, e, pelo menos em sua opinião, o assassino mais brilhante da história dos Estados Unidos. Ele havia estudado os outros. Todos bandidos. Alguns totalmente ignorantes.

Disse a si mesmo para deixar aquilo para lá e respondeu a uma pergunta sobre um derramamento de petróleo no golfo. Parte do petróleo estava avançando em direção a Pensacola e os alarmes dispararam. Sim, ele imaginava que haveria uma grande quantidade de processos em um futuro próximo. Você conhece esses advogados de danos morais, disse ele, eles darão entrada no processo assim que a mancha de petróleo estiver à vista, provavelmente antes. O vazamento tinha sido notícia e a mesa inteira questionou Sua Excelência sobre quem poderia processar quem. O assunto morreu; as mulheres perderam o interesse e continuaram suas conversas vazias enquanto o jantar era servido.

Os garçons eram bem treinados e eficientes; ninguém ficava com a taça de vinho vazia, especialmente Helen. Como de costume, ela entornava

Chardonnay e começava a falar alto. Estaria bêbada às dez e ele teria que, mais uma vez, ajudá-la a entrar em casa com a ajuda de Melba.

Ele não se importava em ficar quieto e ouvir os outros. Olhou ao redor do salão, sorriu e acenou com a cabeça, e reconheceu alguns amigos. O clima era festivo, até mesmo tumultuado, e todos vestiam roupas bonitas. As mulheres usavam penteados impecáveis. Aquelas com mais de 40 anos tinham os mesmos narizes e queixos, graças à obra de um certo Dr. Rangle, o cirurgião plástico mais cobiçado do noroeste da Flórida. Ele estava sentado a duas mesas de distância com sua segunda esposa, uma linda loura de idade indeterminada, embora houvesse rumores de que tivesse 30 e poucos anos. Quando Rangle não estava esculpindo as mulheres, estava dormindo com elas; todas o achavam irresistível, e as aventuras sexuais do médico eram uma fonte interminável de fofocas na cidade.

Bannick detestava o sujeito, assim como muitos maridos, mas também secretamente invejava sua libido. E sua atual esposa.

Havia duas pessoas no salão que ele gostaria de matar. Rangle era a segunda. A primeira era um banqueiro que lhe negara um empréstimo quando ele tinha 30 anos e tentava comprar seu primeiro edifício comercial. O sujeito disse que os rendimentos de Bannick eram baixos demais e que suas chances de ganhar um bom dinheiro como advogado eram muito improváveis. A cidade já estava saturada de profissionais medíocres e a maioria dos fracassados que circulavam pelo fórum mal conseguia pagar as contas. O típico banqueiro que achava que sabia tudo. Bannick comprou outro prédio, encheu-o de inquilinos e depois comprou mais um. Sua carreira deslanchou, ele entrou para o country club e passou a ignorar a existência do banqueiro. Quando chegou à tribuna, aos 39 anos, o banqueiro sofreu um AVC e teve que se aposentar.

Naquele momento, ele estava sentado em uma mesa de canto, velho e enrugado, capaz apenas de murmurar para a esposa. Estava infeliz e merecia compaixão, uma emoção estranha a Bannick.

Mas matar o banqueiro ou Rangle seria muito arriscado. Um crime local, em uma cidade pequena. E as transgressões dos dois eram muito menores comparadas às dos outros. Ele nunca tinha considerado seriamente incluí-los na lista.

Quando o jantar chegou ao fim, a banda começou a tocar suavemente, principalmente antigos sucessos da Motown que o público adorava. Alguns casais foram dançar durante a sobremesa. Helen gostava de dançar e Bannick conseguia se virar. Eles recusaram o bolo, fizeram uma bela entrada na pista e então dançaram ao som de Stevie Wonder e Smokey Robinson. Depois de algumas músicas, porém, ela estava com a boca seca e precisava beber alguma coisa. Ele a deixou na mesa com os amigos e foi até o pátio onde os homens fumavam charuto e bebiam uísque.

Bannick ficou feliz ao ver Mack MacGregor parado sozinho, com um copo em uma mão e o celular na outra. Depois de dez anos de magistratura, Bannick conhecia todos os advogados entre Pensacola e Jacksonville, e Mack sempre fora um de seus favoritos. Ambos haviam trabalhado em escritórios locais quase na mesma época, depois abriram cada um o seu próprio. Mack adorava estar dentro do tribunal e rapidamente se tornara um advogado de litígio habilidoso e requisitado. Ele era um dos poucos advogados na região capaz de pegar um caso e conseguir um veredito favorável. Era um advogado de júri, e não um daqueles que viviam correndo atrás de ações coletivas, e também lidava com casos criminais. Bannick tinha visto seu trabalho em primeira mão, mas nunca acreditou que um dia precisaria dos serviços dele.

Nos últimos três dias, pensou demais em Mack. Se tudo desse errado, e Bannick ainda acreditava que não daria, Mack seria o primeiro para quem ligaria.

– Boa noite, Excelência – disse Mack enquanto guardava o celular. – Perdeu sua garota?

– Ela disse que ia ao banheiro. Quem é a sua acompanhante esta noite?

– Uma nova, uma verdadeira gracinha. Minha secretária me apresentou.

Mack estava divorciado havia dez anos e era conhecido por estar sempre com uma mulher diferente.

– Muito bonita.

– Mas não passa disso, acredite.

– É o suficiente, né?

– Dá pro gasto. Quem vai pegar o caso do *tiki bar* em Fort Walton?

– Ainda não sei. O juiz Watson que vai decidir. Você quer esse caso?

– Talvez.

Um mês antes, dois motociclistas do Arizona começaram uma briga em uma espelunca em Fort Walton Beach, perto da praia. Começou com socos, evoluindo para facas, até chegar em armas de fogo, e, quando a confusão acabou, três pessoas estavam mortas. Os motociclistas conseguiram passar um tempo foragidos, mas foram pegos perto de Panama City Beach.

Com base no princípio de que qualquer pessoa acusada de um crime grave tem direito a um bom advogado, Mack e seu sócio se voluntariavam todo ano para pelo menos um caso de homicídio. Isso os mantinha dentro do tribunal. Além de apimentar um pouco seu trabalho diário, permitia que estivessem sempre afiados. Mack apreciava a crueldade e os terríveis aspectos de um bom caso de homicídio. Ele gostava de circular pela cadeia. Gostava de conhecer homens capazes de matar.

– Parece o seu tipo de caso.

– A vida anda bem monótona ultimamente.

"Bem, Mack, isso pode mudar em breve para nós dois", pensou Bannick consigo mesmo.

– Se você se candidatou, posso mexer uns pauzinhos.

– Deixa eu ver com o pessoal do escritório. Eu te ligo na segunda-feira. Provavelmente não é um caso de pena de morte, certo?

– Não. Com certeza não foi premeditado. Parece que uns idiotas ficaram bêbados e começaram uma briga. Você se inscreveu pros casos do vazamento de petróleo?

– Vamos conseguir nossa parte – disse Mack com uma risada. – Metade da ordem está agora dentro de um barco no meio do golfo, procurando manchas de petróleo. Vai ser uma bonança.

– Além de outro desastre ambiental.

Eles mataram o tempo conversando sobre advogados que conheciam e os processos de que cuidavam. Mack puxou um estojo de couro para charutos e lhe ofereceu um Cohiba. Cada um acendeu um enquanto bebiam uísque. Deixaram de lado o papo de advogado e voltaram às mulheres mais jovens, um assunto mais agradável. Depois de um tempo, o juiz Bannick sabia que Helen estaria procurando por ele. Ele se despediu de Mack e, enquanto se afastava, torceu para não ver o advogado tão cedo.

26

Tirá-los foi difícil, como de costume. Mesmo descalços, os pés de Helen tremiam ao se arrastarem pelo chão de tijolos do pátio aos fundos de sua casa.

– Entra, vamos tomar alguma coisa, querido – balbuciou ela ofegante.

– Não, Helen, já passou da nossa hora de dormir e estou com uma dor de cabeça terrível.

– A banda era ótima, né? Que noite adorável.

Melba os aguardava e abriu a porta para eles. Bannick entregou-lhe os sapatos, depois Helen, em seguida se virou e foi embora.

– Preciso ir, querida, eu te ligo de manhã.

– Mas eu quero tomar alguma coisa.

Bannick balançou a cabeça, franziu a testa para Melba e correu para seu carro. Dirigiu até o centro comercial e estacionou ao lado de outros veículos perto do cinema. Caminhou até seu outro gabinete, passou pelos scanners e, uma vez lá dentro, tirou o terno e a gravata e vestiu roupas de ginástica. Meia hora depois de deixar Helen, ele estava bebericando um expresso, mergulhado na deep web, acompanhando as últimas aventuras de Rafe.

A vigilância era uma tarefa demorada e geralmente não muito produtiva. Ainda usando Maggotz e enviando Rafe para fuxicar aqui e ali, ele acompanhava os arquivos policiais de seus casos. Até então, nenhum departamento havia conseguido proteger seus dados e sua rede com sucesso. Alguns eram mais fáceis de hackear do que outros, mas nenhum deles tinha sido muito difícil. Ele ainda se maravilhava com tamanha fraqueza e negligência dos sistemas usados pela maioria dos governos de condados e cidades. Noventa por cento de todas as violações de dados poderiam ser evitadas se eles se esforçassem mais. Senhas padrão como "Admin" e "Senha" eram usadas frequentemente.

A parte mais tediosa do trabalho era acompanhar as vítimas. Havia dez núcleos, dez famílias que ele havia destruído. Mães e pais, maridos e esposas, filhos, irmãos e irmãs, tias e tios. Não sentia pena deles. Apenas queria que eles ficassem longe.

A pessoa atrás dele não era um policial, nem um investigador particular, nem um escritor de romances policiais em busca de alguma emoção. A pessoa era uma vítima, alguém que passara muitos anos rastejando em suas sombras observando, reunindo informações, seguindo-o.

Uma nova realidade havia se apresentado, e ele, com toda a sua inteligência, lidaria com isso. Encontraria a vítima e daria um jeito de parar as cartas. Parar com aqueles poemas bobos.

Bannick havia descartado as famílias de Eileen Nickleberry, Perry Kronke, Lanny Verno e Mike Dunwoody. Voltou ao início, ao seu triunfo mais satisfatório. Abriu o arquivo de Thad Leawood e olhou para as fotos: algumas imagens antigas em preto e branco de seus tempos de escoteiro, uma de toda a tropa em um acampamento, uma tirada por sua mãe em uma cerimônia de premiação – Ross vestindo orgulhosamente seu elegante uniforme, a faixa de mérito cheia de emblemas circulares e coloridos, Leawood com um braço ao seu redor. Analisou o rosto dos outros escoteiros, seus amigos mais próximos, e se perguntou, como sempre, quantos outros tinham sido abusados por Leawood. Sentira muito medo de perguntar, de trocar informações. Walt Sneed havia comentado uma vez que Leawood gostava de tocar e abraçar um pouco demais para o gosto de um garoto de 12 anos, o chamou de "bizarro", mas Ross teve muito medo de prosseguir com a conversa.

Como poderia um jovem aparentemente normal estuprar uma criança, um menino? Ele ainda odiava Leawood, mesmo depois de tantos anos. Ele não aceitava que um homem fosse capaz de fazer aquelas coisas.

Ele seguiu em frente, passou pelas fotos, algo sempre doloroso, e foi para a árvore genealógica. O breve obituário de Leawood listava o nome de seus familiares: os pais, um irmão mais velho, sem esposa. O pai morreu em

2004. A mãe tinha 98 anos e vivia em uma casa de repouso em Niceville. Muitas vezes pensara em tirar a mulher de lá apenas por prazer, apenas pela satisfação de se vingar da pessoa que colocou Thad Leawood no mundo.

Eram muitos os alvos nos quais havia pensado ao longo dos anos.

O irmão, Jess Leawood, foi embora da região não muito tempo depois que os rumores de abuso surgiram e se estabeleceu em Salem, Oregon, onde viveu no mínimo ao longo dos últimos 25 anos. Ele tinha 75 anos, era aposentado e viúvo. Seis anos antes, Bannick, usando um telefone descartável, ligou para Jess e se apresentou como um escritor de romances policiais que estava vasculhando alguns antigos arquivos da polícia de Pensacola. A família de Thad sabia que ele tinha um histórico de abuso infantil? A linha ficou muda, a ligação caiu. Não serviu para outro propósito além de fazer um Leawood sofrer.

Até onde Bannick sabia, Jess não tinha contato com ninguém em sua cidade natal. E quem poderia julgá-lo?

O último poema era sobre Danny Cleveland, o ex-repórter do *Pensacola Ledger*. Ele tinha 41 anos quando morreu, divorciado com dois filhos adolescentes. Sua família o levou de volta a Akron para o velório e o enterro. De acordo com as redes sociais, atualmente a filha dele era caloura na Western Kentucky e o filho havia entrado para o Exército. Parecia impossível acreditar que qualquer um dos dois teria idade suficiente para montar um plano elaborado para rastrear um serial killer. E era seguro presumir que a ex-mulher dele não se importava com quem o matara.

Ele percorreu outros arquivos. Ashley Barasso, a única garota que tinha amado na vida. Eles se conheceram na faculdade de direito e viveram uma deliciosa aventura, que terminou abruptamente quando ela o trocou por um jogador de futebol. Ele ficou de coração partido e carregou as feridas por seis anos até conseguir pegá-la. Quando o corpo dela finalmente parou de se mover, a dor dele de repente desapareceu. Estavam quites. O marido dela deu entrevistas e ofereceu uma recompensa de cinquenta mil dólares, mas o tempo passou, ninguém apareceu e ele seguiu em frente. Ele se casou novamente quatro anos depois, teve filhos e se mudou para perto de Washington.

Preston Dill tinha sido um de seus primeiros clientes. Ele e a esposa queriam um divórcio amigável, mas não conseguiram juntar o valor de quinhentos dólares para dar entrada no procedimento. Os dois se odiavam e já estavam em outros relacionamentos, mas Bannick se recusou a levá-los ao juiz até receber seu pagamento. Preston então acusou Bannick de dormir com sua esposa e tudo foi por água abaixo. Ele fez uma denúncia na ordem dos advogados do estado, uma das muitas ao longo dos anos. Sua jogada era contratar um advogado, dar um calote e alegar que o serviço não havia sido concluído. Todas as denúncias de Dill foram indeferidas. Quatro anos depois, ele foi encontrado em um aterro sanitário perto de Decatur, no Alabama. A família dele era muito humilde, estava dispersa pelo país e provavelmente não sabia nada sobre Bannick.

O professor Bryan Burke, morto aos 62 anos, corpo encontrado ao lado de uma trilha estreita não muito longe de seu pequeno e adorável chalé próximo a Gaffney, na Carolina do Sul. O ano era 1992. Olhando para a foto dele no anuário da faculdade de direito, Bannick quase podia ouvir sua voz potente flutuando pela sala de aula: "Fale mais sobre esse caso, senhor..." Ele sempre fazia uma pausa a fim de que todos se contorcessem e rezassem para que outra pessoa fosse chamada. Os alunos acabavam admirando o professor Burke, mas Bannick não ficou tempo suficiente. Após seu colapso nervoso, cuja culpa ele atribuiu diretamente a Burke, pediu transferência para Miami e começou a planejar sua vingança.

Burke tinha dois filhos adultos. Seu filho, Alfred, trabalhava para uma empresa de tecnologia em San Jose, era casado e tinha três filhos. Ou pelo menos era onde ele estava cerca de dezoito meses atrás, data da última atualização. Bannick vasculhou por um tempo e não conseguiu verificar onde Alfred trabalhava atualmente. Havia outra pessoa morando em seu endereço. Obviamente tinha trocado de emprego e se mudado de lá. Bannick praguejou contra si mesmo por não descobrir isso antes. Demorou uma hora para descobrir que Alfred estava morando em Stockton, emprego desconhecido.

A filha de Burke era Jeri Crosby, 46 anos, divorciada, uma filha. A última atualização dizia que ela morava em Mobile e dava aula de ciência política na Universidade do Sul do Alabama. Ele encontrou o site da universidade e verificou que ela ainda dava aulas lá. Curiosamente, no diretório da faculdade havia fotos dos professores do Departamento de Ciência Política e Justiça Criminal, mas não dela. Aparentemente, era muito reservada.

Um arquivo anterior dizia que ela tinha se graduado em Stetson, feito mestrado na Howard em Washington e doutorado em ciência política no

Texas. Casou-se com Roland Crosby em 1990, teve uma filha no primeiro ano do relacionamento e se divorciou dele seis anos depois. Em 2009, ela se juntou ao corpo docente da Universidade do Sul do Alabama, em Mobile.

O fato de ela morar em Mobile era intrigante. O detetive que a pessoa havia contratado, Rollie Tabor, também era de Mobile.

Bannick mandou Rafe de volta aos registros da Hertz e adormeceu no sofá.

FOI ACORDADO PELO DESPERTADOR às três da manhã, depois de duas horas de sono. Jogou água no rosto, escovou os dentes, vestiu uma calça jeans e tênis, e trancou a Caixa-forte e a porta externa. Pegou a autoestrada 90 para sair da cidade, passando pela praia, e parou para abastecer em um posto 24 horas, onde o dinheiro ainda era bem-vindo e havia apenas uma câmera de segurança. Depois de encher o tanque, estacionou na escuridão ao lado da loja de conveniência e trocou a placa. A maioria dos pedágios nas estradas da Flórida atualmente fotografava todos os veículos. Ele pegou uma estrada municipal vazia rumo ao norte, entrou na interestadual 10, colocou o carro em modo cruzeiro a 120 quilômetros por hora e se acomodou para encarar aquele longo dia. Tinha quase mil quilômetros pela frente e muito tempo para pensar. Tomou um gole de café forte de uma garrafa térmica, engoliu um comprimido de anfetamina e tentou aproveitar a solidão.

Ele tinha percorrido mais de um milhão de quilômetros na escuridão. Nove horas de viagem não eram nada. Café, anfetamina, boa música. Devidamente abastecido, ele poderia dirigir por dias.

DAVE ATTISON TINHA SIDO um irmão de fraternidade na Universidade da Flórida, um cara festeiro que também concluíra a faculdade entre os melhores da turma. Ele e Ross tinham dividido quarto por dois anos na casa da fraternidade e compartilharam muitas ressacas. Depois do ciclo básico, cada um seguiu seu caminho, um foi cursar direito, o outro, odontologia. Dave estudou endodontia e se tornou um dentista de destaque na região de Boston. Cinco anos antes, havia se cansado da neve e dos longos invernos e voltado para sua cidade natal, onde comprou uma clínica e se tornou um homem bem-sucedido, fazendo canais a mil dólares cada.

Ele não via Ross desde a comemoração de vinte anos de formatura, sete anos antes, em um resort em Palm Beach. A maioria dos antigos irmãos gostava de manter contato, mas outros não. Ross nunca demonstrara muito interesse em preservar as antigas amizades. Agora, do nada, Bannick estava de passagem e queria sair para beber alguma coisa com ele. Era uma tarde de domingo. Estava hospedado no Ritz-Carlton e eles combinaram de se encontrar no bar da piscina.

Ross aguardava quando Dave se aproximou. Eles se abraçaram como os antigos colegas de quarto que eram e imediatamente examinaram os cabelos grisalhos e a barriga um do outro. Ambos concordaram que o outro estava em excelente forma. Depois de alguns insultos bem-humorados, um garçom apareceu e eles pediram algo para beber.

– O que te traz aqui? – perguntou Dave.

– Vim olhar uns apartamentos em East Sawgrass.

– Você está comprando apartamentos?

– Estamos. Faço parte de um grupo de investidores. Compramos coisas em vários lugares.

– Eu achava que você era juiz.

– Devidamente eleito pelo Vigésimo Segundo Distrito. Estou na tribuna há dez anos. Mas na Flórida um juiz ganha 146 mil dólares por ano, não é exatamente o caminho para a riqueza. Há vinte anos comecei a comprar imóveis para alugar. A empresa tem crescido aos poucos, e estamos indo bem. E você?

– Muito bem, obrigado. Há uma fonte inesgotável de dentes cariados por aqui.

– E a família?

Ross queria abordar o assunto antes que Dave tivesse a oportunidade, em parte para mostrar que não tinha medo de falar sobre isso. Desde que era estudante, ele suspeitava que seus irmãos tinham dúvidas a seu respeito. O incidente com Eileen fora marcante. Embora mais tarde ele tenha mentido e afirmado que saía com outras garotas, sempre sentiu as suspeitas. O fato de nunca ter se casado não ajudava.

– Tudo bem. Minha filha está na Flórida e meu filho está no ensino médio. A Roxie joga tênis cinco dias por semana e não fica no meu pé.

De acordo com outro membro da fraternidade, o casamento com Roxie tinha sido tudo menos estável. Um dos dois estava sempre saindo de casa. Quando o filho fosse embora, eles provavelmente jogariam a toalha.

As cervejas geladas chegaram e eles brindaram. Uma belíssima mulher de biquíni passou e os dois a analisaram de ponta a ponta.

– Bons tempos – disse Ross com admiração. – Estamos com quase cinquenta, tem noção?

– Acho que sim.

– Você acha que algum dia vamos parar de olhar?

– Não enquanto eu estiver respirando – disse Ross, repetindo o mantra. Ele bebericava a cerveja que lentamente ia esquentando. Ele só queria uma. A volta para casa levaria as mesmas nove horas.

Falaram sobre algumas pessoas, seus velhos amigos dos tempos de glória. Riram das coisas estúpidas que faziam, das brincadeiras, das aventuras que por pouco não viraram desgraças. O papo de sempre de dois irmãos de meia-idade.

Ross começou sua história:

– Passei por uma situação estranha ano passado. Lembra da Cora Laker?

– Claro, era linda essa garota. Virou advogada, né?

– Exato. Eu estava na convenção estadual dos advogados em Orlando e esbarrei com ela. É sócia de um escritório grande em Tampa, muito bem-sucedido. Continua bonita. Tomamos um drinque, depois outro. Em determinado momento, ela falou da Eileen, acho que elas eram próximas, e ficou toda emocionada. Ela disse que o caso nunca vai ser resolvido. Disse que um detetive ou coisa do tipo a rastreou e queria saber como a Eileen era na época da faculdade. Ela desligou e foi isso, mas ficou chateada por terem ligado pra ela.

Dave bufou e desviou o olhar.

– Também recebi uma ligação.

Bannick engoliu em seco. A viagem repentina, por mais brutal que tivesse sido, talvez valesse a pena.

– Sobre a Eileen? – perguntou ele.

– Sim, provavelmente uns três ou quatro anos atrás. Estávamos morando aqui, talvez tenha sido há uns cinco anos. A mulher disse que era uma escritora de livro policial e estava pesquisando sobre os tempos de faculdade da Eileen. Disse que estava trabalhando em um livro sobre casos não solucionados. Mulheres que eram perseguidas, alguma coisa assim.

– Uma mulher?

– Isso. Disse que tinha escrito vários livros e que podia me mandar um.

– Ela mandou?

– Não, eu desliguei o telefone. Isso foi em outra vida, Ross. Foi muito triste o que aconteceu com a Eileen, mas não tem nada que eu possa fazer a respeito.

Uma mulher. Vasculhando seus casos. A longa viagem estava valendo a pena, sim.

– Que estranho – comentou Ross. – Foi só essa vez?

– Sim. Eu despachei ela. E, de verdade, eu não tinha nada pra falar. A gente aprontava tanto naquela época que nem consigo me lembrar de tudo. Muita bebida e maconha.

– Bons tempos.

– Por que você não vem jantar com a gente? A Roxie ainda é uma péssima cozinheira, mas podemos comprar alguma coisa no caminho.

– Obrigado, Dave, mas vou jantar com alguns investidores mais tarde.

Uma hora depois, Bannick estava de volta à estrada, lutando contra o trânsito na interestadual 95, a mil quilômetros de casa.

27

Sadelle estava dez minutos atrasada para a reunião de segunda-feira de manhã e, ao chegar em sua pequena scooter, parecia ainda mais perto da morte. Ela se desculpou e disse que estava bem. Lacy havia sugerido várias vezes que ela tirasse alguns dias de folga. Sadelle tinha medo. O trabalho a mantinha viva.

– Fizemos tudo que podíamos com os registros de viagem – começou Darren. – Finalmente tivemos notícias da Delta, depois de outra ameaça de intimação, e assim cobrimos todas as companhias aéreas. Delta, Southwest, American e Silver Air. Verificamos todos os voos saindo de Pensacola, Mobile, Tallahassee, até Jacksonville, em direção a Miami e Fort Lauderdale. O resultado é que, no mês anterior ao assassinato de Perry Kronke, ninguém com o nome Ross Bannick pegara um voo para o sul.

– Isso se a gente presumir que ele usou o nome verdadeiro.

– Claro. A gente não conhece nenhum dos pseudônimos dele, certo?

Ela o ignorou e voltou para seu café.

– De Pensacola a Marathon são onze horas, e não preciso nem dizer que seria impossível rastreá-lo numa viagem de carro.

– Pedágios?

– O estado só guarda essas informações por seis meses, depois apaga tudo. E é fácil evitar estradas com pedágio.

– E os hotéis?

Sadelle rosnou enquanto tentava encher os pulmões de ar.

– Outra agulha em outro palheiro – disse ela. – Você sabe quantos hotéis existem no sul da Flórida? Milhares. Escolhemos os mais prováveis com um preço médio e mesmo assim não encontramos nada. São onze só em Marathon e nos arredores. Nada.

– Estamos perdendo nosso tempo fuçando desse jeito – disse Darren.

– Isso se chama investigar – pontuou Lacy. – Alguns dos crimes mais bizarros foram resolvidos por conta de pequenas pistas que a princípio pareciam insignificantes.

– O que você sabe sobre resolver crimes bizarros?

– Não muito, mas estou lendo livros sobre serial killers. É um troço fascinante.

Sadelle inalou dolorosamente e, um tanto oxigenada, perguntou:

– Estamos presumindo que ele foi de carro até Biloxi e voltou pra matar o Verno?

– E o Dunwoody. Sim, esse é o nosso palpite. São apenas, o quê, duas horas?

– Isso aí, duas horas – disse Darren. – Isso que é fascinante. Se você olhar pros oito assassinatos, e eu sei que não estamos levando os oito em consideração, eles ocorreram todos a uma curta distância de Pensacola. Danny Cleveland em Little Rock, a oito horas de distância. Thad Leawood perto de Chattanooga, seis horas. Bryan Burke em Gaffney, Carolina do Sul, oito horas. Ashley Barasso em Columbus, Geórgia, quatro horas. Perry Kronke, em Marathon, e Eileen Nickleberry, perto de Wilmington, estão a doze horas de distância. Ele não precisava pegar um avião, alugar um carro nem se hospedar em hotel. Poderia simplesmente ir dirigindo.

– Esses são só os que a gente sabe – disse Lacy. – Aposto que tem mais. E cada local ficava em um estado diferente.

– Ele sabe mais sobre matar do que nós – disse Sadelle.

– Acho que ele tem mais experiência – acrescentou Darren. – E é mais inteligente.

– É verdade, mas nós temos a Betty, e ela o rastreou. Pensa só. Se ela estiver certa, então ela identificou o assassino, algo que um exército de detetives especializados em homicídios não conseguiu fazer.

– E algo que também não temos condições de fazer, certo? – perguntou Sadelle.

– Não, mas já sabíamos disso desde o princípio. Vamos continuar investigando.

– E quando nós vamos até a polícia?

– Em breve.

OS DOIS DETETIVES TOCARAM A CAMPAINHA precisamente às oito da manhã, conforme solicitado. Eles usavam terno escuro, dirigiam um carro escuro e usavam óculos escuros de aviador. Qualquer um que observasse a cem metros de distância saberia imediatamente que eram policiais.

Tinham sido convocados para ir até a casa de um juiz federal, uma ocasião atípica. Já tinham estado com muitos juízes, mas sempre em tribunais, nunca em suas casas.

O juiz Bannick era só sorrisos enquanto os conduzia até sua espaçosa cozinha e servia duas xícaras de café. Sobre a mesa havia um único envelope branco, tamanho ofício, endereçado ao dono da casa onde estavam naquele momento. Ele apontou para o envelope e disse:

– Chegou pelo correio no sábado, aqui em casa, foi deixado na caixa na porta da frente. O terceiro em uma semana. Cada um continha uma carta datilografada por uma pessoa obviamente perturbada. Não quero falar sobre o conteúdo das cartas por enquanto. Mas essa terceira é de longe a mais ameaçadora. Quando vi essa daqui, depois de tocar e abrir as duas primeiras, tive mais cuidado. Coloquei luvas e toquei no envelope e na carta o mínimo possível. Tenho certeza de que o carteiro tocou nas três.

– Provavelmente sim – disse o tenente Ohler.

– Sabe-se lá o que vocês vão encontrar, mas provavelmente haverá as impressões digitais do carteiro, as minhas e, se tivermos sorte, alguma deixada por esse doido.

– Claro, Excelência.

O tenente Dobbs pegou um saco plástico e cuidadosamente colocou o envelope dentro.

– Vamos esclarecer isso – disse ele. – Se importa se perguntarmos qual é o nível de urgência?

– Quão séria é a ameaça? – perguntou Ohler.

– Bem, não vou sair de casa armado, mas certamente seria bom saber quem está por trás disso.

– Tem alguém em mente? – perguntou Dobbs.

– Na verdade, não. Quer dizer, tem sempre algum maluco mandando cartas pra juízes, mas ninguém específico.

– Ótimo. Vamos levar o material para perícia ainda hoje. Se houver alguma impressão digital visível, amanhã já saberemos. Caso isso aconteça, tentaremos descobrir quem está por trás disso.

– Obrigado, senhores.

Enquanto saíam de lá, Ohler refletiu:

– Você achou estranho ele não mostrar as cartas?

– Estava pensando nisso – respondeu Dobbs. – Obviamente ele não quer que ninguém veja as cartas.

– E os outros envelopes?

– Ele tocou os dois, então é provável que as impressões digitais dele estejam lá.

– E nós temos as digitais dele, certo?

– Com certeza. Todo advogado fornece a digital ao obter a licença.

Segundos se passaram enquanto eles deixavam o condomínio fechado. Na estrada, Ohler perguntou:

– Quais são as chances de a gente encontrar impressões visíveis no envelope?

– Eu diria zero. Esses doidos que mandam correspondências anônimas têm a esperteza de usar luvas e tomar outras precauções. Não é um bicho de sete cabeças.

– Tenho um palpite – disse Ohler.

– Ótimo. Mais um. Manda ver.

– Ele sabe quem é.

– Com base em quê você diz isso?

– Em nada. É um palpite. Palpites não precisam ser baseados em nada.

– Principalmente os seus.

UMA HORA DEPOIS, o juiz Bannick estacionou em sua vaga reservada ao lado do tribunal do condado de Chávez e entrou pelas portas dos fundos. Cumprimentou os gêmeos Rusty e Rodney, os zeladores já idosos que sempre usavam macacões idênticos, e subiu a escada até o segundo andar, onde governara de maneira suprema ao longo dos últimos dez anos. Deu bom-dia a sua equipe e pediu a Diana Zhang, sua secretária de longa data e única confidente, que se juntasse a ele em sua sala. Ele fechou a porta, pediu que ela se sentasse e disse, com severidade:

– Diana, tenho uma notícia terrível. Fui diagnosticado com câncer de cólon, estágio quatro, e não parece nada bom.

Ela ficou atordoada demais para responder. Suspirou e imediatamente começou a secar os olhos.

– Tenho uma pequena chance. Além disso, milagres são sempre possíveis.

– Quando você descobriu? – perguntou a mulher com dificuldade. Ela o encarou com os olhos marejados e mais uma vez percebeu quão cansado e magro ele parecia.

– Há mais ou menos um mês. Passei as últimas duas semanas conversando com médicos de todo o país e decidi buscar um tratamento alternativo em uma clínica no Novo México. É tudo que posso te dizer por enquanto. Informei o juiz-chefe Habberstam que vou tirar uma licença de sessenta dias a partir de hoje. Ele vai reatribuir meus casos por enquanto. Você e os outros continuarão com salário integral, sem muito que fazer.
– Ele abriu um meio sorriso, mas ela estava muito chocada para retribuir. – As coisas devem ficar muito mais tranquilas por aqui ao longo dos próximos dois meses. Vou manter contato o tempo todo e me certificar de que vocês estão bem.

Diana não sabia o que dizer. Ele não tinha esposa, nem filhos, ninguém para quem ela pudesse mandar comida, presentes e compaixão.

– Você vai ficar aqui ou lá? – murmurou ela.

– Indo e voltando. Como disse, vou manter contato, e você pode me ligar a qualquer momento. Vou passar por aqui pra saber como estão as coisas. Se eu morrer, não será nos próximos meses.

– Para com isso!

– Está bem, está bem. Não vou morrer tão cedo, mas pode ser que os próximos meses sejam difíceis. Quero que você entre em contato com os advogados de todos os meus casos e informe que os processos serão encaminhados a outros juízes. Se eles perguntarem por quê, apenas diga que vou me afastar por motivos de saúde. Depois que eu sair, daqui a alguns minutos, por favor, informe aos outros. Prefiro não ter que contar pessoalmente.

– Não estou acreditando nisso.

– Nem eu. Mas a vida é injusta, não é mesmo?

Ele a deixou soluçando e saiu depressa sem dizer mais nada. Dirigiu até uma concessionária da GM em Pensacola, onde trocou de carro e pegou um Chevrolet Tahoe novo. Assinou a papelada, pagou a caução com um cheque de uma de suas inúmeras contas e esperou enquanto eles aparafusavam sua placa antiga em seu novo SUV. Ele detestava a cor prata, mas, como sempre, queria algo que passasse despercebido.

Acomodou-se no banco de couro macio e absorveu o cheiro forte de carro novo. Abriu o GPS, vasculhou os aplicativos, conectou o celular e foi embora, indo na direção oeste pela interestadual 10. Seu telefone vibrou – uma mensagem de outro juiz. Ele leu na grande tela no painel: "Juiz Bannick. Lamento pelo que está acontecendo. Estou aqui se precisar de mim. Cuide-se. AT."

Outra mensagem chegou. A notícia estava se espalhando rapidamente pelos círculos jurídicos do distrito e ao meio-dia todos os advogados, secretárias, escrivães e colegas juízes saberiam que ele estava doente e de licença.

Não tinha a menor paciência com quem se aproveitava de um problema de saúde a seu favor. Odiava ter que inventar uma doença para encobrir seus rastros. Como juiz eleito, voltaria às urnas em dois anos, mas não era hora de se preocupar com política. O fato de estar debilitado poderia encorajar um possível oponente a começar a fazer planos, mas ele poderia lidar com isso mais tarde. Por enquanto, ele só precisava ficar fora de vista, resolver o que precisava resolver, tirar "a pessoa" de seu encalço e possivelmente se esquivar de uma investigação da Comissão de Justiça. Ele riu com a ideia de um órgão tão pequeno tentar resolver homicídios que policiais veteranos haviam abandonado anos antes. A Dra. Stoltz e sua equipe operavam com um orçamento cada vez mais baixo e alguns regulamentos inúteis.

De acordo com suas pesquisas, havia descartado quase setenta pessoas, todas familiares das vítimas. Havia ponderado sobre cada uma e eliminou todas, exceto cinco, sendo quatro delas improváveis. Estava convencido de que havia encontrado seu algoz. Era uma mulher com muitos segredos, uma pessoa extremamente reservada que se achava esperta demais para ser encontrada por hackers.

Embora Mobile não fosse longe, ele havia ficado pouco tempo lá e não conhecia a cidade. Havia passado por lá uma centena de vezes, mas não conseguia se lembrar da última vez que havia parado.

Seu novo sistema de navegação funcionava perfeitamente e ele encontrou a rua onde Jeri morava. Examinaria o bairro mais tarde. O apartamento dela ficava a menos de sessenta minutos da casa dele em Cullman.

Ele a havia encontrado, praticamente debaixo de seu nariz.

28

A informação era importante demais para ser trocada por e-mail ou telefone. Era melhor que se vissem pessoalmente, explicou o xerife Black. Ele estava em Biloxi, a quatro horas de distância, e se ofereceu para encontrá-los no meio do caminho. Combinaram em um restaurante fast-food da interestadual 10 na pequena cidade de DeFuniak Springs, Flórida, às três da tarde, na quarta-feira, dia 16 de abril.

Ao saírem de Tallahassee, Darren pediu a Lacy que dirigisse, pois precisava terminar de editar um relatório. Obviamente, não estava bem escrito e ele acabou pegando no sono logo no início da viagem. Quando acordou, depois de um cochilo pesado de meia hora, ele se desculpou e admitiu que tinha dormido um pouco tarde na noite anterior.

– Então, o que será essa grande notícia? – perguntou ela. – Importante demais pra sussurrar ao telefone ou mandar por e-mail.

– Você tá perguntando pra mim? A detetive agora é você.

– Só porque estou lendo livros sobre serial killers não significa que sou detetive.

– Significa o quê, então?

– Sei lá. É um troço bem assustador, na verdade. Tem um pessoal bem doido.

– Você coloca o Bannick nessa mesma categoria?

– Não existe uma categoria. Cada caso é muito diferente, cada assassino é perturbador à sua maneira. Mas ainda não li nada sobre alguém tão paciente quanto o Bannick, nem que seja motivado puramente por vingança.

– Qual é a motivação em geral?

– Não existe isso, mas sexo geralmente é um fator. É chocante como alguns desses caras são pervertidos.

– Esses livros que você está lendo têm fotos?

– Alguns, sim. Muito sangue e corpos mutilados. Quer algum emprestado?

– Acho que não.

O telefone dele vibrou e ele leu a mensagem.

– Interessante – disse. – É a Sadelle. Ela verificou a pauta do Bannick hoje no tribunal e todas as audiências foram canceladas. Ontem foi a mesma coisa e aparentemente amanhã também. Ela ligou pro gabinete dele e foi informada de que Sua Excelência está de licença por questões de saúde.

Lacy se permitiu assimilar aquela informação e disse:

– Gostei do timing dele. Você acha que ele tá de olho na gente?

– De olho em quê? Não temos nada na internet, e ele não tem ideia do que a gente tá fazendo.

– A menos que ele esteja de olho na polícia.

– É possível, hein? – Darren coçou o queixo, imerso em seus pensamentos. – Mas, mesmo assim, ele não saberia de nada porque nós não sabemos de nada, certo?

Eles seguiram em silêncio por alguns quilômetros.

UM SEDÃ SEM A INSÍGNIA DA POLÍCIA era o único outro veículo no estacionamento. Dentro do restaurante, o xerife Black e o detetive Napier tomavam café, observando e aguardando, à paisana. Estavam sentados o mais longe possível do balcão. Não havia outros clientes. Lacy e Darren pegaram cafés e os cumprimentaram. Os quatro se amontoaram ao redor de uma mesinha e tentaram dar espaço uns aos outros. Ninguém se deu ao trabalho de levar uma maleta.

– Acho que não vamos demorar muito – disse Black. – Mas, quem sabe, pode ser que sim.

Ele acenou com a cabeça para Napier, que deu um pigarro e olhou ao redor como se alguém pudesse estar ouvindo.

– Como vocês sabem, o assassino levou consigo dois celulares retirados do local do crime, que foram deixados em uma pequena agência de correio a uma hora de distância de lá.

– Endereçados à sua filha em Biloxi, certo? – perguntou Lacy.

– Exato – respondeu Black.

– Bem, o FBI passou o último mês fazendo todos os testes possíveis nos aparelhos – prosseguiu Napier. – E agora eles estão certos de que há uma impressão digital parcial no telefone de Verno. Há várias coisas estranhas, uma delas é o fato de não haver outras digitais, nem mesmo de Verno, então o assassino teve o cuidado de limpar os telefones. O celular do Mike Dunwoody não tem nenhuma impressão digital. O cara estava sendo cuidadoso, o que não é nada surpreendente, considerando o local do crime. Quanto vocês entendem de impressões digitais?

– Vamos supor que a gente não entenda nada – respondeu Lacy.

Darren assentiu, confirmando sua ignorância.

Já esperando essa resposta, Napier disse:

– Muito bem. Cerca de vinte por cento das pessoas nos Estados Unidos tiveram suas impressões digitais coletadas, e a maioria delas é armazenada em um imenso banco de dados mantido pelo FBI. Como vocês podem imaginar, eles têm um software extremamente refinado e atualizado, com todos os tipos de algoritmos e tal, coisas que vão um pouco além da minha compreensão, e eles podem verificar uma digital de qualquer lugar em questão de minutos. Nesse caso, eles começaram pela Flórida.

O xerife se inclinou um pouco e disse:

– Estamos presumindo que seu suspeito seja da Flórida.

"Genial", pensou Lacy, mas ela assentiu e disse:

– Bom chute.

Darren, ansioso para falar, disse:

– Antes de ser admitido na ordem, todo advogado precisa fornecer as impressões digitais. Isso acontece em todos os estados.

Concordando, Napier respondeu:

– Sim, nós sabemos disso. Assim como os analistas do FBI. De qualquer maneira, eles não encontraram nenhuma correspondência na Flórida, nem em nenhum outro lugar. Fizeram todos os testes possíveis com essa digital e chegaram à conclusão de que, bem, ela foi alterada.

Napier fez uma pausa e deu um tempo para que eles assimilassem aquela informação. O xerife Black aproveitou a deixa e disse:

– Então, a primeira pergunta de muitas: o suspeito de vocês é capaz de alterar as próprias impressões digitais?

Lacy lutou para encontrar as palavras certas, então Darren perguntou:

– Impressões digitais podem ser alteradas?

– A resposta é sim, embora seja quase impossível – explicou Napier. – Pessoas que lidam com pedras ou tijolos às vezes perdem suas impressões digitais após anos de trabalho pesado.

– Não é o caso dele.

– Ele é um juiz, certo? – perguntou Black.

– Sim

– Com o tempo, é possível desgastar a pele da ponta dos dedos, as cristas e sulcos papilares – prosseguiu Napier –, mas isso é extremamente raro. Levaria anos para alguém conseguir fazer isso, a pessoa teria que esfregar os dedos constantemente em uma lixa. Enfim. Não é disso que estamos falando. Nessa digital, os sulcos estão bem definidos, mas indicam a possibilidade de terem sido alterados cirurgicamente.

– A digital pode ser da namorada do Verno ou de alguém que ele conhecia?

– Eles verificaram. Como já era esperado, ela foi presa algumas vezes e as impressões digitais constam no banco de dados. Não bate. Passamos horas com ela, e ela não conhece mais ninguém que poderia ter tocado no telefone do Verno. Ela nem conseguia se lembrar da última vez que ela mesma o havia tocado.

Os quatro tomaram um gole de seus copos de papel e evitaram contato visual. Depois de um tempo, Darren perguntou:

– Alteradas cirurgicamente? Como é que alguém faz isso?

Napier sorriu e disse:

– Bem, alguns especialistas dizem que é impossível, mas existem alguns casos. Há alguns anos, a polícia holandesa recebeu uma denúncia e invadiu um pequeno apartamento em Amsterdã. O suspeito era um verdadeiro profissional, um sujeito habilidoso que tinha feito uma carreira e tanto roubando obras de arte contemporânea, algumas das quais foram encontradas escondidas dentro das paredes da casa dele. Valiam milhões. As impressões digitais antigas não batiam cem por cento com as novas. Como o pegaram em flagrante com os itens roubados, ele decidiu fazer um acordo e abrir o bico. Disse que conhecia um cirurgião plástico que nem licença tinha e que era conhecido no submundo como o cara a quem você deveria recorrer se um dia precisasse de um novo rosto ou de novas cicatrizes. Ele também tinha se especializado em alterar as cristas e os sulcos da ponta dos dedos. Só de curiosidade, entre na internet e digite "Alterar impressão digital". Continue navegando e você vai encontrar alguns anúncios. Na verdade, não é ilegal alterar as digitais.

– Minha ideia era fazer um lifting – disse Lacy.

– Pra quê? – perguntou o xerife com um sorriso.

– De qualquer forma, é algo que pode ser feito ao longo do tempo – disse Napier. – O seu suspeito é paciente?

– Muito paciente – respondeu Darren.

– Suspeitamos que ele esteja na ativa há mais de vinte anos – completou Lacy.

– Na ativa?

– Sim. O Verno e o Dunwoody provavelmente não são os únicos.

Os dois policiais assimilaram aquela informação enquanto bebiam mais café. Napier perguntou:

– Ele teria dinheiro pra uma cirurgia como essa?

Ambos assentiram.

– Imagino que, aos poucos, ele seria capaz de alterar todos os dez dedos.

– É um baita compromisso – comentou Black.

– Bem, ele é comprometido, determinado e muito inteligente.

Mais café, mais pensamentos pairando. Seria aquela uma grande oportunidade depois de tantos becos sem saída?

– Isso não faz nenhum sentido. Tipo, se esse cara é tão inteligente, por que não arremessar os telefones num lago ou num rio? Por que se fazer de espertinho deixando numa caixa postal com o endereço da minha filha? É claro que ele sabia que nós iríamos rastrear os aparelhos e encontrá-los em questão de horas. Era uma sexta-feira. Não tinha como os dois celulares ficarem sem paradeiro até segunda.

– Não tenho certeza se algum dia entenderemos o que motiva esse cara ou o que ele pensa – disse Lacy.

– É um idiota, na minha opinião.

– Ele está vacilando. Quase foi pego por Mike Dunwoody. Depois, uma pessoa viu a caminhonete dele nos correios quando ele deixou os telefones. E aparentemente uma das luvas escorregou ou talvez tenha rasgado um pouco, e agora temos uma digital.

– Sim, temos – disse o xerife. – A questão agora é o que fazemos com isso. O próximo passo é óbvio: conseguir as impressões digitais do seu suspeito. Se elas baterem, então estamos no caminho certo.

– Quais são as chances de conseguirmos as digitais dele? – perguntou Napier.

Lacy lançou um olhar vazio para Darren, que balançou a cabeça como se não fizesse a menor ideia.

– Uma intimação, talvez? – perguntou o xerife.

– Com base em quê? – disse Lacy. – Não há nenhum motivo relevante pra isso, pelo menos não agora. O nosso suspeito é um juiz que sabe muito bem como funciona a perícia forense e o processo criminal. Seria impossível convencer outro juiz a emitir essa intimação.

– Eles vão protegê-lo então?

– Não. Mas vão querer mais provas do que nós temos atualmente.

– Vocês vão passar pra gente o nome dele?

– Ainda não. Vamos fazer isso em breve, mas por enquanto não posso dizer mais nada.

O xerife Black cruzou os braços e olhou para ela. Napier desviou o olhar, frustrado.

– Estamos no mesmo time, eu garanto – completou Lacy.

Irritados, os policiais mal conseguiam manter a calma.

– Acho que não entendo – disse Napier por fim.

Lacy sorriu e disse:

– Olha, nós temos um informante, uma fonte, a pessoa que nos trouxe o caso. Essa pessoa sabe muito mais coisas do que a gente e vive há anos com medo. Nós deixamos claro pra ela como vamos proceder. É tudo que posso dizer por enquanto. Temos que ser extremamente cautelosos.

– O que devemos fazer agora então? – perguntou o xerife Black.

– Esperar. Concluímos a investigação e nos encontramos novamente.

– Deixa eu ver se entendi direito. Vocês têm um suspeito consistente para um duplo homicídio, embora admitam que não investiguem homicídios, certo? E esse cara é um juiz da Flórida que cometeu outros crimes, é isso mesmo?

– Exatamente, mas eu não disse que ele é um suspeito consistente. Antes desse nosso encontro, não tínhamos provas do envolvimento dele em nenhum crime. Ainda há uma chance, senhores, de que o nosso suspeito não seja o cara. E se a impressão digital parcial não bater?

– Nós vamos descobrir.
– Sim, mas não agora.
A reunião terminou com apertos de mãos e sorrisos forçados.

O TENENTE OHLER, da polícia estadual da Flórida, ligou para informar a aguardada notícia de que não havia sido encontrado nada de interessante no envelope. Duas impressões digitais foram obtidas e rastreadas até o homem que entregava a correspondência todos os dias por volta do meio-dia.

29

Na quinta-feira, ele estava farto das várias mensagens, todas preocupadas com sua saúde e lhe desejando melhoras. Ele esperou até o carteiro passar ao meio-dia. Colocou luvas descartáveis, pegou a correspondência e viu outro envelope comum. Dentro havia outro poema.

saudações da sepultura
onde é frio e muito escuro
sussurros, vozes, gemidos
sempre ao meu lado o medo puro

seus crimes cometidos sem coragem
o choque, o nó, a corda
nada além de covardia em sua doença,
você, dos repulsivos, o mais calhorda.

de direito um patético estudante
o mais pomposo da classe
eu vi, por trás, o seu fracasso,
um babaca arrogante – sua outra face.

– Ela está escrevendo sobre o pai agora – disse para si mesmo enquanto olhava para a folha de papel na mesa da cozinha.

Sua mala estava pronta. Ele dirigiu até o centro comercial em Pensacola e estacionou em frente à academia. Foi para seu outro gabinete, abriu a Caixa-forte, colocou a última carta em uma pasta, organizou algumas coisas, verificou suas câmeras e as gravações de vídeo, e quando se convenceu de que seu mundo estava perfeitamente seguro, dirigiu até o aeroporto e esperou três horas por um voo para Dallas. Lá ele trocou de avião e pousou em Santa Fé depois de escurecer. As reservas do voo, do carro alugado e do hotel foram feitas em seu nome verdadeiro e pagas com cartão de crédito.

Pediu o serviço de quarto para jantar. Tentou assistir a um jogo de beisebol pela TV a cabo, mas trocou para um filme pornô. Pegou no sono e conseguiu dormir por algumas horas antes de seu despertador tocar às duas da manhã. Tomou banho, engoliu uma anfetamina, colocou suas ferramentas em uma bolsinha de ginástica e foi embora do hotel. Houston ficava a quinze horas de distância.

Às nove horas, horário da Costa Leste, ele ligou para Diana Zhang e disse que estava no centro de tratamento de câncer em Santa Fé. Ele a tranquilizou dizendo que estava se sentindo bem e mentalmente preparado para começar sua luta contra a doença. Pareceu otimista e prometeu estar de volta à tribuna antes que eles pudessem sentir sua falta. Ela contou que todos estavam muito preocupados e reforçou os votos de solidariedade e melhoras. Ele explicou que um dos motivos para ter procurado um tratamento longe era por não querer gerar toda aquela comoção. Seria uma longa e solitária jornada, que ele deveria enfrentar sozinho. A voz dela estava falhando quando ele desligou.

Uma mulher de fato muito dedicada.

Ele desligou o celular e tirou a bateria.

Ao amanhecer, encostou em uma parada próximo a El Paso e trocou a placa. Ele agora dirigia um Kia quatro portas, registrado em nome de um texano que não existia. E dirigia com cuidado, precisamente no limite de velocidade permitido, todas as regras da estrada seguidas à risca. Uma multa por excesso de velocidade ou, Deus o livrasse, um acidente, e a missão iria por água abaixo. Como sempre, usava um boné puxado para baixo, um dos muitos de sua coleção, e nunca tirava os óculos escuros. Pagou a gasolina e uns lanches com um cartão de crédito emitido em nome de um de seus pseudônimos. Os extratos mensais eram enviados para uma caixa postal em Destin.

Ele raramente ouvia música ou audiolivros, e não suportava o falatório implacável do rádio. Em vez disso, sempre usara a solidão da estrada para planejar seu próximo passo. Ele adorava os detalhes, a trama, as hipóteses. Havia se tornado tão profissional, tão habilidoso e tão impiedoso que há anos acreditava que nunca seria pego. Em outros momentos, repassava seus antigos crimes para mantê-los sempre frescos na memória e se certificar de que não tinha deixado passar nada.

"Quando você mata alguém, comete dez erros. Se consegue perceber sete deles, você é um gênio." Onde tinha lido isso? Talvez fosse uma fala de um filme.

Qual havia sido o seu erro?

Como tinha acontecido? Ele precisava saber.

Vivia com a certeza de que nunca seria obrigado a planejar o Fim.

EM 1993, QUANDO ELE ESTAVA há menos de dois anos na faculdade de direito, o escritório de advocacia de Pensacola onde trabalhava fechou quando os sócios entraram em conflito por conta da divisão de honorários altíssimos, algo que sempre gerava descontentamento. Ele se viu na rua, sem trabalho. Pegou emprestado cinco mil dólares com o pai, abriu seu próprio escritório e se declarou pronto para começar. Um novo pistoleiro na cidade. Não passava fome, mas os negócios iam devagar. Passava o tempo redigindo testamentos para pessoas desafortunadas e lidando com criminosos de baixo escalão no tribunal da cidade. Sua grande chance veio quando um barco onde estava sendo realizada uma festa com muitas damas de honra afundou no golfo. Seis jovens se afogaram. Houve a mesma pancadaria de sempre, uma vez que os advogados se matavam pelos casos. Um deles foi parar no escritório dele, em parte graças a um testamento que partilhava uma herança de cinquenta dólares que havia redigido para um cliente.

Um habilidoso advogado de porta de cadeia chamado Mal Schnetzer conseguiu representar três famílias e abriu o primeiro processo, antes mesmo que todos os corpos fossem velados. Sem nenhum compromisso com a ética, ele fez uma visita à casa do cliente de Bannick e tentou roubar o caso. Bannick o ameaçou; eles trocaram ofensas e os nervos chegaram à flor da pele, até que Bannick concordou em se juntar ao processo. Ele não tinha experiência com casos de indenização por morte e Schnetzer foi bastante convincente quanto à possibilidade de o caso ir a julgamento.

O pote de ouro logo se mostrou muito menor do que os advogados dos reclamantes sonhavam. A empresa proprietária do barco não tinha outros ativos e entrou com pedido de falência. A seguradora inicialmente negou qualquer responsabilidade, mas Schnetzer a ameaçou de maneira bastante eficaz e conseguiu um acordo. Agindo pelas costas de Bannick novamente, ele disse ao cliente que poderia lhe entregar um cheque no valor de quatrocentos mil dólares de imediato se o cliente concordasse em abandonar seu advogado e alegasse que nunca o quis como representante. Antes que Bannick pudesse descobrir seu próximo passo, Schnetzer assumiu os casos e distribuiu o dinheiro entre os clientes e os outros advogados, incluindo ele mesmo, exceto, claro, o novato que acabara de ser passado para trás. Bannick não havia participado do acordo conjunto com os demais reclamantes e o contrato com seu ex-cliente tinha sido verbal. Eles concordaram que ele receberia um terço de qualquer que fosse o valor acordado.

Um terço de quatrocentos mil dólares era uma quantia gigantesca para um ávido jovem advogado, mas o dinheiro havia desaparecido. Bannick reclamou com o juiz, que não se solidarizou com ele. Pensou em processar Schnetzer, mas decidiu não o fazer por três motivos. Em primeiro lugar, ele tinha medo de se envolver com um bandido como ele. Segundo, ele duvidava que algum dia veria um centavo do dinheiro. E, terceiro – e ainda mais importante –, ele não queria passar pelo constrangimento de um processo público no qual seria visto como o profissional inexperiente que havia sido enganado por um advogado de porta de cadeia. Já se sentia bastante humilhado conforme a história circulava pelos tribunais.

Então ele acrescentou Mal Schnetzer à sua lista.

Para seu deleite, Mal acabou arrancando dinheiro de mais alguns clientes, foi pego, indiciado, condenado a dois anos de prisão, expulso da ordem e enviado para a cadeia. Depois de solto, foi para Jacksonville, onde assumiu alguns casos para uma gangue de advogados baratos, desses com anúncios em outdoors. Ganhou uns trocados e foi descarado o suficiente para montar um pequeno escritório em Jacksonville Beach, onde mediava acordos em casos envolvendo acidentes de carro, sem a necessidade de ter o registro na ordem dos advogados. Quando foi acusado de praticar a advocacia sem licença, fechou o escritório e fugiu do estado.

Bannick o observava e rastreava cada movimento seu.

Anos se passaram até ele aparecer em Atlanta, onde trabalhava nos bastidores como paralegal para alguns advogados em casos de divórcio. Em 2009, Bannick o encontrou em Houston trabalhando como "consultor" para um escritório especializado em ações coletivas.

DOIS MESES ANTES, Bannick havia alugado uma unidade mobiliada em um estacionamento de trailers de luxo nos arredores de Sugar Land, a meia hora do centro de Houston. Era um lugar enorme, com oitocentos trailers brancos idênticos estacionados em longas fileiras de ruas largas. As regras eram rígidas e obrigatórias: apenas dois veículos por trailer, nada de barcos nem motocicletas, tampouco roupas penduradas em varais, cartazes de políticos e barulho excessivo. Os pequenos e bem cuidados gramados eram mantidos pela administração. Todas as cadeiras de jardim, bicicletas e churrasqueiras ficavam armazenadas em galpões idênticos atrás dos trailers. Estivera lá duas vezes e, embora nunca tivesse sonhado em morar em um trailer, achou relaxante. Ninguém por ali sabia quem ele era ou o que estava fazendo.

Depois de um cochilo rápido, desceu a rua de carro até uma grande loja de departamentos e pagou 58 dólares em dinheiro por um telefone celular Nokia com um cartão SIM pré-pago com 75 minutos de chamadas incluídos. Como não havia nenhuma espécie de contrato, o funcionário não pediu informações pessoais. Se o tivesse feito, Bannick estava preparado com sua imensa coleção de carteiras de motorista falsas na carteira, prontas para serem usadas. Às vezes pediam identidade, mas geralmente não se importavam. Já havia comprado inúmeros aparelhos descartáveis e jogado todos eles fora.

De volta ao trailer, ligou para o escritório de advocacia no final da tarde de sexta-feira e perguntou por Mal Schnetzer, que já tinha ido embora e só voltaria na segunda-feira. Explicou à secretária que era urgente e precisava falar com ele. A secretária, obviamente bem treinada por seus chefes, fez algumas perguntas. Ele respondeu que o caso envolvia um jovem que havia sido gravemente queimado em uma plataforma de petróleo offshore de propriedade da ExxonMobil. Ela se ofereceu para encontrar outro advogado do escritório, mas o Sr. Butler disse que não, a indicação tinha vindo de um amigo, que dissera que o Sr. Schnetzer era o homem certo para o caso.

Dez minutos depois, seu telefone Nokia tocou e ele reconheceu a voz que soou do outro lado. Ele tentou soar um pouco mais estridente:

– Meu filho está no hospital de Lake Charles com queimaduras em mais de oitenta por cento do corpo. É simplesmente terrível, Dr. Snitcher.

– É Schnetzer, na verdade. – Ainda um babaca. – E isso aconteceu em uma plataforma, certo? – Qualquer lesão provocada em uma plataforma offshore era coberta por lei federal, o sonho de todo advogado.

– Sim, doutor. Tem três dias. Não sei se ele vai sobreviver. Estou tentando chegar lá, mas tenho uma deficiência e não posso ir de carro agora.

– E você está em Sugar Land, certo?

– Sim, doutor. E tem um bando de advogados me ligando o tempo todo, me perturbando.

– Não estou surpreso em ouvir isso.

– Acabei de desligar na cara de um deles.

– Não fale com eles. Quantos anos tem seu filho?

– Dezenove. Ele é um bom menino, trabalha duro, está sempre comigo e a mãe dele. Ainda é solteiro. Ele é tudo que a gente tem, Dr. Schnetzer.

– Entendo. Então você não tem como vir até o escritório.

– Não, doutor. Se minha esposa estivesse aqui, ela poderia me levar, mas ela está vindo do Kansas. Nós somos de lá. Precisamos chegar ao hospital. Não sei o que fazer, doutor. Precisamos da sua ajuda.

– Tá. Olha, consigo chegar aí daqui a mais ou menos uma hora, se for bom pra você.

– Você pode vir até aqui?

– Sim, acho que consigo dar uma passada aí.

– Seria muito bom, Dr. Schnetzer. Precisamos de alguém pra nos ajudar.

– Aguente firme, ok?

– O senhor pode dar um jeito de os outros advogados deixarem a gente em paz?

– Claro, eu cuido deles, sem problemas. Qual é o seu endereço?

PELAS CORTINAS, BANNICK OBSERVAVA cada carro que cruzava sua frente enquanto os minutos passavam. Por fim, uma picape Ford comprida e brilhante, com cabine dupla e rodas imensas, diminuiu a velocidade, parou, deu ré e estacionou atrás de seu carro alugado.

Mal Schnetzer tinha mudado bastante ao longo dos anos. Estava muito mais gordo, com uma barriga impressionante pendurada sobre o cinto e esticando a camisa, e tinha um rosto redondo acima de um queixo duplo. Seu espesso cabelo grisalho estava puxado para trás e se avolumava no pescoço. Ele desceu do carro, olhou ao redor, avaliou o trailer e tocou a pistola automática presa ao coldre em seu quadril.

Nenhuma das vítimas de Bannick estava armada no momento em que ele as assassinou, e isso o deixou ainda mais excitado. Ele se moveu depressa, pegou uma bengala em cima do sofá, abriu a porta e pisou na varandinha, curvado como um homem sentindo dor.

– Olá – gritou enquanto Schnetzer passava ao lado do carro alugado.

– Olá – disse ele.

– Meu nome é Bob Butler. Obrigado por vir até aqui. Tem cerveja gelada lá dentro. Quer uma?

– Claro. – Ele pareceu relaxar ao encontrar Butler, curvado na altura do quadril e nada ameaçador.

Eles não se encontravam havia vinte anos, desde seus tempos como advogados em Pensacola. Bannick duvidava que seria reconhecido, e com o boné puxado para baixo e os óculos de armações baratas estava confiante de que Schnetzer não teria a menor ideia de quem ele era. Ele foi na frente, segurou a porta aberta e os dois entraram na apertada salinha do trailer.

– Obrigado por vir até aqui, Dr. Schnetzer.

– Imagina.

Mal se virou, como se procurasse um lugar para se sentar, e naquela fração de segundo Bannick rapidamente tirou Leddie do bolso, sacudiu-o e o chicoteou na parte de trás da cabeça de Mal. A bola de chumbo afundou com força, estilhaçando seu crânio. Ele ergueu as mãos ao grunhir e tentar se virar. Leddie aterrissou contra a têmpora esquerda do sujeito e ele caiu em cima de uma mesa de centro vagabunda. Bannick rapidamente abriu o coldre, pegou a pistola e fechou a porta. Schnetzer chutava enquanto se debatia, e olhava para cima com olhos selvagens, tentando dizer alguma coisa. Bannick bateu nele de novo e de novo, quebrando seu crânio em cem pedaços.

– Cento e trinta e três mil dólares – disse Bannick, quase cuspindo as palavras. – Uma bela quantia que você me roubou. Dinheiro que eu merecia e precisava desesperadamente. Você é um safado, Mal, sempre foi um advogado de merda. Fiquei feliz quando você foi pra cadeia.

Mal grunhiu e Bannick o atingiu novamente. Mais sangue respingou no sofá e na parede.

Ele respirou fundo e o observou tentar respirar. Puxou as luvas descartáveis, pegou a corda, enrolou-a duas vezes em volta do pescoço do homem e olhou dentro de seus olhos injetados de sangue enquanto a apertava. Colocou um pé no peito de Mal e tentou esmagá-lo enquanto apertava a corda e a observava cortar sua pele. Um minuto se passou, depois outro. Às vezes eles morriam com os olhos abertos, e esses eram seus favoritos. Ele deu o nó na corda e se levantou para admirar seu trabalho.

– Cento e trinta e três mil dólares, tirados de um garoto, roubados de outro advogado. Seu merda.

Quando Mal deu seu último suspiro, os olhos injetados de sangue continuavam abertos, como se ele quisesse assistir a Bannick limpando tudo. O sangue cobria seu rosto e seu pescoço, formando uma poça no tapete barato. Que bagunça.

Bannick fez uma pausa e respirou fundo. Parou para ouvir as vozes do lado de fora ou qualquer som fora do comum, mas não ouviu nada. Caminhou até o quarto da frente e olhou pela janela. Duas crianças passavam de bicicleta.

Demorar-se era um luxo do qual raramente desfrutava, mas com aquele ali não tinha pressa nenhuma. Vasculhou os bolsos das calças de Mal e encontrou suas chaves. De um dos bolsos de trás, tirou o celular e o colocou sobre a barriga dele, onde o deixaria. Em um armário, encontrou o aspirador de pó barato que um mês antes comprara em dinheiro em uma loja de departamentos e limpou o chão da cozinha e do escritório, tomando cuidado para não tocar no sangue. Quando terminou, removeu a bolsa e a substituiu por uma nova. Pegou um pacote de lenços umedecidos e limpou Leddie e a pistola. Trocou as luvas descartáveis e colocou o par usado em uma sacola vazia. Limpou as maçanetas, a bancada da cozinha, as paredes, todas as superfícies do banheiro, embora não tivesse tocado em quase nada. Deu descarga no vaso sanitário e fechou o registro da água. Tirou suas roupas e as colocou na pequena máquina de lavar. Enquanto esperava a máquina terminar o ciclo de lavagem, pegou uma lata de refrigerante diet da geladeira vazia e se sentou na cozinha, observando seu velho amigo Mal a poucos metros de distância.

Um fardo pesado e irritante que ele carregara por vinte anos havia sido retirado de seus ombros, e ele estava em paz.

Quando a máquina parou de bater, ele colocou suas roupas na secadora e esperou mais um pouco. O telefone de Mal estava tocando. Alguém queria saber onde ele estava. Eram quase sete horas, faltava pelo menos uma hora para o anoitecer.

Conhecendo Mal, imaginou que o bandido não tivesse contado o que estava fazendo a ninguém no escritório. Não deixara nenhum bilhete, nenhum número de telefone, nenhum endereço de seu novo cliente em potencial. Havia grandes chances de Mal não ter sequer passado no escritório, e sim ter corrido até Sugar Land para fechar um caso lucrativo sozinho e roubar os honorários mais uma vez.

Mas havia uma chance de ele ter dito alguma coisa à secretária. Esperar era entediante e, à medida que os minutos passavam, os riscos aumentavam.

Quando suas roupas secaram, ele as vestiu e colocou suas coisas na sacola de compras – Leddie, os lenços usados, o saco do aspirador de pó, a pistola. Depois que escureceu, ele saiu e caminhou até a picape Ford. Algumas crianças jogavam futebol na rua. Ainda de luvas, ele entrou na caminhonete, ligou o motor e foi embora. Três quarteirões adiante, parou no estacionamento de um mercado, onde havia um posto de gasolina, uma loja de conveniência, algumas lojas de utensílios baratos e o escritório da administração. Deixou as chaves na ignição e desapareceu na escuridão. Dez minutos depois estava de volta ao seu trailer. Entrou para pegar a sacola de compras e dar uma última olhada, satisfeito, em Mal, completamente sem vida.

Ele desligou o celular descartável, removeu a bateria e depois foi embora.

Uma hora depois, encostou em uma parada de caminhões na interestadual 45 ao sul de Huntsville e estacionou atrás de algumas carretas. Trocou a placa e colocou as falsas na sacola de compras, depois a jogou em uma lixeira grande e suja. Ser pego com algo que o incriminasse era impensável.

De repente sentiu fome, então entrou e saboreou ovos e torradas com os caminhoneiros. Santa Fé estava a doze horas de distância e ele ansiava pela viagem.

30

O avião de Jeri pousou no Aeroporto Internacional de Detroit às 14h40 de sexta-feira. Enquanto caminhava pelo movimentado terminal, teve uma sensação de liberdade, de alívio por estar tão longe de Mobile, da Flórida e de suas preocupações por lá. No avião, se convencera de que seu pesadelo finalmente estava chegando ao fim, que tinha dado os primeiros passos para fazer justiça pelo seu pai e que ninguém a estava observando. Pegou seu carro alugado e foi embora, em direção a Ann Arbor.

Denise, sua única filha, estava cursando o segundo ano de pós-graduação em física em Michigan. Tinha crescido em Athens, Geórgia, onde Jeri já havia trabalhado. Denise concluiu o curso em três anos com tranquilidade e conseguiu uma bolsa de estudos em Michigan. Seu pai, ex-marido de Jeri, trabalhava para o Departamento de Estado em Washington, D.C. Ele havia se casado novamente e Jeri tinha pouco contato com ele, mas estava sempre de olho na filha.

Não se viam desde o Natal, quando passaram uma semana em uma praia em Cabo. Jeri já tinha estado em Ann Arbor duas vezes e gostava da cidade. Ela morava sozinha havia muitos anos e invejava a vida social agitada e o amplo círculo de amizades da filha. Quando estacionou na rua em frente ao prédio de Denise em Kerrytown, ela estava esperando. As duas se abraçaram, olharam uma para a outra e pareceram satisfeitas com a aparência uma da outra. Ambas estavam em forma e sabiam se vestir, embora

Denise tivesse uma vantagem. Ela ficava ótima com qualquer roupa, incluindo jeans e tênis, a combinação que estava usando. Levaram as malas para seu pequeno apartamento, onde ela morava sozinha. O prédio estava cheio de estudantes de pós-graduação e de direito, e geralmente alguém estava ouvindo música alta ou havia alguma festinha rolando. Principalmente em uma sexta-feira no final de abril. Havia um barril à beira da piscina e elas foram para o pátio. Denise adorou apresentar sua mãe a seus amigos e ocasionalmente se referia a ela como Dra. Crosby. Jeri se contentou em tomar uma cerveja com um copo plástico e ouvir as conversas e risadas daqueles jovens vinte anos mais novos.

Um estudante de direito se aproximou, parecendo mais interessado do que os demais. Ao telefone, Denise tinha insinuando que talvez estivesse saindo com um cara, e o radar de Jeri estava em alerta máximo. Seu nome era Link, um garoto bonito de Flint, e ela não demorou muito para perceber que ele era mais do que um amigo qualquer. Jeri estava secretamente orgulhosa por ele ser negro. Denise tinha namorado vários caras diferentes, e Jeri não tinha problemas com isso, mas no fundo era como a maioria das pessoas. Queria que seus netos se parecessem com ela.

Sem perguntar a Jeri, Denise convidou Link para se juntar a elas. Os três deixaram o apartamento e foram dar um passeio por Kerrytown. Pegaram uma mesa ao ar livre no Grotto Watering Hole e se divertiram assistindo ao interminável desfile de estudantes indo a lugar nenhum. Jeri lutou contra a tentação de interrogar Link sobre sua família, seus estudos, seus interesses, seus planos para o futuro. Fazer isso irritaria sua filha, e a mãe prometeu evitar qualquer drama durante o fim de semana. Ela e Denise pediram vinho, e Link pediu um chope. Mais um ponto positivo. Jeri entendia muito bem de estudantes, homens em especial, e sempre ficava apreensiva com os que já começavam a noite com uma bebida forte.

Link era extremamente sociável, tinha o riso fácil e parecia interessado no currículo da Dra. Crosby. Jeri sabia que ele estava puxando o saco dela, mas gostou dele mesmo assim. Mais de uma vez, ela pegou os dois pombinhos olhando um para o outro com pura adoração. Ou talvez luxúria.

Depois de uma hora com Link, Jeri pensou que poderia estar se apaixonando por ele também.

Em algum momento Denise deu uma espécie de sinal – que Jeri não pegou – e Link disse que precisava ir. Seu time de softball da faculdade tinha um jogo da liga interna naquela noite e, claro, ele era a estrela. Jeri queria que ele se juntasse a elas para jantar, mas ele se desculpou e disse que não poderia ir. Talvez amanhã à noite.

Assim que ele se foi, Jeri perguntou:

– Muito bem, é sério esse relacionamento?

– Ah, mãe, por favor, não começa.

– Não sou cega, garota. É sério ou não?

– Não o suficiente pra gente falar sobre isso.

– Você tá dormindo com ele?

– É claro. Você não dormiria?

– Que pergunta é essa?

– E com quem você anda dormindo?

– Com ninguém, o problema é esse.

Ambas riram, mas um tanto constrangidas.

– Agora, mudando de assunto – disse Denise. – O Alfred ligou anteontem. Ele faz isso de vez em quando.

– Que legal da parte dele. Fico feliz que ele esteja ligando pra alguém.

Alfred era o irmão mais velho de Jeri, tio de Denise, e Jeri não o via havia pelo menos três anos. Eles foram próximos até a morte do pai. Tentavam apoiar um ao outro, mas a obsessão de Jeri em encontrar o assassino acabou afastando-os. Na opinião dela, Alfred desistiu cedo demais. Assim que se convenceu de que o crime nunca seria resolvido, parou de falar sobre o assunto. Como ela não falava de outra coisa, pelo menos naquela época, ele se distanciou dela. Numa tentativa de recomeçar a vida, mudou-se para a Califórnia e nunca mais voltou. Ele tinha uma esposa que Jeri detestava e três filhos que ela adorava, mas ela estava longe demais para manter uma relação com eles.

Elas bebericaram o vinho por alguns minutos e observaram os estudantes.

– Tenho certeza de que seu pai dá notícias de vez em quando – disse Jeri por fim.

– Olha, mãe, vamos falar logo sobre os assuntos de família e acabar logo com esse tópico. O papai me manda cem dólares por mês e liga a cada duas semanas. Nós trocamos mensagens e e-mails, e mantemos contato. Eu preferia que ele não me enviasse dinheiro. Não preciso. Tenho uma bolsa de estudos e um emprego. Consigo me virar sozinha.

– Isso é culpa por ele ter abandonado a gente quando você era criança.

– Eu sei, mãe, agora já encerramos o assunto família. Vamos jantar.
– Já disse que tenho muito orgulho de você?
– Pelo menos uma vez por semana. Também tenho orgulho de você.

O JANTAR FOI NO CAFÉ ZOLA, um restaurante bastante popular em um belo prédio de tijolos vermelhos logo na esquina. Denise havia reservado uma mesa perto da entrada, e elas se prepararam para um longo jantar e muita conversa. Pediram outra taça de vinho e depois saladas e peixe. Jeri perguntou sobre os estudos e pesquisas de Denise, que respondeu usando termos científicos que iam muito além da compreensão da mãe. Havia puxado do pai a aptidão para ciências e matemática, e da mãe para história e literatura.

No meio da refeição, Jeri ficou séria.
– Tenho uma coisa importante para te contar.
– Você tá grávida?
– Isso é biologicamente impossível, por mais de um motivo.
– Brincadeira, mãe. – Denise suspeitava que a grande novidade tivesse algo a ver com o assassinato do avô, um assunto que raramente abordavam.
– Eu sei... – Jeri largou o garfo e pegou a taça, como se precisasse de incentivo. – Eu, é... descobri quem matou o seu avô.

Denise parou de mastigar e olhou para a mãe, incrédula.
– Isso mesmo – prosseguiu. – Depois de vinte anos correndo atrás, encontrei o cara.

Ainda sem palavras, Denise engoliu em seco e tomou um gole de vinho. Ela assentiu.
– Falei com as autoridades e, bem, talvez esse pesadelo esteja chegando ao fim.

Denise soltou o ar com força e continuou balançando a cabeça, lutando para encontrar as palavras certas.
– Eu deveria estar empolgada com essa notícia? Desculpe, mas não sei como reagir. Existe alguma chance de ele ser preso?
– Acho que sim. Vamos torcer e rezar.
– Humm, onde ele está?
– Em Pensacola.
– Isso é muito perto de Mobile.

– Um bocado.

– Não quero saber o nome dele, tá? Não tenho certeza se estou pronta pra isso.

– Não contei a ninguém, exceto às autoridades.

– Você foi à polícia?

– Não. Existem outras autoridades de investigação na Flórida. Eles estão com o caso agora. Acho que vão notificar a polícia em breve.

– Você tem provas? O caso é sólido, como dizem?

– Não. Acho que vai ser difícil provar, e é claro que isso me preocupa muito.

Denise tomou outro gole, esvaziando a taça. A garçonete passou e ela pediu outra. Olhou ao redor e baixou a voz.

– Tá bem, mãe, mas, se você não tem provas, como vão pegar esse cara?

– Não tenho todas as respostas, Denise. Isso vai depender da polícia e do Ministério Público.

– Então vai rolar um julgamento e tudo isso?

– Espero que sim. Eu não vou conseguir dormir em paz até que ele seja condenado e preso.

Denise muitas vezes se preocupava com a obsessão da mãe. Alfred parecia acreditar que a irmã estava à beira da loucura. Uma obsessão tão feroz por qualquer coisa, especialmente algo tão traumático quanto um assassinato, não era saudável. Denise e Alfred haviam discutido esse assunto ao longo dos anos, mas não recentemente. Preocupavam-se com Jeri, embora não pudessem fazer nada para fazê-la mudar de ideia.

Para o restante da família, o homicídio era um assunto a ser evitado.

– Você vai ter que depor no tribunal? – A ideia claramente a perturbava.

– Imagino que sim. Um membro da família do falecido é geralmente uma das primeiras testemunhas convocadas pelo Ministério Público.

– E você está pronta pra isso?

– Sim, estou cem por cento preparada pra me encontrar com o assassino no tribunal. Não vou perder uma palavra desse julgamento.

– Não vou perguntar como você encontrou esse cara.

– É uma história longa e complicada, Denise, e um dia eu te conto. Mas agora não. Vamos aproveitar o momento e pensar em assuntos mais felizes. Só achei que você gostaria de saber.

– Você contou pro Alfred?

– Não, ainda não. Mas vou contar em breve.
– Acho que eu deveria estar contente. Essa é uma boa notícia, certo?
– Só se ele for condenado.

A MANHÃ DE SÁBADO começou tarde com iogurte no sofá – a cama de Jeri durante o fim de semana – e pijama até o meio-dia. Em algum momento, elas finalmente tomaram banho e foram passear, indo primeiro a um café na Huron Street. Era um dia perfeito de primavera, elas sentaram ao sol e falaram sobre a vida, o futuro, moda, programas de televisão, filmes, homens, o que quer que viesse à mente. Jeri aproveitou o dia com Denise e sabia que aqueles momentos eram preciosos. Ela estava amadurecendo e se tornando uma jovem inteligente e ambiciosa com um futuro promissor, que provavelmente a levaria para longe de Mobile, um lugar onde ela nunca tinha morado.

Denise temia que sua mãe estivesse vendo a vida se esvair sem ninguém com quem compartilhá-la. Aos 46 anos, ela ainda era linda e sexy, e tinha muito a oferecer, mas escolhera fazer justiça pelo pai. Sua obsessão havia impedido qualquer possibilidade de um relacionamento sério, até mesmo de amizades. Era um assunto que elas evitaram ao longo do dia.

A faculdade de direito estava envolvida em um torneio de softball que durava o dia todo, com uma dezena de times jogando em sistema de dupla eliminação. Com Denise ao volante de seu pequeno Mazda, elas chegaram ao complexo esportivo, tiraram as cadeiras e o cooler do carro e se posicionaram debaixo de uma árvore do outro lado da cerca à esquerda do campo. Link as encontrou imediatamente e se sentou em uma colcha. Ele tomou uma cerveja antes do jogo – a maioria dos jogadores parecia gostar de beber, mesmo em campo – e Jeri o questionou sobre seu futuro. Seu emprego dos sonhos era no Departamento de Justiça em Washington, D.C., depois pensava em tentar algo na advocacia privada. Ele desconfiava bastante da rotina dos grandes escritórios e queria lutar pelos direitos civis das pessoas com deficiência. Seu pai havia se lesionado no trabalho e estava preso a uma cadeira de rodas.

Quanto mais Jeri o observava perto de sua filha, mais convencida ficava de que Link era o futuro. E estava em paz com isso. Ele era envolvente, inteligente, perspicaz e obviamente apaixonado por Denise.

Depois que ele saiu para jogar, Denise disse:
– Tá bem, mãe, quero saber como você encontrou esse cara.
– Que cara?
– O assassino.
Jeri sorriu e balançou a cabeça.
– A história toda? – perguntou, por fim.
– Sim. Quero saber.
– Pode demorar um pouco.
– O que mais vamos fazer nas próximas horas?
– Tá bem.

31

No final da manhã de sábado, Lacy e seu namorado saíram de Tallahassee para uma viagem de três horas até Ocala, ao norte de Orlando. Allie dirigia enquanto Lacy cuidava do entretenimento. Começaram com um audiolivro de Elmore Leonard, mas ela logo concluiu que estava farta de crimes e cadáveres. Trocou para um podcast sobre política, que logo se tornou deprimente também. Sintonizou então na NPR, e eles riram durante um episódio de *Wait... Don't Tell Me!*. O encontro com Herman Gray era às duas da tarde.

O Sr. Gray era uma lenda do FBI que havia supervisionado a Unidade de Análise Comportamental em Quantico por duas décadas. Agora, com quase 80 anos, estava aposentado e morava em um condomínio fechado na Flórida com a esposa e três cachorros. Um supervisor de Allie foi o responsável pelo contato. Herman disse que estava entediado, tinha tempo de sobra e estava disponível para conversar, principalmente se o assunto fosse serial killers. Ele os havia rastreado e estudado ao longo de sua carreira, e rezava a lenda que era especialista no assunto. Tinha publicado dois livros sobre o tema, mas nenhum era particularmente útil. Ambos eram mais ou menos coletâneas de suas histórias de guerra, complementadas com fotografias sangrentas e um pouco de autocongratulação.

Ele os cumprimentou de maneira calorosa e pareceu genuinamente feliz por ter visitas. Sua esposa perguntou se eles gostariam de almoçar, mas recusaram. Ela lhes serviu chá gelado sem açúcar, e eles passaram a primeira meia hora conversando no pátio, com os cocker spaniels lambendo seus tornozelos. Quando ele começou a falar sobre sua carreira, Lacy o interrompeu educadamente:

– Nós lemos seus dois livros, então conhecemos um pouco do seu trabalho.

Ele gostou de ouvir aquilo e tentou estender o assunto:

– A maior parte daquelas histórias é verdade. Talvez tenha floreado um pouco aqui e ali.

– É fascinante – comentou Lacy.

– Como expliquei ao telefone – disse Allie –, a Lacy gostaria de falar um pouco sobre cada uma das vítimas e ouvir a sua opinião.

– A minha tarde é toda de vocês – disse Herman com um sorriso.

– É um assunto extremamente confidencial e não vamos usar os nomes verdadeiros – explicou ela.

– Entendo a discrição, Dra. Stoltz. Acredite em mim, entendo mesmo.

– Pode chamar a gente de Lacy e Allie.

– Muito bem, e eu sou o Herman. Vejo que você trouxe uma maleta, então presumo que tenha uma papelada aí, quem sabe algumas fotos.

– Sim.

– Talvez devêssemos ir pra cozinha e usar a mesa.

Eles o acompanharam, assim como os cachorros, e a Sra. Gray encheu novamente seus copos. Herman se sentou a um lado da mesa e encarou Lacy e Allie. Ela respirou fundo e começou:

– Temos conhecimento de oito homicídios. O primeiro foi em 1991, o mais recente há menos de um ano. Os sete primeiros foram por estrangulamento, usando o mesmo tipo de corda, mesmo método, mas no último a corda não foi utilizada. Foram desferidos golpes na cabeça da vítima.

– Vinte e três anos.

– Sim, senhor.

– Me trate por você.

– Está bem – respondeu ela.

– Obrigado. Faço 80 anos daqui a dois meses, mas me recuso a deixar a velhice chegar.

Magro como um graveto, ele parecia capaz de caminhar por quinze quilômetros embaixo do sol quente.

– Obviamente, acreditamos que nosso suspeito matou todas as oito pessoas. Seis homens, duas mulheres.

– Provavelmente há mais vítimas, você sabe disso, né?
– Sim, mas não temos conhecimento delas.
Herman pegou sua caneta e um bloco de papel.
– Vamos falar sobre a primeira.
Allie abriu a maleta e entregou uma pasta a Lacy.
– A primeira vítima era um homem branco de 41 anos – começou ela. – Só uma das vítimas não era branca. Ele foi encontrado próximo a uma trilha em Signal Mountain, no Tennessee.

Ela entregou a Herman uma folha de papel com as palavras *Número Um* datilografadas em negrito no topo. Data, local, idade da vítima, causa da morte e uma foto colorida de Thad Leawood deitado nos arbustos.

Herman estudou o dossiê e a foto, e tomou notas. Eles o observaram atentamente e não disseram nada. Depois de revisar o documento, ele perguntou:

– Além do corpo, havia mais alguma coisa no local do crime?
– A polícia não encontrou nada. Impressões digitais, fibras, pelos, cabelos, nada. A única amostra de sangue era da vítima. O padrão se repete em todos os locais em que os crimes foram cometidos.
– O nó é bem diferente, parece um nó fiel.
– Nó fiel duplo, não é muito comum.
– É mesmo bem raro. Se ele o usou todas as vezes, então obviamente é seu cartão de visita. Quantos golpes na cabeça?
– Dois, com o que parece ser a mesma arma.
– Autópsia?
– Traumatismo craniano, numerosas rachaduras irradiando do ponto de contato. A polícia de Wilmington, na Carolina do Norte, em um outro crime, considerou que ele tivesse usado algo como um martelo ou uma pequena bola de metal redonda.
– Sempre funciona, embora faça uma sujeira danada. O sangue respinga de tal forma que o suspeito provavelmente acabou sujando a própria roupa.
– Que, obviamente, nunca foi encontrada.
– Claro que não. Motivação?
– A teoria é que a vítima Número Um tenha abusado sexualmente do assassino quando ele era criança.
– É um baita motivo. Alguma prova disso?
– Na verdade, não.

– Muito bem. E o Número Dois?

Lacy entregou a ele o dossiê sobre Bryan Burke.

– Um ano depois, 1992.

Herman olhou para o documento e disse:

– Carolina do Sul.

– Sim, cada vítima se encontrava em um estado diferente.

Ele sorriu e fez anotações.

– Motivação?

– Os caminhos dos dois se cruzaram na faculdade quando o assassino era estudante. O Número Dois foi seu professor.

Lacy teve o cuidado de não usar as palavras "faculdade de direito". Ela pretendia contar mais para a frente. Allie não havia contado muita coisa sobre ela a Herman, nem revelado onde trabalhava ou quem investigava. Isso tudo seria debatido depois.

A Número Três era Ashley Barasso.

– Quatro anos depois, em Columbus, na Geórgia – disse Lacy. – Não sabemos nada sobre o motivo, apenas que eles estudaram juntos.

– Na faculdade?

– Sim.

– Ela foi abusada sexualmente de alguma forma?

– Não. Ela estava completamente vestida, não havia nenhum indício de abuso sexual.

– Isso é bem atípico. Sexo é um elemento importante em cerca de oitenta por cento dos crimes em série.

A Número Quatro era Eileen Nickleberry, 1998.

Ao chegar ao Número Cinco, Danny Cleveland, Lacy disse:

– O nosso cara fez uma pausa por onze anos, pelo menos até onde a gente sabe.

– É um intervalo e tanto – disse Herman, analisando a foto. – Mesmo nó. Ele não quer ser pego, é esperto demais pra isso, mas quer que alguém saiba que ele está por aí. É bem comum.

Ele fazia mais algumas anotações no momento em que a esposa apareceu e lhes ofereceu biscoitos. A mulher não estava na cozinha, mas Lacy teve a impressão de que ela estava por perto, provavelmente ouvindo.

O Número Seis era Perry Kronke, de Marathon. Herman analisou as fotos e perguntou:

Onde você conseguiu essas daqui?

– Uma fonte que trabalha nesse assunto há muitos anos nos deu. Lei de Liberdade de Acesso à Informação, base de dados do FBI, o de sempre. Temos imagens dos primeiros seis locais do crime, mas não do último.

– É muito recente, eu suponho. O coitado estava pescando, vivendo a própria vida. Em plena luz do dia.

– Estive no local e era bem afastado.

– Muito bem. Motivação?

– Eles se cruzaram no local de trabalho, provavelmente um desentendimento sobre uma oferta de emprego que não se concretizou.

– Então ele também o conhecia?

– Ele conhecia todas as vítimas.

Herman achava que já tinha visto de tudo na vida e ficou visivelmente impressionado.

– Certo, vamos em frente.

Lacy entregou o Número Sete e o Número Oito, e explicou sua teoria de que a primeira vítima era de fato o alvo e que a segunda chegou ao local na hora errada. Herman analisou os dossiês e as fotos por um bom tempo, então disse com um sorriso:

– Isso é tudo?

– Até onde a gente sabe.

– Pode apostar que há mais e que ele ainda vai fazer mais vítimas.

Eles assentiram e ambos deram uma mordida em um biscoito.

– Bem, imagino que agora você queira um perfil, certo?

– Claro, esse é um dos motivos de estarmos aqui – respondeu Allie.

Herman largou a caneta, se levantou, esticou as costas e coçou o queixo enquanto pensava.

– Homem branco, 50 anos, deu início a suas aventuras aos 20 e poucos. Solteiro, provavelmente nunca se casou. Com exceção dos dois primeiros, ele mata às sextas-feiras e nos finais de semana, o que indica que tem um trabalho importante. Você mencionou que ele frequentou uma faculdade, e é óbvio que é um sujeito inteligente, até mesmo brilhante, e paciente. Não há nenhuma conotação sexual, então ele provavelmente é impotente. Você já sabe a motivação, ele tem uma necessidade doentia de vingança. Mata sem remorso, o que é comum nesses casos. É um sociopata, pra dizer o mínimo. Antissocial, mas, sendo instruído, provavelmente consegue criar uma fachada e manter o que parece ser uma vida normal. Sete crimes em sete estados, ao longo de um período de 23 anos. É bastante incomum. Ele sabe que a polícia não vai investigar tanto a ponto de vincular os crimes. E o FBI não está envolvido?

– Ainda não – respondeu Allie. – Esse é outro motivo pelo qual estamos aqui.

– Ele entende de perícia, procedimentos policiais e jurídicos – acrescentou Lacy.

Herman se sentou lentamente e olhou suas anotações.

– É mesmo bastante atípico. Único, até. Estou impressionado com esse sujeito. O que vocês sabem sobre ele?

– Bem, esse cara definitivamente se encaixa no seu perfil. Ele é juiz.

Herman soltou o ar como se estivesse um tanto perplexo. Balançou a cabeça e pensou por um longo tempo. Por fim, perguntou:

– Um juiz?

– Devidamente eleito.

– Uau. Bastante incomum. Narcisista, transtorno dissociativo de personalidade, capaz de viver em um mundo como um membro respeitado e produtivo da sociedade enquanto planeja o próximo assassinato no tempo livre. Vai ser difícil pegar esse cara. A não ser que...

– A não ser que ele cometa um deslize, certo? – disse Allie.

– Exatamente.

– A gente acha que isso aconteceu no último caso. Você perguntou sobre o FBI. Eles não estão envolvidos na investigação, mas encontraram uma pista. Ele deixou uma impressão digital parcial em um celular. O laboratório pericial de Quantico passou meses com ele, fez todos os testes. O problema é que eles não encontraram nenhuma correspondência, em lugar algum. O FBI acha que ele provavelmente alterou as próprias digitais.

Herman balançou a cabeça em descrença.

– Bem, não sou perito em digitais, mas sei que isso é praticamente impossível sem uma cirurgia invasiva.

– Ele tem como arcar com esse procedimento e teve muito tempo pra fazer isso – disse Lacy.

– Eu verifiquei, conversei com alguns de nossos especialistas. Há vários casos em que as digitais foram alteradas – explicou Allie.

– Se você diz. Tenho minhas dúvidas.

– Nós também – acrescentou Lacy. – Se não conseguirmos uma correspondência, o caso parece perdido. Não há nenhuma outra prova além da motivação, e isso não é suficiente. Certo?

– Não sei. Existe um meio de conseguir as impressões digitais dele, as atuais?

– Não sem uma intimação – disse Lacy. – Temos suspeitas, mas isso não é suficiente pra convencer um juiz a autorizar.

– Precisamos de conselhos, Herman – disse Allie. – Qual é o nosso próximo passo?

– Ele mora onde?

– Em Pensacola.

– E a digital está no Mississippi, certo?

– Exato.

– As autoridades de lá vão convocar o FBI?

– Com certeza. Eles estão desesperados pra resolver os homicídios.

– Então é por lá que vocês têm que começar. Assim que o FBI estiver envolvido, vai ser mais fácil convencer um juiz a expedir um mandado de busca e apreensão.

– E fazer essa busca onde? – perguntou Lacy.

– Na casa dele, no gabinete. Qualquer lugar onde possam encontrar impressões digitais.

– Pode ser que a gente tenha alguns problemas com isso. A primeira é que esse cara é capaz de não deixar impressões em lugar nenhum. A segunda é que ele pode desaparecer ao primeiro sinal de confusão.

– Deixe o FBI se preocupar com as impressões digitais. Eles vão encontrá-las em algum lugar. Ninguém é capaz de limpar completamente a própria casa ou o local de trabalho. Quanto a desaparecer, esse é um risco que vocês correm. Vocês não têm como prendê-lo até que haja uma correspondência entre as impressões digitais, certo? Nenhuma outra prova?

– Até agora, não – respondeu Lacy.

– E ainda pode haver um outro problema – disse Allie. – Existe uma chance de o FBI se recusar a se envolver.

– Por quê?

– O fato de as chances de sucesso serem mínimas. Não havia nenhuma evidência em praticamente todos os locais dos crimes. Esses casos estão sem solução há anos. Você conhece a política de Quantico. E sabe como a Unidade de Análise Comportamental vive com a equipe desfalcada. É possível que eles deem uma olhada nisso e deixem pra lá?

Herman descartou a ideia.

– Não, não acho. Nós já rastreamos serial killers por anos e nunca os encontramos. Alguns dos casos em que trabalhei trinta anos atrás ainda não foram resolvidos, nunca serão. Isso não vai deter a UAC. Esse é o trabalho deles. E, lembrem-se, eles não têm que resolver todos os crimes. Vocês só precisam de um pra colocar esse cara na cadeia.

Herman largou a caneta e cruzou os braços.

– Vocês não têm escolha a não ser trazer o FBI pro caso. Mas sinto que estão evitando por algum motivo.

Lacy contou a história de Betty Roe e seus vinte anos de busca para encontrar o assassino de seu pai. Herman interrompeu:

– Ela está procurando emprego? Acho que o FBI precisa dela.

– Ela tem uma carreira – disse Lacy depois de uma risada. – Ela fez uma denúncia na Comissão de Justiça. É onde eu trabalho. Ela está muito frágil e assustada, e prometi que não iríamos envolver a polícia até concluirmos nossa investigação preliminar.

Herman não gostou de ouvir aquilo.

– Que pena. Mas ela não é mais um fator a ser considerado. Você tem um assassino muito sofisticado ainda em atividade, e é hora de chamar o FBI. Quanto mais você esperar, mais corpos eles encontrarão. Esse cara não vai parar.

32

Na terça-feira, havia uma matéria curta na página cinco do *Pensacola Ledger*. O advogado Mal Schnetzer havia sido assassinado no sábado anterior em um trailer em Sugar Land, no Texas, a oeste de Houston, onde morava. A polícia forneceu pouquíssimos detalhes e informou apenas que ele fora estrangulado em um trailer alugado por uma pessoa que ainda não tinha sido encontrada. A reportagem relembrava seus tempos como advogado em um escritório no noroeste da Flórida, antes de perder a licença e ser preso por roubar seus clientes. Havia uma pequena foto de Mal em seus melhores dias.

Jeri viu a matéria na internet e a leu durante o café da manhã. Imediatamente se lembrou de outras histórias semelhantes: Danny Cleveland, o ex-repórter do *Ledger*, que havia sido estrangulado em seu apartamento em Little Rock, em 2009; Thad Leawood, estrangulado em 1991 próximo a Signal Mountain, no Tennessee; e Lanny Verno, assassinado em Biloxi no ano anterior. Schnetzer, Cleveland e Leawood eram conhecidos em Pensacola e o *Ledger* havia noticiado suas mortes. Verno estava de passagem e não era conhecido; desse modo, não houve cobertura local. Ela encontrou outras reportagens sobre os assassinatos nos jornais locais de Little Rock, Chattanooga, Houston e Biloxi, e as organizou cuidadosamente em um arquivo que enviou usando uma nova conta de e-mail para uma jornalista chamada Kemper, a mulher que havia escrito sobre o assassinato de Schnetzer. Ela anexou uma nota enigmática: Quatro estrangulamentos não

RESOLVIDOS DE PESSOAS COM LIGAÇÕES EM PENSACOLA. VERNO MO-
ROU AQUI EM 2001. FAÇA SEU DEVER DE CASA!

Ela não tinha ouvido falar do assassinato de Schnetzer e não ia começar a investigar agora. Estava exausta, praticamente sem dinheiro e não tinha mais energia para outra investigação. Como sempre, suspeitava de Bannick, mas outra pessoa teria que se preocupar com o caso.

Na manhã seguinte, na primeira página do jornal logo abaixo da dobra, havia uma matéria sensacionalista sobre os quatro homens de Pensacola que tinham sido assassinados em outros estados. A polícia local não quis comentar e se esquivou de todas as perguntas porque não sabia de nada. Os crimes não faziam parte de sua jurisdição. A polícia estadual também não quis tecer comentários.

Jeri leu aquilo com alegria e imediatamente enviou a reportagem, criptografada como sempre, para Lacy Stoltz. Minutos depois, mandou uma mensagem de texto com a chave da criptografia.

Lacy estava em sua mesa lendo pareceres de outras denúncias quando viu o e-mail e abriu o arquivo. Não havia nenhuma mensagem. Quem mais lhe enviaria um e-mail privado e depois a chave? Quem mais teria as velhas reportagens do *Ledger* e dos outros jornais? Mais uma vez ela ficou maravilhada com a pesquisa e a perseverança de Jeri, e conseguiu dar uma risada com o comentário de Herman Gray sobre ela se candidatar para o FBI.

Ela fechou a porta e passou um bom tempo relendo as matérias sobre os assassinatos, os antigos e os novos. Tentou avaliar o impacto da reportagem publicada naquela manhã e por fim concluiu que era impossível prever o que poderia acontecer. Não havia muitas dúvidas, no entanto, de que aquilo mudaria o cenário. Bannick a veria, provavelmente já tinha visto. Quem no mundo seria capaz de adivinhar seu próximo passo?

O JUIZ BANNICK ESTAVA em um quarto de hotel em Santa Fé quando leu a matéria. Como sempre, ele lia o *Ledger* on-line para ficar por dentro de todas as notícias da cidade e, quando viu aquilo, começou a xingar.

A única outra pessoa que poderia vincular Lanny Verno a Pensacola era Jeri Burke. Talvez o ex-policial Norris Ozment, mas ele não estava inteirado daquele assunto.

Alguns dos advogados mais antigos na cidade poderiam conectá-lo a Schnetzer e à disputa pelos honorários, em 1993. Talvez um repórter do *Ledger* pudesse se lembrar de Danny Cleveland e de sua matéria sobre Bannick quando ele concorreu pela primeira vez à magistratura, embora fosse pouco provável. Cleveland tinha ido atrás de vários empreiteiros suspeitos. Ele não sabia de ninguém que pudesse ligá-lo a Thad Leawood. Não houve acusações criminais e as vítimas assustadas se esconderam atrás de seus pais, que não tinham a menor ideia do que fazer.

ELE TINHA 13 ANOS e havia alcançado o nível Vida, com dezoito medalhas de mérito, incluindo todas as obrigatórias. Seu objetivo era chegar à Águia em seu décimo quarto aniversário, algo que seu pai incentivava muito porque depois disso chegaria o ensino médio e o escotismo perderia importância. Ele liderava a Patrulha dos Tubarões, a melhor da tropa. Adorava cada aspecto daquilo tudo – os fins de semana na floresta, o treinamento para nadar 1,5 km, os acampamentos, o desafio de se tornar Águia, a busca por mais medalhas de mérito, as cerimônias de premiação, o serviço comunitário.

Após o ocorrido, ele faltou a uma reunião, algo que nunca acontecia. Quando perdeu a segunda, seus pais ficaram desconfiados. Ele não tinha como carregar aquele fardo sozinho, então lhes contou o que havia acontecido. Eles ficaram horrorizados e arrasados, e não faziam ideia de onde procurar ajuda. Seu pai finalmente foi até a polícia e ficou atormentado ao saber que havia outra queixa, de um menino que não quis ser identificado.

Ele suspeitava que fosse Jason Wright, um amigo que havia abandonado inesperadamente a tropa dois meses antes.

A polícia queria se encontrar com Ross, mas a ideia o aterrorizava. Ele estava dormindo ao pé da cama dos pais e odiava a ideia de sair de casa. Eles decidiram que proteger o filho era mais importante do que exigir uma punição. O pesadelo piorou ainda mais quando o *Ledger* publicou uma matéria sobre uma investigação policial acerca de "alegações de má conduta sexual" de Thad Leawood, 28 anos. A questão obviamente tinha sido vazada pela polícia, na opinião do Dr. Bannick, e deixou a cidade em alerta.

Leawood conseguiu escapar e nunca mais foi visto. Quatorze anos se passaram até que ele pagasse por seus crimes.

NO FINAL DA TARDE de quarta-feira, Lacy não tinha mais justificativas para oferecer e estava cansada de procrastinar. Fechou e trancou a porta de sua sala e ligou para o primeiro dos vários números de telefone de Betty Roe. Ela não atendeu nenhum deles, o que não era incomum. Minutos depois, seu celular vibrou com uma mensagem de um número desconhecido. Betty escreveu: VÁ ATÉ A FRONTEIRA. Era o código para "Use seu celular descartável". Lacy pegou o aparelho e esperou mais um pouco pela ligação.

Betty começou alegremente:

– Que tal a matéria do *Ledger*?

– Interessante, pra dizer o mínimo. Eu me pergunto como eles conseguiram juntar todos os crimes tão rápido.

– Ah, não sei. Tenho certeza de que foi um e-mail anônimo de alguém que está familiarizado com os assassinatos, você não acha?

– É verdade.

– Eu me pergunto como nosso garotão reagiu.

– Tenho certeza de que isso acabou com o dia dele.

– Espero que ele tenha tido um derrame e morrido engasgado com o próprio vômito. De qualquer forma, andam dizendo por aí que ele está com problemas de saúde. Há um boato sobre um possível câncer de cólon, mas eu duvido. Me parece mais um ótimo motivo pra sair da cidade.

– Você parece animada.

– Estou de bom humor, Lacy. Fui pra Michigan e passei o último fim de semana com minha filha, foi uma ótima visita.

– Que bom, porque tenho algumas notícias que você pode não gostar de ouvir. Nós concluímos a avaliação da sua denúncia e vamos dar seguimento ao processo. Estamos encaminhando os autos à polícia estadual e ao FBI. Nossa decisão é irreversível.

Silêncio do outro lado da linha.

– Você não deveria estar surpresa, Betty – prosseguiu Lacy. – Isso é o que você sempre quis. Você usou a gente pra iniciar a investigação e dar credibilidade ao caso enquanto se escondia. Não há nada de errado com isso, e garanto que seu nome não foi mencionado. Vamos continuar protegendo a sua identidade na medida do possível.

– O que isso significa? "Na medida do possível"?

– Significa que não tenho certeza de como será a investigação. Não sei se o FBI vai querer te ouvir, mas, se isso acontecer, tenho certeza de que eles sabem como proteger uma testemunha-chave.

– Não vou dormir em paz até que ele esteja atrás das grades. Você deveria estar preocupada também, Lacy. Eu te avisei em relação a isso.

– Sim, e estou tomando cuidado.

– Ele é mais esperto do que a gente, Lacy, e está sempre de olho.

– Você acha que ele sabe sobre o nosso envolvimento?

– Vamos considerar que ele saiba, tá? A gente precisa presumir o pior. Ele está por aí, Lacy.

Lacy fechou os olhos e estava pronta para encerrar a ligação. A paranoia de Betty às vezes era irritante.

33

As redes de computadores e de telefonia do departamento do xerife do condado de Harrison eram responsabilidade de Nic Constantine, de 20 anos, aluno de meio período de um curso técnico nas redondezas. Ele gostava do trabalho e adorava interagir com os assistentes do xerife e outros agentes, que sempre precisavam de ajuda com questões de tecnologia. Ele tinha muito talento para isso e era capaz de lidar com qualquer problema que aparecesse. Constantemente pedia que eles atualizassem uma coisa aqui, outra ali, mas sempre havia problemas com o orçamento.

Nic sabia que o caso Verno/Dunwoody era ultrassecreto. Os abutres da imprensa ainda estavam rondando, e o xerife Black havia limitado todas as comunicações, a maioria das quais era mantida off-line. Para sua grande alegria, Nic esteve presente na cena do crime e, um tempo depois, conduziu o xerife e seu assistente Mancuso aos dois telefones celulares na pequena cidade de Neely, no Mississippi. Um trabalho fácil que qualquer garoto de 12 anos era capaz de fazer.

Nic frequentemente fazia uma varredura na rede em busca de vírus, mas não tinha conseguido detectar Rafe e seus amigos malvados do Maggotz. Eles passavam a maior do tempo adormecidos. O erro foi cometido pelo detetive Napier, que enviou um e-mail desprotegido ao xerife confirmando uma reunião com o FBI na sexta-feira, dia 25 de abril, em Pensacola. Napier se referiu ao FBI como "Hoovies", disse que uma equipe de Washington pegaria um voo até lá, junto com um perito, o telefone celular e a IDP. Napier imediatamente percebeu seu erro, apagou o e-mail, foi atrás de Nic e lhe pediu que o removesse completamente da rede. O jovem rastreou a mensagem através do servidor interno do departamento e estava confiante de que tudo havia sido excluído.

Napier e Nic foram então até o xerife e explicaram o que havia acontecido. Nic sonhava em trabalhar para o FBI e ficou empolgado com a notícia do encontro. Ele se ofereceu para estar lá pois poderiam precisar dele em caso de novos erros. O xerife Black não deu muita bola.

RAFE, ADORMECIDO, MAS SEMPRE PRESENTE, viu o e-mail. Meia hora depois, o juiz Bannick também o viu e entrou em pânico. Ele sabia o quanto o FBI adorava siglas. Conhecia a linguagem tão bem quanto os agentes da área. IDP – impressão digital parcial.

Rapidamente ele verificou as câmeras de vigilância e os sistemas de segurança em sua casa, em seu gabinete no tribunal e no cofre. Ninguém tinha aparecido. Reservou o primeiro voo saindo de Santa Fé, saiu do quarto de hotel e foi para casa.

A viagem pareceu interminável, mas lhe ofereceu muito tempo para pensar. Ele tinha certeza de que não havia deixado nenhuma impressão digital, mas e se tivesse? Qualquer digital tirada de um dos celulares jamais encontraria uma correspondência atual. Após anos de alterações, eles só encontrariam uma correspondência se comparassem com algo que ele houvesse tocado ao longo da última década.

Ele chegou em casa às três da manhã e precisava descansar, mas a anfetamina estava a toda no seu organismo. Ele manteve as luzes do teto apagadas para que os vizinhos não soubessem que estava em casa e trabalhava na penumbra. Colocou luvas descartáveis e encheu a máquina de lavar louça com o primeiro lote. Algumas das xícaras e copos foram parar em um grande saco de lixo.

A limpeza de quase todas as superfícies borra as digitais latentes – aquelas invisíveis a olho nu – e as inutiliza. Mas o plano era eliminar qualquer amostra. Ele misturou uma solução de água, álcool destilado e suco de limão e limpou as bancadas e os eletrodomésticos usando um pano de microfibra. Interruptores, paredes, prateleiras da despensa. Da geladeira, tirou potes, latas, garrafas e embalagens plásticas, e jogou o conteúdo fora.

Os recipientes foram para o saco de lixo. Ele não cozinhava muito, e a geladeira nunca estava cheia.

Digitais latentes podem durar anos. Enquanto praguejava contra si mesmo, murmurava "IDP" sem parar.

No banheiro, esfregou superfícies, paredes, vaso sanitário, torneiras e piso. Esvaziou o armário e jogou fora uma escova de dentes, um barbeador descartável, creme de barbear e um tubo meio vazio de pasta de dente. Era praticamente impossível obter digitais de tecidos, mas mesmo assim ele encheu a máquina de lavar com toalhas de banho e de rosto.

Na sala, se livrou do controle remoto da TV e limpou a tela de LED. Jogou fora todas as revistas e alguns jornais velhos. Esfregou as paredes e as cadeiras de couro.

Em seu escritório, limpou o teclado, um laptop antigo, dois celulares fora de uso, uma pilha de papel timbrado e envelopes. Olhou para um armário cheio de pastas e decidiu enfrentá-las mais tarde.

A limpeza levaria horas, talvez dias, e ele sabia que aquela era apenas a primeira delas. Haveria uma segunda, com sorte uma terceira. De manhã, antes de os vizinhos acordarem, arrastou três grandes sacos de lixo pretos para seu SUV e tentou cochilar.

Mas dormir era impossível. Às oito, tomou banho e trocou de roupa, jogando fora as toalhas e roupas. Olhou para o armário e percebeu quanta coisa tinha que ser descartada. Encheu a máquina de lavar com roupas e cuecas, e dobrou a quantidade de sabão em pó.

Ele se vestiu casualmente e saiu. Ligou para Diana Zhang, disse que havia voltado, que se sentia bem e queria dar uma passada no fórum para dar um oi. Quando chegou lá às nove, sua equipe o recebeu como um herói que regressava. Conversou com eles por um tempo, disse que sua primeira rodada de quimioterapia tinha sido um sucesso e que os médicos estavam confiantes. Ficaria em casa por alguns dias antes de voltar para Santa Fé.

Eles acharam que ele parecia cansado, abatido até.

Sentou-se à sua mesa e passou para a secretária uma lista de tarefas. Precisava ligar para algumas pessoas e pediu que ela se retirasse. Ele trancou a porta e olhou ao redor. A mesa, as cadeiras de couro, a outra mesa onde faziam pequenas reuniões, os arquivos, as prateleiras cobertas de livros e tratados. Felizmente, ele não tocava na maioria deles havia anos. A tarefa parecia impossível, mas ele não tinha escolha. Abriu sua maleta, colocou luvas descartáveis, tirou três pacotes de lenços umedecidos com álcool e começou a trabalhar.

Depois de duas horas, disse à equipe que estava indo para casa descansar. Avisou que não queria receber ligações. Em vez disso, dirigiu até seu esconderijo em Pensacola. Tinha certeza de que ninguém encontraria aquele lugar, mas não podia arriscar. Ele o projetara com extrema cautela, tomando cuidado para não deixar pistas em caso de emergência. Tudo era digitalizado – nada de livros, arquivos, contas, nada que pudesse deixar rastro.

Ele se esticou no sofá e conseguiu dormir por duas horas.

DE ACORDO COM O CALENDÁRIO DE AULAS de Jeri, publicado oficialmente no site da universidade, ela dava uma aula de política comparada às duas da tarde no Edifício de Humanidades. Ele memorizou o mapa do campus, dirigiu por uma hora até Mobile e encontrou o prédio.

O carro dela, um Toyota Camry 2009 branco, estava parado ao lado de centenas de outros em um estacionamento para professores e alunos, onde era exigida autorização para estacionar. Ele saiu, dirigiu até um lava-jato a vários quarteirões de distância, passou seu novo Tahoe pela autolavagem, depois estacionou perto dos aspiradores e abriu as quatro portas. Enquanto trabalhava, trocou a placa do carro, que agora era do Alabama. Depois de o veículo estar reluzente e imaculado, ele dirigiu de volta ao Edifício de Humanidades e encontrou o local mais perto possível do Camry. Abriu a mala de seu Tahoe, removeu o macaco e o estepe e fingiu trocar um pneu traseiro que não estava furado.

Um segurança do campus em um velho Bronco passou por entre a fileira de carros estacionados e parou atrás do Tahoe.

– Precisa de uma mãozinha? – perguntou ele, prestativo, mas sem fazer nenhum movimento para sair.

– Não, obrigado – disse Bannick. – Pode deixar.

– Você tem autorização para estacionar aqui?

– Não, senhor. Meu pneu furou bem ali – disse ele, apontando para a rua. – Vou embora já, já.

O segurança foi embora sem dizer uma palavra.

Merda! Um erro que não pôde ser evitado.

Com o Tahoe no macaco e sem tocar em uma porca sequer, ele pegou um rastreador GPS BlueCloud TS-180 com um suporte magnético que pesava pouco mais de cem gramas. Caminhou casualmente até o Camry, observando qualquer coisa que se movesse por trás de seus óculos escuros. Notou três estudantes entrando no prédio, mas eles definitivamente não perceberam sua presença, então se abaixou depressa e colocou o dispositivo na lateral do tanque de gasolina. A bateria durava 180 horas e era ativada por movimento; quando o carro estava parado, o rastreador era desativado. Ele voltou para seu Tahoe, colocou-o de volta no lugar, guardou o estepe e o macaco, fechou a mala e saiu do estacionamento. O segurança não estava à vista.

Duas horas depois, o Camry começou a se mover. Ele o rastreava com seu celular e logo o viu. Jeri parou em uma lavanderia, resolveu o que precisava e depois dirigiu para casa.

O rastreador funcionava lindamente.

Ele voltou para Cullman, esperou até as cinco e meia, horário de fechamento do fórum. Entrou pela porta dos fundos com sua própria chave. Ele sempre entrou e saiu quando quis ao longo de dez anos e raramente via alguém depois do expediente. Não estava cometendo crime nenhum, apenas arrumando seu escritório.

Ele limpou novamente o local e saiu depois de escurecer com duas maletas grossas cheias de pastas e blocos de papel. Um juiz trabalhador.

34

Na manhã de sexta-feira, Lacy e Darren chegaram a um edifício comercial no centro da cidade às 9h45 para uma reunião às dez, uma espécie de cúpula. O escritório do FBI ficava no sexto andar, e eles foram recebidos no elevador pelo agente especial Dagner, de Pensacola.

De um quarto de hotel no terceiro andar, a dois quarteirões de distância, o juiz Bannick monitorava o estacionamento por meio de um telescópio portátil. Ele observou Lacy e Darren desaparecerem no prédio. Dez minutos depois, viu um sedã sem a insígnia da polícia com placa do Mississippi estacionar e dois homens descerem. Eles usavam paletó e gravata para a importante reunião. Depois, foi um SUV preto. Todas as quatro portas se abriram ao mesmo tempo e os agentes do FBI, três homens e uma mulher, em ternos escuros alinhados, saíram do veículo e entraram apressados no local. Os dois últimos chegaram em um carro com placa da Flórida. Mais ternos escuros.

Quando o trânsito diminuiu, às 10h10, Bannick se sentou na beira da cama e esfregou as têmporas. O FBI havia chegado, os "Hoovies" do alto escalão de Washington, D.C., além da polícia estadual e do pessoal do Mississippi.

Ele não tinha como saber sobre o que eles conversariam. Rafe não tinha conseguido se infiltrar na rede.

Mas o juiz tinha alguma ideia do que estava acontecendo e sabia como descobrir.

ELES SE REUNIRAM AO REDOR de uma mesa comprida na maior sala do local enquanto duas secretárias traziam café e biscoitos. Depois de uma rodada de apresentações – foram muitos nomes, a ponto de Darren precisar anotar –, o chefe deu início à reunião. O agente especial encarregado, chamado Clay Vidovich, assumiu a cabeceira da mesa. À sua direita estavam os agentes especiais Suárez, Neff e Murray. À sua esquerda, o xerife Dale Black e o detetive Napier, de Biloxi. Ao lado deles, estavam dois investigadores da polícia estadual da Flórida, Harris e Wendel. Lacy e Darren estavam sentados à outra extremidade da mesa, como se de fato não pudessem sentar ao lado de policiais de verdade.

A polícia de Pensacola não havia sido convocada. O suspeito era um sujeito da região, com muitos contatos. Era preciso tomar cuidado com o vazamento de informações. A polícia local só iria atrapalhar.

– Muito bem, a papelada foi concluída, todos os protocolos foram cumpridos e o FBI está oficialmente envolvido neste caso – começou Vidovich. – Somos agora uma força-tarefa conjunta e estamos cem por cento comprometidos. Xerife, e a polícia estadual do Mississippi?

– Bem, eles certamente estão atualizados, mas me pediram para não mencionar essa primeira reunião para eles. Presumo que estarão prontos se precisarmos.

– Por enquanto, não, talvez mais pra frente. Tenente Harris, você notificou a polícia em Marathon?

– Não, senhor, mas se precisarmos deles o farei.

– Ótimo. Vamos prosseguir sem eles. Bem, todos nós lemos os dossiês e acho que estamos atualizados. Dra. Stoltz, já que a senhora começou tudo isso, por que não repassamos as questões básicas?

– Claro – disse ela, com um leve sorriso.

A única outra mulher na sala era a agente Agnes Neff, uma veterana com cara de durona que ainda não tinha esboçado um sorriso.

Lacy se levantou e empurrou a cadeira para trás.

– Tudo isso começou com uma denúncia contra o juiz Bannick, apresentada por Betty Roe, aqui um pseudônimo.

– Quando vamos saber o verdadeiro nome dela?

– Bem, agora que o caso é de vocês, acho que será quando vocês quiserem. Mas prefiro mantê-la fora disso o máximo possível.

– Muito bem. E por que ela está envolvida?

– O pai dela foi assassinado em 1992, próximo a Gaffney, na Carolina do Sul. O caso foi considerado sem solução e ela decidiu que encontraria o assassino de qualquer maneira. Ela está obcecada pelo caso há anos.

– E estamos falando de oito homicídios, certo?

– Oito até onde ela sabe. Pode ser que haja mais.

– Acho que podemos supor que há mais. E tudo que ela tem é a motivação, certo?

– E o método.

Vidovich olhou para Suárez, que balançou a cabeça e disse:

– É o mesmo cara. O mesmo tipo de corda, e o nó é a marca registrada. Conseguimos as fotos da cena do crime de Schnetzer, no Texas, mesma corda e mesmo nó. Estudamos as autópsias, mesmo tipo de golpe na cabeça, mesmo instrumento. Uma espécie de martelo que quebra o crânio em um ponto de impacto específico e provoca fraturas em todas as direções.

Vidovich olhou para o tenente Harris e perguntou:

– E o assassino o conhecia, certo?

– Isso mesmo – confirmou Harris. – Ambos eram advogados aqui na cidade há muitos anos.

– E você não conhece esse juiz, certo, Dra. Stoltz?

– Não, não tive esse prazer. Ninguém nunca o denunciou antes. Ele tem a ficha limpa e uma boa reputação.

– Isso é notável – comentou Vidovich para a mesa, e todos franziram a testa em concordância. – Dra. Stoltz, o que a senhora acha que ele faria se simplesmente o convocássemos para responder a algumas perguntas? Ele é um juiz bem conhecido, um funcionário do tribunal. Ele não sabe sobre a digital parcial. Por que ele não colaboraria?

– Bem, se ele é culpado, por que colaboraria? Na minha opinião, ele desapareceria ou chamaria um advogado. Mas ele não se colocará à disposição.

– Há chances de ele fugir?

– Na minha opinião, sim. Ele é inteligente e tem dinheiro. Ninguém desconfiou dele nos últimos vinte anos. Acho que esse cara é capaz de desaparecer em uma fração de segundo.

– Obrigado.

Lacy se sentou e olhou para os rostos ao redor da mesa.

– Está claro que precisamos das atuais impressões digitais dele – disse Vidovich. – Agnes, fale um pouco sobre um possível mandado de busca e apreensão.

Ainda sem sorrir, ela pigarreou e olhou para seu bloco de anotações.

– Eu me reuni com o Departamento Jurídico ontem em Washington, e eles acham que podemos fazer isso. Temos o principal suspeito de um homicídio, de dois, na verdade, ainda temos o caso Biloxi, e uma misteriosa impressão digital parcial que não foi identificada. O Jurídico diz que podemos fazer uma pressão para conseguir o mandado. O procurador do Mississippi foi informado e tem um magistrado de prontidão.

– Com licença, onde vocês pretendem fazer a busca?

– Na casa dele e no gabinete – respondeu Vidovich. – Estão cobertos com as impressões dele. Se conseguirmos uma correspondência, fim de jogo. Caso contrário, pedimos desculpas e deixamos a cidade. Betty Roe vai poder voltar à sua rotina de Sherlock Holmes.

– Certo, mas ele é obcecado por segurança e vigilância. Ele vai saber no instante em que alguém chutar uma porta ou entrar de alguma maneira. Aí já era, ele vai se mandar.

– Nós sabemos onde ele está neste momento?

Uma negativa generalizada. Vidovich olhou para Harris, que disse:

– Não, nós não estamos vigiando ele. Não há motivo pra isso. Não existe caso nem processo. Ele não é suspeito ainda.

– Além disso, ele está de licença médica, está fazendo tratamento contra um câncer, de acordo com uma fonte que temos aqui em Pensacola. O gabinete dele disse a um de nossos contatos que ele não estará na tribuna nos próximos dois meses. O site do tribunal confirma essa informação.

Vidovich franziu a testa e esfregou o queixo enquanto todos aguardavam.

– Muito bem, vamos dar início à vigilância e encontrar o cara – disse ele. – Enquanto isso, conseguimos um mandado de busca e apreensão com o juiz do Mississippi, trazemos pro juiz daqui e esperamos até encontrá-lo. A essa altura, ele não vai ter como sumir, e aí executamos o mandado.

Passaram uma hora discutindo sobre vigilância: quem, onde, como. Lacy e Darren ficaram entediados, a empolgação inicial se dissipou e eles finalmente pediram licença para se retirar.

Vidovich prometeu mantê-los informados, mas era óbvio que o trabalho da comissão havia terminado.

Saindo da cidade, Darren perguntou:

– Vai contar isso pra Betty?

– Não. Ela não precisa saber o que está acontecendo.

– Então encerramos com ela? Podemos fechar o caso?

– Não tenho certeza.

– Ué, você não é a chefe?

– Sou.

– Então por que você não pode dizer que a comissão não está mais envolvida?

– Tá cansado do caso?

– Nós somos advogados, Lacy, não policiais.

A VIAGEM DE TRÊS HORAS até Tallahassee foi um alívio. Era quase meio-dia de uma sexta-feira, em um dia estranhamente fresco de primavera, e eles decidiram não voltar para o escritório.

ENQUANTO DISCUTIAM O DESTINO do juiz Bannick, ele dirigiu dez minutos até seu centro comercial e desapareceu em seu outro gabinete e na Caixa-forte. Formatou os computadores, removeu os discos rígidos, pegou os pen drives nos cofres escondidos e limpou o local novamente. Ao sair, reiniciou as câmeras e os sensores de segurança, e partiu para Mobile.

Passou a tarde perambulando por um shopping, tomando café expresso em um Starbucks, bebendo refrigerante em um bar escuro, vagando pelo porto e dirigindo até escurecer.

35

O envelope com cópias dos três poemas era tamanho ofício, liso e branco. Estava selado e o nome do destinatário tinha sido escrito com caneta preta de ponta grossa – Jeri Crosby. Não havia endereço, na verdade não era necessário. As palavras *Entregue em mãos* foram anotadas abaixo do nome. Ele esperou até as nove da noite e estacionou no meio-fio a dois quarteirões de distância.

JERI ESTAVA À TOA em mais uma noite de sexta-feira, zapeando pelos canais da TV e resistindo à tentação de ir para a internet pesquisar mais assassinatos. Lacy tinha ligado depois do almoço pra lhe dar a notícia de que o FBI estava na cidade e assumiria o comando da investigação. Jeri deveria estar de bom humor agora que seu trabalho havia terminado e Bannick estava sendo investigado por profissionais. Estava aprendendo, porém, que obsessões não acabam tão fácil assim e que era impossível apenas pressionar um botão e seguir em frente. Ele tinha feito parte da vida dela por tanto tempo que não conseguia simplesmente parar de pensar nele. Ela não tinha nenhum outro propósito além de seu trabalho negligenciado e sua querida filha. E ainda estava aterrorizada. Jeri se perguntou quanto tempo o medo iria durar. Seria capaz de passar uma hora inteira sem olhar para trás desconfiada?

Ela deu um pulo com a campainha. Atrapalhou-se com o controle remoto, desligou a TV, pegou a pistola mais próxima em cima de uma mesa perto da porta e espiou pelas persianas. Um poste de luz iluminava os jardins dos quatro edifícios alinhados ao dela, mas não revelava nada. Ela jamais abriria a porta, não às nove da noite de uma sexta-feira, e não conseguia pensar em ninguém que a visitaria sem ligar primeiro. E ninguém trabalhava até aquela hora. Ela aguardou para ver se a campainha tocaria mais uma vez, segurando a pistola e resistindo à vontade de olhar pelo olho mágico. Longos minutos se passaram, e quem quer que estivesse lá fora não tocou a campainha de novo, o que só a deixou mais nervosa. Seriam crianças aprontando pela vizinhança? Aquilo nunca tinha acontecido, não em sua pequena e tranquila rua. Ela percebeu que estava suando e seu estômago, revirando. Tentou respirar fundo, mas seu coração estava acelerado.

Lentamente, foi até a porta e disse alto o suficiente para ser ouvida dos degraus do lado de fora:

– Quem é?

Obviamente, não houve resposta. Reuniu forças para olhar pelo olho mágico, meio que esperando ver um globo ocular injetado de sangue a fitando, mas não havia ninguém. Deu um passo para trás, respirou fundo mais uma vez, manteve a pistola na mão direita e a destravou com a esquerda. Sem tirar a corrente da porta principal, olhou através do vidro da segunda porta, mas não viu ninguém. Será que estava ouvindo coisas de novo? Alguém de fato havia tocado a campainha?

A câmera, sua idiota! Ela quase nunca ouvia a campainha tocar, o que a fazia se esquecer da câmera. Foi até a cozinha, pegou o celular e, com as mãos trêmulas, conseguiu encontrar o aplicativo. Ficou boquiaberta com o vídeo. A câmera da campainha era ativada por movimento e a um metro e meio de distância, assim que o indivíduo pareceu sair dos arbustos, começou o vídeo. Ele subiu os degraus, enfiou um envelope por baixo da porta de vidro e desapareceu. Ela assistiu mais uma vez, depois outra, e sentiu o estômago revirar.

Homem, longos cabelos cor de areia que tocavam os ombros. Um boné completamente liso puxado para baixo. Óculos de armação grossa, e sob eles havia uma máscara cor de pele com marcas de catapora e cicatrizes, parecendo um filme de terror.

Ela acendeu as luzes e se sentou no sofá com a arma e o telefone. Assistiu ao vídeo novamente. Eram apenas seis segundos, e só era possível vê-lo durante metade do tempo. Três segundos foram suficientes. Ela se pegou chorando, algo que odiava, mas as lágrimas não tinham nada a ver com tristeza. Eram lágrimas de puro terror. Seu estômago revirou e ela quis vomitar. Ela tremia dos pés à cabeça e seu coração estava acelerado.

E logo a situação ficaria ainda pior.

Em algum momento, Jeri se forçou a se levantar e caminhar até a porta. Ela a destrancou e espiou novamente, então destrancou a porta de vidro. O envelope caiu no limiar. Ela o pegou, trancou tudo e voltou para o sofá, onde o observou por dez minutos.

Ao abrir e encontrar seus poemas, suas mãos instintivamente voaram até a boca e abafaram seu grito.

A POLÍCIA FICOU IRRITADA com uma chamada tão irresponsável. Levaram vinte minutos para chegar, felizmente sem todas aquelas luzes azuis, e foram recebidos dos degraus da entrada.

– Um ladrão? – perguntou o primeiro.

Para sorte dela, o segundo remexeu o canteiro de flores com uma lanterna, mas não encontrou nada.

Jeri lhes mostrou o vídeo.

– Foi só uma brincadeira, senhora – disse o primeiro, balançando a cabeça. – Alguém só está tentando apavorar você.

Era sexta-feira à noite em uma cidade grande e eles tinham assuntos muito mais urgentes a tratar, como crimes violentos, traficantes de drogas e adolescentes bêbados.

– Bem, a brincadeira definitivamente funcionou – disse ela.

O Sr. Brammer, da casa ao lado, apareceu e os policiais o interrogaram. Jeri não falava com ele havia semanas. Nem com os seus outros vizinhos. Ela era conhecida como uma pessoa reclusa e não muito amigável. Ele disse a ela que ligasse se aquilo acontecesse novamente. A polícia estava pronta para ir embora e prometeu patrulhar a área ao longo das horas seguintes. Depois que eles se foram, ela se certificou de que estava tudo trancado e se sentou no sofá, com todas as luzes acesas. Pensando o impensável.

Bannick sabia que era ela. Ele tinha ido à casa dela, tocado a campainha, deixado um envelope com seus poemas. E ele voltaria.

Pensou em ligar para Denise, mas por que assustá-la? Ela estava a milhares de quilômetros de distância e não poderia fazer nada para ajudar. Pensou em ligar para Lacy, só para que alguém estivesse ciente. Mas ela estava a três horas de distância e provavelmente não atenderia a ligação a uma hora daquelas.

À meia-noite, ela apagou todas as luzes e ficou sentada no escuro, esperando.

Uma hora depois, arrumou uma pequena bolsa e, com a pistola na mão, saiu pelos fundos e entrou no carro. Saiu de lá, olhos grudados no retrovisor, e não viu nada suspeito. Ziguezagueou por bairros tranquilos, virou na direção leste pegando a interestadual 10 e, quando as luzes do centro ficaram para trás, ficou aliviada por estar fora da cidade. Pegou uma saída e foi para o sul em direção ao golfo, pela rodovia 59. A estrada estava deserta àquela hora, e ela tinha certeza de que ninguém a seguia. Cruzou as cidades de Robertsdale e Foley. Parou em uma loja de conveniência 24 horas e observou a estrada atrás dela. Um carro passava a cada dez minutos. A estrada ia dar na praia em Gulf Shores. Leste ou oeste eram as opções. Bannick provavelmente ainda estava à espreita em Mobile, então virou à esquerda e dirigiu pelas cidades litorâneas do Alabama, depois foi em direção à Flórida. Durante uma hora, ela deslizou pela rodovia 98 até parar em um semáforo em Fort Walton Beach. Havia um carro atrás dela há algum tempo, o que era estranho, já que não havia mais ninguém na rua. De súbito, virou na direção norte pegando a rodovia 85, mas o carro não a seguiu. Meia hora depois, atravessou a interestadual 10 e viu placas de lanchonetes fast-food, postos de gasolina e hotéis baratos.

Ela precisava descansar e foi atraída pelas luzes brilhantes e pelo estacionamento praticamente vazio de um hotel de beira de estrada chamado Bayview. Estacionou, colocou a pistola na bolsa e entrou para pegar um quarto.

VINTE MINUTOS DEPOIS, Bannick entrou no estacionamento. Com o notebook no colo, ficou sentado no SUV, que novamente tinha placa do Alabama, e reservou um quarto on-line. Quando o e-mail de confirmação chegou, esperou dez minutos, respondeu que havia um problema com a reserva e enviou um anexo. Quando o recepcionista o abriu, Rafe passou pelo sistema de segurança e começou a vasculhar a rede.

Desde as 21h28 da noite anterior, apenas um hóspede havia feito check-in, uma tal Margie Frazier, usando um cartão de crédito pré-pago.

Que bonitinho, pensou o juiz. Ela gosta de usar nomes diferentes.

Rafe a encontrou no quarto 232. Do outro lado do corredor, o 233 parecia vago. No final do corredor havia uma porta de saída e uma escada, apenas para emergências.

O hotel usava um clássico sistema de cartão eletrônico, com um disjuntor central para evacuações em caso de incêndio. Rafe encontrou o quadro de força digital e, só para ver como seria, o juiz apagou as luzes da recepção, deixou o local no escuro por alguns segundos e depois as acendeu novamente. Nenhuma alma se moveu.

Ele entrou no saguão vazio e tocou a campainha da recepção. Um jovem de olhos sonolentos apareceu e o cumprimentou. Enquanto Bannick falava sem parar, eles rapidamente resolveram a papelada relativa à diária de um quarto para uma pessoa. Pediu o quarto 233, disse que tinha ficado nele seis meses antes e dormido nove horas, um recorde recente. Queria tentar a sorte novamente. Superstição e tudo mais. O jovem não se importou.

Ele pegou o elevador para o segundo andar, entrou no quarto 233 sem fazer barulho e inspecionou a porta. Para maior segurança, havia um trinco de ferro, além da tranca eletrônica. Nada extravagante, mas era um hotel para turistas que alugava quartos por 99 dólares a noite. Colocou um par de luvas descartáveis da cor de sua pele, abriu o notebook, conectou-se com Rafe e analisou os sistemas de segurança e iluminação.

Margie estava do outro lado do corredor, no 232. Ao lado, o 234 estava vago. Para praticar, ele fez Rafe destrancar as portas de todos os quartos, então foi até o 234 e a abriu simplesmente girando a maçaneta. De volta ao seu quarto, trancou todas as portas, em seguida arrumou suas ferramentas no aparador barato, colocando cuidadosamente um frasquinho de éter, um pano de microfibra, uma pequena lanterna e uma espécie de chave usada para arrombar portas. Ele colocou tudo nos bolsos da frente de um colete que já havia usado em uma dessas ocasiões especiais. Ao lado da bolsa de ferramentas, colocou delicadamente uma agulha hipodérmica e um pequeno frasco de cetamina, um barbitúrico forte usado para anestesia.

Alongou as costas, respirou fundo algumas vezes e se lembrou de duas verdades importantes: primeiro, ele não tinha escolha; segundo, fracassar não era uma opção.

Eram 3h18 da manhã de sábado, dia 26 de abril. Com seu laptop, instruiu Rafe a destrancar todas as portas e, em seguida, desligar a eletricidade. Imediatamente o local inteiro virou um breu. Com a lanterna entre os dentes, ele abriu a porta, atravessou o corredor, girou silenciosamente a maçaneta do quarto 232, deslizou a chave especial pela fresta, empurrou o trinco de ferro, abriu a porta, se ajoelhou, desligou a lanterna e rastejou para dentro do quarto. Aparentemente, até aquele momento, não tinha emitido nenhum som.

Ela estava dormindo. Ele ouviu sua respiração pesada, sorriu e soube que o resto seria fácil. Tateando, aproximou-se da cama dela, tirou um pano de microfibra embebido em éter do bolso do colete, acendeu a lanterna e atacou. Jeri estava dormindo de lado, sob os lençóis, e não percebeu que havia algo de errado até que uma mão pesada encostou em sua boca e a pressionou com tanta força que ela não conseguia respirar. Grogue, confusa, aterrorizada, ela tentou se soltar, mas seu agressor era forte e estava em vantagem. A última coisa que ficou em sua mente foi o gosto doce de algo em um tecido macio.

Bannick verificou o corredor – escuridão total, nenhuma voz em lugar algum. Ele a arrastou para seu quarto e a colocou na cama, então foi até o notebook e ligou novamente a eletricidade.

Ele nunca a tinha visto. Altura mediana, esbelta, bonita, embora fosse difícil dizer enquanto ela estava de olhos fechados. Jeri tinha ido para a cama usando calças de ioga pretas e uma camiseta azul desbotada, provavelmente pronta para sair correndo a qualquer momento. Ele pegou quinhentos miligramas de cetamina e injetou no braço esquerdo dela. A droga deveria mantê-la apagada pelo período de três a quatro horas. Ele foi até o quarto dela, pegou seus tênis e um casaco leve, notou a pistola na mesa de cabeceira, uma nove milímetros automática, e por uma fração de segundo se considerou sortudo por ela não a ter usado, então saiu do quarto e fechou a porta.

Seu SUV estava estacionado o mais próximo possível da escada externa. Ele jogou sua bolsa no carro, abriu a mala, olhou ao redor e não viu nada, então voltou para seu quarto. Foi até seu notebook, cortou a eletricidade, verificou novamente se todas as câmeras de segurança estavam desligadas, então levantou Jeri da cama, atirou-a sobre o ombro, grunhiu e desceu depressa o corredor e as escadas. Parou na beira do prédio para dar mais uma olhada, novamente não viu nada se movendo, nenhum farol em lugar algum, e correu pela escuridão até seu SUV.

Suando e com a respiração pesada, ele voltou até o quarto para pegar o notebook, seus tênis e seu casaco, e se certificar de que nada tinha sido deixado para trás. Às 3h38, ele saiu do estacionamento do Bayview e seguiu para o leste ao longo da costa.

36

Ela acordou no breu absoluto. Um pano pesado cobria sua cabeça e dificultava sua respiração. Os punhos estavam amarrados atrás do corpo e suas mãos e seus braços doíam por estarem torcidos feito um pretzel. Seus tornozelos também estavam unidos. Estava deitada sobre uma colcha. Podia sentir o que parecia ser couro atrás dela. Parecia ser o encosto de um sofá. O ar estava quente, enfumaçado até.

Ela estava viva, pelo menos por enquanto. Aos poucos, enquanto a lucidez voltava, ela colocou os pensamentos em ordem, até que se deu conta do crepitar suave de uma lareira. Um homem tossiu, não muito longe. Ela não se atreveu a se mexer. Mas seus ombros estavam latejando e era impossível não se contorcer.

– Acho que está na hora de você voltar – disse ele. A voz era familiar.

Ela se sacudiu e, com dificuldade, conseguiu se sentar.

– Meus braços estão me matando – disse ela. – Quem é você?

– Acho que você sabe.

O movimento brusco a deixou enjoada e ela achou que fosse vomitar.

– Estou passando mal – murmurou ela conforme sua boca era preenchida de suco gástrico.

– Você pode vomitar quanto quiser.

Ela engoliu tudo de volta, depressa e com dificuldade, reprimindo o vômito. A respiração pesada a fez suar.

– Preciso de um pouco de ar, por favor. Estou sufocando.

– Essa é uma das minhas palavras favoritas.

Ele se aproximou do rosto dela e arrancou o capuz. Jeri olhou boquiaberta para a máscara pálida com marcas de catapora e cicatrizes, e gritou. Em seguida se engasgou e começou a vomitar no chão. Quando ela terminou, ele delicadamente estendeu a mão atrás dela e abriu as algemas. Ela soltou as mãos e sacudiu os braços como se quisesse fazer o sangue circular.

– Obrigada, babaca – disse ela.

Ele caminhou até a lareira, ao lado de uma pilha de pastas do escritório, e lentamente atirou uma por uma nas chamas.

– Você pode me dar um pouco de água? – perguntou ela.

Ele apontou para uma garrafa ao lado de um abajur. Ela a pegou e tomou um gole, tentando não olhar para ele. Ele a ignorou enquanto queimava as pastas.

O cômodo estava escuro, persianas fechadas, colchas cobrindo as duas janelas, não havia luz do sol em lugar algum. O teto era baixo, as paredes eram troncos de madeira perfeitos entremeados com gesso branco. Em uma mesa de centro havia um rolo de corda de náilon, metros dela, de cor azul e branca, com dois pedaços cortados, tudo bem à vista para deixá-la apavorada.

– Onde a gente tá? – perguntou ela.

– E você acha que eu vou responder isso?

– Não. Tira essa máscara, Bannick. Eu sei quem você é. Eu reconheço a sua voz.

– A gente se conhece?

– Não, graças a Deus, não até agora. Eu vi você no teatro, *Death of a Salesman*.

– Há quanto tempo você me persegue?

– Há vinte anos.

– Como você me achou?

– Como *você* me achou?

– Você cometeu alguns erros idiotas.

– Você também. Os meus tornozelos e as minhas pernas estão dormentes.

– Que pena. Você tem sorte de estar viva.

– Então é você. Pensei em te matar anos atrás.

Ele achou graça daquilo e se sentou em um banco na frente dela. Ela não suportava olhar para a máscara dele e, em vez disso, encarava o fogo. Sua respiração ainda estava pesada e seu coração parecia uma britadeira. Se ela não estivesse tão aterrorizada, teria se lamentado por ter sido pega pelo homem que passou décadas odiando. Ela precisava vomitar de novo.

– Por que você não me matou? – perguntou ele.

– Porque não valia a pena ser presa por isso e eu não sou uma assassina.

– É uma arte, quando bem-feita.

– Você deveria saber disso.

– Ah, mas eu sei.

– Eu sou a próxima?

– Não sei. – Ele se levantou devagar, tirou a máscara e a jogou no fogo, depois atirou mais algumas pastas. Voltou para o banco na frente dela, seus joelhos quase se tocando.

– Por que você ainda não me matou, Bannick? Eu seria, o quê, a nona vítima, décima?

– Talvez. Por que eu deveria te contar?

– Então deixei passar algumas. – Jeri sentiu uma onda de horror, estremeceu e engoliu em seco. Ela fechou os olhos para evitar o olhar de Bannick.

Ele voltou para a pilha de pastas próxima à lareira, pegou várias e lentamente as atirou nas chamas. Ela queria perguntar o que ele estava queimando, mas isso não importava. Nada era mais importante que continuar viva, embora tivesse dúvidas de que isso aconteceria. Seus pensamentos voaram até Denise, a única pessoa no planeta que sentiria sua falta.

Ele voltou para o banco e olhou para ela.

– Tenho algumas opções, Sra. Crosby...

– Ah, por favor, não me venha com esse tom respeitoso. Não preciso disso. Vamos ficar com Jeri e Bannick, ok?

– Quanto mais você falar, maiores serão suas chances, porque quero saber o que você sabe e, mais importante, quero saber o que a polícia sabe. Posso ir embora, Jeri, evaporar e nunca mais ser visto. O que a Lacy Stoltz sabe?

– Deixa ela fora disso.

– Jura? Que coisa estranha de se dizer. Você fez a denúncia, mencionou Verno, Dunwoody e Kronke, insinuou outros, envolveu a Lacy em seja lá o que ela está fazendo, e agora me pede pra deixá-la fora disso. Pra completar, você me enviou uma carta anônima dizendo que ela estava me investigando. Esse foi um dos seus erros, Jeri. Você sabia que ela não teria escolha a não ser ir à polícia, algo que você temia. Por que você estava com medo da polícia?

– Talvez eu não confie na polícia.

– É bem inteligente da sua parte. Então você me joga no colo da Lacy porque ela não tem outra opção a não ser investigar o judiciário. Você sabia que ela iria à polícia. Você se escondeu atrás dela, e agora quer que eu deixe ela em paz. É isso?

– Não sei.

– O que a Lacy sabe?

– Como eu vou saber? Ela está fazendo a própria investigação.

– Então, o que você disse a ela? Acho que a pergunta é... o que *você* sabe?

– Que diferença faz? Você vai me matar de qualquer maneira. Adivinha só, Bannick? Eu te peguei.

Ele não respondeu, mas voltou às pastas, pegou várias delas e metodicamente as atirou no fogo, esperando que uma inflamasse antes de adicionar a próxima. O cômodo estava quente e cheirava a fumaça. A única luz vinha da lareira, e as sombras escureciam as paredes e o que quer que estivesse atrás dela. Ele se retirou e, voltando com uma xícara na mão, perguntou:

– Quer um café?

– Não. Olha, meus tornozelos estão doendo e minhas pernas estão dormentes. Me alivia aqui pra gente poder conversar.

– Não. E, antes que você tente alguma coisa, só existe uma porta aqui, e ela está trancada. Esse chalé fica no meio da floresta, longe de qualquer outra pessoa, então, se você quiser, pode gritar até ficar rouca. Se conseguir sair, boa sorte. Cuidado com as cascavéis, os ursos e os coiotes, isso sem falar nos caipiras armados que não dão a mínima pra pessoas negras.

– E eu deveria me sentir mais segura aqui com você?

– Você não tem telefone, carteira, dinheiro nem sapatos. Deixei a sua arma no seu quarto de hotel, mas tenho duas escondidas ali. E prefiro não usar nenhuma.

– Por favor, não.

– O que a Lacy sabe?

Jeri olhou para o fogo e tentou organizar os pensamentos. Se dissesse a verdade, poderia colocar Lacy em risco. Mas, se dissesse a verdade e o convencesse de que Lacy e o FBI sabiam de tudo, ele poderia de fato desaparecer. Ele tinha meios, dinheiro, contatos e inteligência para fazer isso acontecer.

Ele perguntou lentamente:

– O que a Lacy sabe?

– Ela sabe o que eu contei pra ela sobre o Verno, o Dunwoody e o Kronke. Além disso, não faço ideia.

– Mentira. Você obviamente sabe sobre o seu pai, a Eileen, o Danny Cleveland. E espera que eu acredite que não contou nada disso pra Lacy.

– Não tenho como provar nenhum desses.

– Você não tem como provar nada. Ninguém tem!

Ele esticou a mão e agarrou um pedaço de corda, e rapidamente o enrolou ao redor do pescoço dela. Segurou as duas pontas e fez um pouco de pressão. Jeri recuou, mas não conseguiu fugir. Ele estava praticamente em cima dela, seu rosto a meio metro do dela.

– Escuta aqui – sussurrou ele. – Quero todos os nomes em ordem, um após outro, começando pelo seu pai.

– Por favor, sai de cima de mim.

Ele apertou um pouco mais.

– Não me obrigue.

– Tá bem, tá bem. Meu pai não foi o primeiro, foi?

– Não.

– Thad Leawood foi o primeiro, depois meu pai. – Ela fechou os olhos e começou a chorar de soluçar, alto e descontroladamente. Ele recuou e deixou a corda pendurada no pescoço dela. Ela enterrou o rosto nas mãos e chorou até finalmente recuperar o fôlego. – Eu odeio você – murmurou. – Você não faz ideia.

– Quem foi o próximo?

Ela secou o rosto com o antebraço e fechou os olhos.

– Ashley Barasso, 1996.

– Eu não matei a Ashley.

– Isso é difícil de acreditar. Mesma corda, mesmo nó, o nó fiel duplo que você provavelmente aprendeu quando era escoteiro, certo, Bannick? Foi Thad Leawood que te ensinou o nó fiel duplo?

– Eu não matei a Ashley.

– Não estou em posição de discutir com você.

– E você deixou um passar.

– Ótimo.

Ele se levantou e caminhou até a lareira, onde jogou mais algumas pastas. Assim que ele lhe deu as costas, ela arrancou a corda do pescoço e a atirou do outro lado do cômodo. Ele a pegou do chão e voltou para o banco na frente dela, brincando com a corda.

– Vamos lá – disse ele. – Quem veio depois?

– Quem eu deixei passar?

– Por que eu deveria te contar?

– Boa pergunta. Não me importo mais, Bannick.

– Prossiga.

– Eileen Nickleberry, 1998.

– Como você descobriu?

– Desenterrando o seu passado, o mesmo que fiz em todos os casos. Uma vítima é encontrada estrangulada com a mesma corda amarrada com um nó esquisito. Em algum momento, a informação chega à base de dados do FBI sobre crimes violentos. Eu sei acessá-la. Tenho alguns contatos. Faço isso há vinte anos, Bannick, e aprendi muita coisa. Com um nome, começo a pesquisa, embora a maioria delas não dê em nada. Mas a persistência compensa.

– Não consigo acreditar que você me encontrou.

– Quer que eu continue?

– Sim. Próximo?

– Você ficou parado por alguns anos, um pequeno hiato, nada incomum em seu mundo doentio, e tentou se endireitar. Não conseguiu. Danny Cleveland foi encontrado estrangulado em casa, em Little Rock, em 2009.

– Ele teve o que mereceu.

– Claro que teve. Expor um caso de corrupção fez ele ser punido com pena de morte. Mais um troféu pra sua coleção.

– Prossiga. Próximo.

– Dois anos atrás, Perry Kronke foi encontrado morto no barco dele, assando sob o sol quente do verão, com sangue por toda parte. Você ficou puto por ele não ter te oferecido um emprego, como acontece com qualquer estagiário temporário. Você tinha 24 anos e matou mais uma pessoa.

– Você deixou outro passar.

– Perdão.

– Prossiga.

– Verno e Dunwoody no ano passado, em Biloxi. O Verno ganhou de você no tribunal, quando você era um jovem advogado, então é claro que ele merecia morrer. O Dunwoody apareceu na hora errada. Você não sente nenhum remorso pela família dele? Esposa, três filhos, três netos, um homem maravilhoso, com muitos amigos. Nada, Bannick?

– Alguém mais?

– Bem, a tal matéria do *Ledger* incluía Mal Schnetzer, parte de uma safra bastante recente. Assassinado há apenas uma semana em algum lugar perto de Houston. Parece que vocês se conheciam, assim como todas as suas vítimas. Nem tive tempo de pesquisar sobre a morte do Schnetzer. Você anda matando tanta gente ultimamente que não consigo acompanhar.

Ela fez uma pausa e olhou para ele. Ele prestava atenção, como se estivesse se divertindo.

"Continue falando", disse a si mesma.

– Por que, Bannick, os serial killers costumam aumentar o ritmo no final? Você lê sobre eles, os outros? Você nunca quis saber como eles agem? Já roubou alguma dica ou estratégia deles? A maioria é escrita depois de eles serem pegos ou mortos. Bem, eu li sobre todos eles, e muitas vezes, mas Deus sabe que não existe nenhuma lógica nessa loucura toda, eles se sentem acuados e reagem acelerando. Kronke, depois Verno e Dunwoody, agora Schnetzer. São quatro em apenas dois anos.

– Apenas três na minha contagem.

– É claro. O Dunwoody não conta porque ele nunca te ofendeu, nem puxou uma arma, nem te constrangeu em sala de aula.

– Cala a boca.

– Você me disse pra continuar falando.

– Agora estou dizendo pra você calar a boca.

– Não quero me calar, Bannick. Passei tempo demais investigando essa sua vida miserável e nunca sonhei que um dia seria possível te dizer pessoalmente quanto você é um infeliz de merda. Você é um covarde. Seus crimes não exigiram coragem.

– Você disse isso em um dos seus poemas idiotas.

– Achei eles bastante inteligentes.

– E bastante estúpidos. Por que você se deu a esse trabalho?

– Boa pergunta, Bannick. Não sei exatamente se tenho a resposta. Eu só queria me gabar, acho. Talvez fosse uma forma de te atormentar. Quero que você sofra. E agora que o fim está próximo, nem acredito que é você quem está fugindo, se escondendo aqui na floresta, planejando matar uma última vez. Seu jogo acabou, Bannick; a sua vida também. Por que você não se rende como um homem e aceita sua punição?

– Já falei pra você calar a boca.

– Mas eu tenho tantas coisas pra dizer.

– Não interessa. Estou cansado da sua voz. Se você quer continuar falando depois, então cale a boca agora.

Ele se levantou de repente, caminhou até ela, sentou-se no banco, novamente com os joelhos quase tocando os dela. Ela se afastou o máximo possível, certa de que ele estava prestes a atacar. Ele colocou a mão no bolso e tirou dois celulares descartáveis.

– Tô indo buscar a Lacy. Quero ela aqui com você. Teremos uma longa e agradável conversa e vou descobrir quanto ela sabe.

– Deixa ela em paz. Ela só fez o trabalho dela.

– É mesmo? Ela colocou o FBI na história.

– Deixa ela em paz. A culpa é minha, não da Lacy. Ela nunca tinha ouvido falar de você até eu ir atrás dela.

Ele mostrou os dois celulares e disse:

– Isso aqui é seu. Não tenho certeza de qual vai funcionar, mas quero que você ligue pra Lacy e peça pra ela te encontrar. Diga a ela que você tem uma evidência que vai provar, sem sombra de dúvida, que sou o assassino, mas que não pode falar sobre esse assunto pelo telefone. Que é urgente e ela precisa se encontrar com você agora.

– Anda logo e me mata de uma vez.

– Escuta aqui, sua imbecil. Não vou te matar, pelo menos não agora, talvez nunca. Eu quero a Lacy aqui. Nós vamos conversar e, assim que eu souber tudo, existe uma boa chance de eu simplesmente desaparecer, ir pra alguma vila exótica à beira-mar ou nas montanhas, algum lugar onde ninguém fala inglês. Eles nunca vão me encontrar. Já estive lá, sabe? Está tudo planejado.

Ela respirou fundo enquanto seu coração acelerava.

– Qual celular? – perguntou ele.

Ela pegou um dos aparelhos sem olhar para ele. Do nada, Bannick sacou uma pistola, uma das grandes, e a colocou ao lado dele no banco.

– Fala pra ela te encontrar no Bayview Motel perto de Crestview, bem na saída da interestadual. Ela sabe qual é o seu carro?

– Sabe.

– Ótimo. Ainda está lá no estacionamento. Fala pra ela estacionar ao lado dele. Seu quarto era o 232. Reservei pra outra noite, usando o mesmo nome, Margie Frazier, então quando ela verificar verá que você está hospedada lá. Pedi pro gerente que não limpassem o quarto. Talvez suas coisas ainda estejam lá.

– Não me importo.

– Você se importa com sua nove milímetros? Estava na mesinha de cabeceira.

– Eu queria ter pegado ela a tempo.

– Eu também.

Houve uma longa pausa enquanto ela olhava para o fogo e ele, para o chão. Lentamente, ele pegou a arma, mas não a apontou para ela.

– Liga pra ela. Vocês vão se encontrar hoje à noite, às nove, no Bayview Motel. E seja convincente, viu?

– Eu não sei mentir muito bem.

– Bobagem. Você tem muito talento pra isso, só é uma péssima poeta.

– Promete que você não vai machucá-la.

– Sem promessas, exceto que, se eu voltar pra cá sem a Lacy, vou usar isso.

Ele pegou uma tira da corda e jogou em cima dela. Ela gritou e tentou afastá-la.

37

O jogo começava às nove, um péssimo horário para se esperar que meninos de 10 anos estivessem uniformizados, devidamente alongados, aquecidos e prontos para jogar. O Royals entrou em campo e uma meia dúzia de pais aplaudiu educadamente das arquibancadas. Alguns gritaram palavras de incentivo que os meninos não ouviram. Os técnicos bateram palmas e tentaram gerar alguma emoção.

Diana Zhang estava sentada sozinha em uma cadeira de jardim do lado da primeira base, uma colcha dobrada sobre as pernas, um copo de café na mão. O ar da manhã estava gelado, surpreendentemente fresco para o final de abril no noroeste da Flórida. Do outro lado, na linha da terceira base, seu ex-marido estava apoiado na cerca e via o filho correr para o campo central. O divórcio deles era muito recente para qualquer tentativa de civilidade.

Atrás dela, alguém com uma voz feminina disse baixinho:

– Com licença, Sra. Zhang.

Ela olhou para a direita e deparou com um distintivo preso a uma carteira de couro preta estendido em sua direção. Uma mulher o segurava.

– Agente Agnes Neff, FBI – disse ela. – Tem um minuto para trocarmos uma palavrinha?

Assustada, como qualquer um ficaria, Diana disse:

– Bem, eu queria ver meu filho jogar.

– Nós também. Vamos dar uma volta só até o final da cerca e conversar um pouco. Não vai levar nem dez minutos.

Diana se levantou e encarou as arquibancadas para se certificar de que ninguém estava olhando. Ela se virou e viu o que só poderia ser outro agente. Ele indicou o caminho e eles pararam perto do *foul pole*.

– Esse aqui é o agente especial Drew Suárez – disse Neff.

Ela lançou ao homem um olhar de irritação e ele acenou com a cabeça em resposta.

– Seremos breves – prosseguiu Neff. – Estamos procurando seu chefe e não conseguimos encontrá-lo. Alguma ideia de onde o juiz Bannick pode estar agora?

– Bem, é... não. Imagino que ele esteja em casa num sábado de manhã.

– Não está.

– É, então não sei. O que está acontecendo?

– Quando você o viu pela última vez?

– Ele passou no gabinete na quinta de manhã, anteontem. Não falei com ele desde então.

– Ficamos sabendo que ele está em tratamento.

– Está, sim. Câncer. Ele está com problemas ou algo assim?

– Não, de jeito algum. Temos apenas algumas perguntas de rotina sobre alegações feitas em uma outra investigação.

Aquilo era vago o suficiente para não significar nada, jargão policial na sua melhor forma, mas Diana decidiu que não era hora de insistir. Ela assentiu como se entendesse perfeitamente.

– Então, a senhora não faz ideia de onde ele possa estar? – perguntou Neff.

– Bom, vocês já devem ter ido ao fórum. Ele tem uma chave, então entra e sai a qualquer hora.

– Estamos vigiando o local. Ele não está lá. Não está em casa. Alguma ideia de onde mais ele possa estar?

Diana observou o jogo por alguns segundos, sem saber o que dizer.

– Ele tem um bangalô em Seaside, mas raramente vai pra lá.

– Estamos vigiando também. Ele não está lá.

– Muito bem. Você disse que ele não está com problemas, então por que estão vigiando todos esses lugares?

– Precisamos falar com ele.

– Certo.

Suárez deu um passo à frente, lançou a ela um olhar duro e disse:

– Sra. Zhang, você está falando com o FBI. Preciso lembrá-la de que é contra a lei não falar a verdade?

– Você tá me chamando de mentirosa?

– Não.

Neff balançou a cabeça.

– É importante encontrarmos ele o mais rápido possível – disse Neff.

Diana olhou para Suárez, depois para Neff.

– Pode ser que ele tenha voltado pra Santa Fé. Ele está fazendo um tratamento pra câncer de cólon lá. Olha, ele é muito reservado e cuida das suas viagens sozinho. Ele está de licença e não discute as coisas com ninguém. – Ela olhou para Suárez e disse com firmeza: – De verdade, não faço a menor ideia de onde ele está.

– Ele não reservou nenhum voo nas últimas quarenta e oito horas – informou Neff.

– Como eu disse, não cuido das viagens dele.

– Você sabe o nome do centro de tratamento em Santa Fé?

– Não.

Neff e Suárez se entreolharam e assentiram como se acreditassem nela.

– Eu gostaria que essa conversa fosse mantida entre nós – disse Neff. – Extraoficialmente.

Suárez entrou na conversa:

– Em outras palavras, não mencione isso ao juiz se por acaso falar com ele. Certo?

– Certo.

– Se você contar pra ele sobre nós, pode ser presa como cúmplice.

– Achei que ele não tivesse feito nada de errado.

– Ainda não. Mantenha isso em segredo.

– Pode deixar.

ELA SABIA APENAS que Allie estava em algum lugar do Caribe, vigiando, perseguindo, interceptando alguém. Ele tinha deixado escapar que se tratava de um trabalho em conjunto com o Departamento de Narcóticos. Algo grande estava acontecendo, mas ela ouvia isso já fazia quase três anos. O importante é que ele estivesse em segurança, mas havia oito dias que ele tinha partido e ela não recebera nenhuma notícia até aquele momento.

Ambos estavam cansados do trabalho dele, e ela não conseguia se imaginar casada com um homem que vivia desaparecendo. O grande momento se aproxima. Não era mais uma questão de meses, mas de semanas. A conversa em que tudo seria dito. Complicado, mas simples. Ou nos comprometemos um com o outro e planejamos nosso futuro, ou deixamos para lá e paramos de perder tempo.

Ela estava com dor e se alongava em uma espécie de ioga misturada com fisioterapia, uma rotina de trinta minutos que deveria cumprir duas vezes por dia, quando o telefone tocou às 10h04. Provavelmente Jeri, querendo saber de alguma atualização.

Em vez disso, era a voz não muito agradável de Clay Vidovich, que conhecera no dia anterior na reunião do FBI em Pensacola.

– Desculpe incomodar em uma manhã de sábado – disse ele, mas no fundo não parecia preocupado com o possível incômodo.

– Não estamos conseguindo encontrar esse cara, Lacy – disse ele. – Você tem alguma ideia?

– Bem, não, Sr. Vidovich...

– É Clay, tá bem? Achei que a gente já tinha deixado as formalidades de lado.

– Certo, Clay. Não conheço esse cara, nunca o vi, na verdade. Então não faço ideia de seu paradeiro. Desculpe.

– Ele sabe que você tá envolvida, que a Comissão de Justiça está investigando?

– Nós não o contatamos diretamente, não temos obrigação de fazer isso até depois de nossa avaliação inicial, mas ele provavelmente sabe a nosso respeito.

– Como ele poderia saber?

– Bem, a Betty Roe, nossa fonte, acredita que o Bannick vê e ouve tudo. Até agora, ela esteve certa na maioria das vezes. Sempre que você investiga um juiz, a fofoca parece vazar. As pessoas adoram falar, principalmente advogados e funcionários do fórum. Então, sim, há uma boa chance de o Bannick saber que nós estamos investigando.

– Mas ele não saberia que você foi à polícia e ao FBI.

– Clay, não faço a menor ideia do que o Bannick sabe.

– Tá certo. Olha, não estou tentando estragar sua manhã de sábado nem nada, mas você está em algum lugar seguro?

Lacy olhou ao redor de sua casa. Olhou para seu cachorro. Olhou para a porta da frente, certa de que estava trancada.

– Sim. Estou em casa. Por quê?

– Você tá sozinha?

– Agora você está querendo saber demais.

– Tá, estou. Mas eu seria negligente se não dissesse que nos sentiríamos melhor se você não estivesse sozinha, pelo menos até ele ser encontrado.

– Tá falando sério?

– Muito sério, Lacy. Esse cara, um juiz, simplesmente desapareceu nas últimas 36 horas. Ele pode estar em qualquer lugar e pode ser perigoso. Vamos encontrá-lo, mas até lá acho que você deveria tomar algumas precauções.

– Eu vou ficar bem.

– Claro que vai. Por favor, ligue se ficar sabendo de alguma coisa.

– Pode deixar.

Ela olhou para o telefone enquanto caminhava até a porta e verificava a fechadura. Era uma linda manhã de primavera, fresca, sem nuvens. Ela planejava fazer compras em sua floricultura favorita e plantar algumas azaleias em seus canteiros de flores. Ela se irritou por estar assustada em um dia tão perfeito.

Allie estava brincando de policial. Darren tinha levado uma namorada nova para passar o fim de semana na praia. Ela andou de um lado para outro, verificando portas e janelas, ainda irritada. Para relaxar, deitou em seu tapete de ioga e se dobrou na postura da criança. Depois de duas respirações profundas, seu celular tocou novamente, assustando-a. Por que estava tão nervosa?

Era o terceiro homem de sua vida, e ela não ficou triste ao ouvir a voz de Gunther. Ele se desculpou por não ter atendido sua ligação semanal na última terça-feira; é claro que tinha sido por causa de uma reunião importantíssima sobre o desenvolvimento de um projeto com sua nova equipe de arquitetos.

Ela se esticou no sofá e eles passaram um bom tempo conversando. Ambos admitiram estar entediados. A atual namorada de Gunther, se é que ele era capaz de ter um relacionamento sério, também estava viajando. Assim que percebeu que Lacy não tinha nada planejado, ficou ainda mais animado e a convidou para almoçar.

Fazia apenas duas semanas desde seu último encontro, e o fato de ele estar tão ansioso para ir até lá novamente era desanimador. O mais provável era que os banqueiros estivessem na cola dele, aproximando-se cada vez mais.

– Estou a uma hora do aeroporto e o voo leva cerca de oitenta minutos. Duas da tarde, pode ser?

– Claro.

Por mais problemático que ele fosse, seria reconfortante tê-lo por perto, pelo menos pelas próximas 24 horas. Ela iria convencê-lo a ficar para o jantar, depois dormir no apartamento dela, e, em algum momento, eles não teriam escolha a não ser falar sobre seu processo.

Talvez fosse um alívio conversar logo sobre isso.

38

As duas primeiras chamadas ficaram sem resposta, o que não era incomum, especialmente em um sábado. Ele acenou com a cabeça e mandou tentar de novo.

– Você poderia, por favor, abaixar a arma? – perguntou ela.
– Não.

Ele apenas ficou lá sentado, a um metro e meio de distância dela, de costas para a lareira, com a corda de náilon pendurada atrás do pescoço e pendendo inofensivamente sobre seu peito.

– Tenta de novo.

Ela havia perdido toda a sensibilidade nos tornozelos e nos pés, e talvez isso fosse uma coisa boa. Estavam dormentes, então se fossem quebrados ela não sentiria dor. Mas a dormência estava irradiando para as pernas e ela se sentiu paralisada. Pediu para usar o banheiro. Ele disse não. Ela não se mexia há horas e tinha perdido a noção do tempo.

Na terceira chamada, Lacy atendeu.

– Lacy, oi, é a Jeri, como você tá, querida? – perguntou ela no tom mais alegre possível para uma pessoa com uma arma observando cada movimento seu. Ele levantou a pistola alguns centímetros.

Elas falaram sobre o tempo, o lindo dia de primavera, e então chegaram à busca inútil do FBI por Bannick.

– Eles nunca vão encontrá-lo – disse Jeri, encarando a expressão sem alma de Bannick.

Ela fechou os olhos e se lançou na ficção: um informante anônimo lhe dera uma prova física irrefutável que levaria Bannick para a cadeia. Não podia falar sobre o assunto ao telefone: elas precisavam se encontrar e era urgente. Estava escondida em um hotel a duas horas de distância e não se importava com o que Lacy planejara para aquela noite. Seja lá o que fosse, ela deveria cancelar.

– Meu carro está no estacionamento do lado sul do hotel – disse Jeri. – Estacione ao lado dele, eu vou estar de olho. E, Lacy, por favor, venha sozinha. É possível?

– Claro... não há nenhum perigo, né?

– Não mais do que o normal.

A conversa foi breve e, quando ela desligou, Bannick sorriu.

– Tá vendo como você mente muito bem?

Ela entregou o celular a ele e disse:

– Por favor, me deixe ir ao banheiro.

Ele guardou a arma e o telefone, e estendeu a mão para destravar as correntes e as algemas ao redor dos tornozelos dela. Ele tentou ajudá-la a ficar de pé, mas ela o empurrou, o primeiro contato feito com muita raiva.

– Só me dá um minutinho, por favor?

Ela ficou parada por um momento enquanto o sangue corria para seus pés e suas pernas e a dor retornava em rajadas quentes. Ele entregou a Jeri uma bengala, que ela pegou para se equilibrar. Sentiu vontade de partir a cara dele com ela, desferir pelo menos um golpe para cada vítima, mas não tinha equilíbrio suficiente. Além disso, ele a conteria com facilidade e as consequências não seriam nada boas. Ela se arrastou até um pequeno quarto onde ele esperou com a pistola, enquanto ela deu um jeito de trancar a porta de um banheiro estilo armário sem banheira nem chuveiro. E sem janela também. A luz fraca mal funcionava. Ela ficou sentada no vaso sanitário por um longo tempo, aliviada por estar trancada longe dele.

Aliviada? Ela era uma mulher morta e sabia disso. Agora, o que ela tinha feito com Lacy?

Deu a descarga mais uma vez, embora não fosse necessário. Qualquer coisa para enrolar mais um pouco. Ele finalmente bateu na porta.

– Vamos. Acabou o tempo.

No quarto, ele acenou para a cama e falou:

– Você pode descansar aqui. Vou estar bem ali. Essa janela tá trancada e não vai abrir de jeito nenhum. Se você fizer qualquer burrice, já sabe o que vai acontecer.

Ela quase agradeceu, mas se conteve e em seguida se esticou na cama. Eram o momento e o local perfeitos para um estupro, mas ela não estava preocupada. Aquilo jamais passou pela cabeça dele.

Embora o chalé estivesse quente, ela se cobriu com um cobertor empoeirado e logo ficou com sono. Era a fadiga, o medo e provavelmente o que havia sobrado das drogas no corpo dela.

Quando Jeri adormeceu, ele tomou uma anfetamina e tentou se manter acordado.

SEMPRE ANSIOSO PARA SE EXIBIR para uma garota bonita, até mesmo para sua irmã, Gunther teve a ideia de pegar um avião até ela, para comer deliciosos frutos do mar. Ele afirmou que todos os pilotos de aeronaves de pequeno porte naquela região do mundo estavam familiarizados com as ostras do Beau Willie, em uma baía perto de Houma, na Louisiana. Havia uma pista de pouso de 1,2 quilômetro cercada por água, perfeita para aterrissagens. Uma vez no chão, o restaurante ficava a dez minutos a pé. Durante o dia, a maioria dos clientes eram pilotos em busca de diversão e boa comida.

Quando eles pousaram e saíram da aeronave, Lacy verificou seu celular. Jeri tinha ligado duas vezes. Segundos depois, ela ligou novamente. Após Lacy atender, elas conversaram enquanto acompanhava o irmão até o Beau Willie. Embora a ligação fosse um tanto misteriosa, a notícia era de tirar o fôlego. Uma prova irrefutável que levaria Bannick para a cadeia.

Seu apetite se foi, mas ela conseguiu colocar para dentro meia dúzia de ostras cruas enquanto observava Gunther devorar uma dúzia só para começar e depois atacar um *po'boy* de ostra frita. Eles falaram sobre a tia Trudy e resolveram logo esse assunto. Ele perguntou se havia alguma novidade sobre Allie e novamente ofereceu muitos conselhos. Era hora de ela arranjar um marido, começar uma família e esquecer a ideia de passar a vida sozinha. Ela o lembrou de que talvez ele fosse a última pessoa a quem ela daria ouvidos quando se tratava de compromisso. Aquele assunto era ótimo para dar risadas e Gunther levava tudo na esportiva. Ela perguntou sobre seu atual relacionamento e o irmão pareceu tão desinteressado quanto antes.

– Tenho uma pergunta – disse ela enquanto tomava um gole de chá gelado.

Gunther havia brincado com a possibilidade de uma cerveja gelada, chegou a dizer que nunca tinha comido ostras sem tomar uma, mas, no fim das contas, estava pilotando um avião.

– Manda ver.

– Acabei de receber uma ligação que meio que mudou meus planos. Tem uma cidade chamada Crestview a cerca de uma hora a leste de Pensacola, vinte mil habitantes. Preciso me encontrar com uma testemunha importante lá às nove da noite. Será que daria pra gente pousar lá e eu alugar um carro?

– Provavelmente. Qualquer cidade desse tamanho vai ter pelo menos uma pista de pouso. O que tá rolando?

– Um assunto importante.

Ela olhou ao redor. Eles estavam em um deque na beira da água e as outras mesas estavam vazias. Eram quase cinco da tarde de um sábado, tarde demais para almoçar e cedo demais para jantar. O bar estava lotado de moradores da região tomando cerveja.

– No nosso último encontro, mencionei que nós estamos investigando um juiz que pode estar envolvido em um homicídio.

– Sim. Esse caso é diferente.

–Bem, acabei de receber uma ligação da nossa principal testemunha, e ela disse que tem algumas informações importantes. Preciso me encontrar com ela.

– Em Crestview?

– Sim. É a caminho de casa. A gente pode parar lá?

– Tô vendo que não vou voltar pra Atlanta hoje à noite.

– Por favor. Me ajudaria muito. Além disso, eu gostaria de ter alguém comigo.

Gunther pegou seu celular e olhou na internet.

– Sem problemas. Diz aqui que lá tem carro pra alugar. Alguma chance de isso ser perigoso?

– Duvido. Mas um pouco de cautela pode ser bom.

– Adorei.

– E isso é estritamente confidencial, Gunther.

Ele riu e olhou ao redor.

– E pra quem eu contaria?

– Isso fica só entre a gente.

ELE FICOU PARADO no quarto escuro ao lado da cama de Jeri e ouviu sua respiração pesada. Seus instintos lhe diziam para pegar a corda pendurada em sua mão esquerda e acabar com ela. Seria a vítima mais fácil de todas. Ele poderia fazer isso rapidamente, sem esforço, depois limpar o chalé e ir embora. Levaria dias até que ela fosse encontrada.

Por um lado, Bannick a odiava pelo que ela havia feito com ele. Ela acabara com o mundo dele e sua vida nunca mais seria a mesma. Ela e só ela o perseguira, o rastreara, e agora o jogo havia chegado ao fim. Mas, por outro lado, ele não podia deixar de admirar sua coragem, inteligência e obstinação. Aquela mulher tinha feito um trabalho melhor do que uma centena de policiais em vários estados, e agora ele teria que fugir.

Jogou a corda em cima da cama, pegou um pano de microfibra molhado com éter e o segurou no rosto dela. Quando Jeri começou a se sacudir, ele colocou um dos braços em volta do pescoço dela e segurou o pano o mais forte possível com a mão. Ela lutou e chutou, mas não foi páreo para ele. Um minuto se passou até ela começar a ceder. Quando ficou imóvel, ele a soltou e guardou o pano. Lenta e metodicamente, ele pegou uma agulha hipodérmica e a enfiou no braço dela. Quinhentos miligramas de cetamina, o suficiente para mantê-la desacordada por várias horas. Ele flertou com a ideia de dar mais uma dose, mas era arriscado demais, e ela poderia não acordar. Se tivesse que matá-la, preferia fazer da maneira correta.

Ele entrou no outro cômodo, atirou mais algumas pastas no fogo, pegou as algemas e as correntes para o tornozelo, e as levou até a cama, onde prendeu os pulsos dela firmemente atrás das costas e trancou as algemas. Uniu seus tornozelos com as correntes e, só por diversão, enrolou a corda de náilon levemente em volta de seu pescoço. Como sempre, usava luvas descartáveis, mas, por precaução, limpou as superfícies mesmo assim. Verificou as janelas novamente e não conseguiu abri-las. Era uma cabana antiga, em péssimo estado de conservação, e as janelas estavam travadas por conta da tinta ressecada e do desuso. Ele queimou a última pasta e, quando teve certeza de que o fogo havia apagado o suficiente, trancou a única porta da cabana, pisou na varanda e consultou o relógio. Eram 19h10. Ele estava cerca de uma hora ao norte de Crestview, perto de Gantt Lake, no Alabama.

A trilha de terra serpenteava pela floresta com apenas um vislumbre ocasional do lago. Cruzou com uma porteira aqui, outra ali, mas os demais chalés não eram visíveis. Virou em uma estradinha de cascalho e acenou para dois adolescentes maltrapilhos em quadriciclos. Eles pararam para vê-lo passar.

Bannick preferia não ser visto por ninguém e pensou em voltar até o chalé, só para ter certeza de que os garotos não tinham por acaso ido até lá matar a curiosidade. Ele deixou passar, achou que era apenas paranoia. O cascalho acabou levando a uma estrada municipal pavimentada e ele logo chegou a uma rodovia estadual, em direção ao sul.

39

Já havia anoitecido quando Lacy viu o Camry branco no estacionamento do hotel. Seguindo as instruções de Jeri, estacionou seu carro alugado ao lado do dela e desceu. Gunther ficou lá.

Entrou no saguão alguns minutos mais cedo e deu uma olhada nos cartões-postais da lojinha de suvenires. Às 21h01, Gunther entrou por uma porta lateral e cumprimentou a recepcionista. Lacy pegou o elevador para o segundo andar. Gunther subiu as escadas. O corredor era curto, cerca de dez quartos de cada lado, e uma placa vermelha indicando a saída brilhava na outra extremidade. Ela parou na porta do quarto 232 e respirou fundo. Bateu três vezes, e naquele momento todas as luzes se apagaram.

Do outro lado do corredor, Bannick usou seu notebook para desligar as luzes e as câmeras de segurança. Ele o atirou na cama, pegou um pano com éter e abriu a porta. Lacy o ouviu e se virou assim que ele se lançou na direção dela em meio ao breu. Ela conseguiu gritar "Ei!" antes que seu irmão aparecesse e se jogasse em cima deles. Os três caíram um em cima do outro. Lacy gritou e se levantou enquanto Bannick lutava contra seu agressor. Ele acertou um chute em algum lugar perto das costelas de Gunther e ele grunhiu. Os homens trocavam socos e brigavam violentamente enquanto Lacy corria até o final do corredor, gritando. Alguém abriu uma das portas e gritou:

— Ei, o que tá acontecendo?

— Chama a polícia! — respondeu Lacy.

Bannick acertou um chute no rosto de Gunther. Ele ficou atordoado. Rastejou para longe, tentando se agarrar a qualquer coisa, mas sem encontrar nada. Bannick entrou em seu quarto, pegou o notebook e desapareceu em direção à saída.

Lacy e Gunther encontraram as escadas e desceram depressa até o saguão escuro. A recepcionista tinha uma lanterna e dizia para alguns hóspedes:

– Não sei, não sei. Ontem à noite aconteceu a mesma coisa.

– Chama a polícia – disse Lacy. – Fomos atacados no segundo andar.

– Quem atacou vocês?

"Essa é uma longa história", pensou Lacy, mas disse apenas:

– E eu sei lá?! Rápido, ele tá fugindo. – Mais lanternas apareceram de trás da mesa enquanto mais hóspedes tropeçavam no escuro.

Gunther encontrou uma cadeira e se sentou para cuidar de seus ferimentos.

– O desgraçado chuta forte pra cacete – disse ele, ainda atordoado. – Acho que minhas costelas estão quebradas. – Lacy se sentou ao lado dele enquanto as coisas se acalmavam e eles esperavam pela polícia.

– Preciso ligar pra Jeri – disse. – Acho que ela está em apuros.

– Quem é Jeri?

– Betty Roe. A nossa garota. A fonte. Eu te explico depois.

Jeri não atendeu o telefone, o que não era nada incomum. Lacy passou por sua lista de chamadas recentes e discou o número de Clay Vidovich. Ele atendeu depois do segundo toque e ela lhe disse onde estava, o que havia acontecido e que tinha certeza de que aquilo fora uma armação de Ross Bannick. Ela não o havia visto de fato, nem o carro que ele estava dirigindo, mas tudo se encaixava. Ele estava foragido. Vidovich estava jantando com sua equipe no centro de Pensacola, a uma hora de distância. Ele notificaria a polícia estadual da Flórida e pediria às autoridades de Mobile que tentassem obter notícias de Jeri. Lacy tinha certeza de que eles não a encontrariam lá. Vidovich estava indo até Lacy e pediu que ela solicitasse aos funcionários do hotel que ninguém tocasse nos dois quartos.

Pouco tempo depois, a polícia local chegou com luzes azuis piscando. Eles encontraram o saguão tumultuado enquanto os hóspedes circulavam na semiescuridão. O quadro de força digital do hotel e a rede de segurança tinham sido hackeados e nenhum funcionário do local sabia o que fazer. Lacy explicou o máximo que pôde e lhes forneceu uma descrição geral de

Bannick. Eles também chamaram a polícia estadual, mas, como Lacy não sabia descrever o veículo, não tinham por onde começar.

Um balconista apareceu com dois saquinhos de gelo, um para as costelas de Gunther, o outro para sua mandíbula, que estava inchada, mas provavelmente não quebrada. Ele ainda estava meio grogue e sentia dor ao respirar, mas se recusava a reclamar e queria voltar para seu avião. Um zelador montou um gerador a gás portátil e, de repente, o saguão se iluminou. Ainda não era possível ligar o ar-condicionado, então a temperatura subiu rapidamente. Vários hóspedes se espalharam pelo estacionamento, perambulando em torno de seus veículos.

ELE LUTOU CONTRA A VONTADE de acelerar pela rodovia estadual e manteve a velocidade perto do limite. Uma reação excessiva só lhe traria mais problemas, e ele se obrigou a dirigir com cuidado enquanto pensava no que acabara de acontecer. Pela primeira vez em sua carreira havia caído em uma emboscada e tinha certeza de que havia cometido falhas. Mas ainda usava luvas descartáveis e sabia que não havia deixado impressões digitais nem qualquer outra evidência. Havia entrado no quarto carregando apenas um celular e um notebook e ambos haviam sido jogados no fundo de um lago fora de Crestview. Seu ombro direito doía da briga, ou seja lá o que tivesse sido aquilo. Em momento algum viu o sujeito, nem sequer o ouviu se aproximar. Encostou em Lacy por apenas um segundo antes de ser derrubado e atingido. Então ela começou a gritar.

Provavelmente era Darren Trope, seu colega. Desgraçado. Ele logo cruzou a divisa do Alabama, fez um desvio e atravessou a Floresta Nacional de Conecuh. Ao se aproximar da cidade de Andaluzia, de nove mil habitantes, decidiu circundá-la. Eram quase dez e meia de uma noite de sábado e haveria muitos policiais circulando. Ele não precisava de GPS pois havia memorizado as rodovias e estradas. Viu as placas para Gantt Lake e ziguezagueou na direção delas. Dirigiu pela pacata vila de Antioquia sem cruzar com nenhum outro ser humano, e as estradas se estreitaram. A menos de três quilômetros da curva seguinte, em uma estrada de cascalho, ele se assustou ao ver luzes azuis se aproximando por trás. Seu velocímetro marcava oitenta, o limite, e ele sabia que não estava acelerando. Não havia semáforos que pudesse avançar. Ele diminuiu ainda mais a velocidade e olhou boquiaberto para a viatura do condado enquanto ela passava. Sábado à noite, provavelmente uma briga em algum bar. As luzes azuis desapareceram à sua frente.

Ele a mataria depressa e seguiria seu caminho. O chalé estava limpo, sem pistas como sempre. Arremataria o trabalho com um nó perfeitamente ajustado ao pescoço de Jeri, já que ela estava tão curiosa a seu respeito.

A estrada de cascalho avançava para dentro da floresta, na escuridão onde o chalé aguardava. De repente, havia mais luzes azuis, mais um policial do condado em seu encalço. Bannick diminuiu até quase parar e saiu do caminho. O carro passou por ele e não o atingiu por uma questão de centímetros, gerando uma nuvem de poeira em seu rastro. Tinha algo errado.

Ele virou na trilha de terra que terminava na porta da frente do chalé, tão imersa na floresta que não podia ser vista por ninguém que passasse. Viu uma cerca aberta e uma clareira, e saiu da estrada. Parou em meio a uma vegetação rasteira, desceu do carro e correu em direção ao chalé. Depois da curva, teve uma visão terrível. O chalé havia se tornado a cena de um crime, com policiais e luzes azuis por toda parte.

OS DOIS GAROTOS, de 15 e 16 anos, tinham chegado em seus quadriciclos antes do anoitecer. Eles notaram a fumaça da chaminé e sabiam que havia alguém lá passando o fim de semana, mas o Tahoe prateado acabara de sair. Eles observaram o chalé, observaram a estrada e esperaram até muito depois do anoitecer antes de chutar a porta da frente. Estavam procurando por armas, equipamentos de pesca, qualquer coisa de valor. Não encontraram nada além de uma mulher morta deitada na cama, seus punhos algemados atrás do corpo, seus tornozelos acorrentados.

Eles entraram em pânico, fugiram e não pararam até encontrarem uma lojinha, fechada à noite. Ligaram para a polícia de um telefone público e relataram que havia uma mulher morta no antigo chalé dos Sutton, na Crab Hill Road. Quando o operador do rádio perguntou seus nomes, eles desligaram e correram para casa.

JERI FOI LEVADA DE AMBULÂNCIA para um hospital regional em Enterprise, no Alabama. Ela estava acordada, severamente nauseada e desidratada. Ainda não estava completamente lúcida, mas estava se recuperando rapidamente. À meia-noite, ela estava conversando com a polícia estadual e preenchendo as lacunas. Havia sido tão drogada por Bannick que não tinha visto o carro dele, então não conseguia lhes dar uma descrição. Mas em uma busca rápida a polícia identificou a marca, o modelo e a placa.

À uma da manhã, um detetive ligou para o número de Lacy. Ela estava em casa, em Tallahassee, segura e cuidando do irmão, que estava sob o efeito de analgésicos. O detetive sorriu, entregou o telefone para Jeri e, quando ouviram as vozes uma da outra, começaram a chorar.

ÀQUELA ALTURA, ELE ESTAVA indo para Birmingham, com uma placa falsa do Texas em seu Tahoe. Parou o carro no estacionamento do aeroporto internacional e, carregando sua mala de viagem, adentrou o terminal principal. Tomou um expresso em uma cafeteria e matou tempo. Encontrou uma fileira de assentos com vista para as pistas e tentou tirar uma soneca, apenas mais um viajante cansado. Quando o balcão da Avis abriu às seis, ele se aproximou e conversou com o funcionário. Usando uma carteira de motorista falsa e um cartão de crédito pré-pago emitido para um de seus pseudônimos, alugou um Honda com placa da Califórnia e deixou o aeroporto em direção ao oeste. Extremo oeste. Ao longo das vinte horas seguintes, ele dirigiria praticamente sem parar, pagaria em dinheiro pela gasolina, tomaria anfetamina e beberia incontáveis xícaras de café.

40

À s sete e meia da manhã de domingo, duas equipes formadas por agentes e técnicos do FBI, apoiadas por moradores locais, invadiram o mundo de Bannick. Uma delas entrou em sua casa com um pé de cabra e desarmou seus sistemas de segurança, mas não antes de acordar os vizinhos. A segunda foi até o tribunal do condado de Chávez e, com a ajuda de Diana Zhang e um zelador, começou a vasculhar sua mesa, suas pastas, estantes, qualquer coisa em que ele pudesse ter tocado. Rapidamente se deram conta de que os arquivos estavam vazios, assim como as gavetas de sua mesa. Diana ficou surpresa ao ver que seus itens pessoais não estavam ali. Fotos emolduradas, prêmios, certificados, abridores de cartas, canetas, blocos de anotações, pesos de papel. Ela foi até a mesa para procurar os processos nos quais ele vinha trabalhando e encontrou as gavetas vazias. Era impossível acessar seu computador, e o disco rígido não estava lá. O aparelho foi levado até uma van e seria enviado para a perícia.

Na casa dele, os técnicos encontraram uma geladeira praticamente vazia, assim como todas as latas de lixo. Pilhas de roupas e toalhas tinham sido lavadas e largadas em cima da cama. No pequeno escritório, não encontraram telefones nem notebooks. O computador também não pôde ser acessado e foi retirado de lá. Seu disco rígido também tinha sumido.

As buscas levariam horas, se não dias, mas era evidente que Bannick havia limpado sua casa e seu gabinete no fórum. Depois de duas horas pulverizando as superfícies mais óbvias, nenhuma impressão digital foi identificada. Mas os técnicos trabalharam metodicamente, confiantes de que encontrariam alguma digital. Era impossível viver e trabalhar em um local por anos e não deixar algo para trás.

JERI RECEBEU ALTA ao meio-dia. Ela ainda sentia náuseas e não conseguia comer, mas não havia mais nada que os médicos pudessem fazer a não ser entupi-la de remédios. Sua cabeça doía e o ibuprofeno não ajudava muito. Seus pulsos e tornozelos estavam dormentes, mas recuperando a sensibilidade lentamente. Havia falado duas vezes com Denise e lhe assegurado de que estava segura e bem, e que não havia necessidade de que ela se deslocasse até lá. Saiu do hospital com dois acompanhantes, ambos agentes do FBI jovens e bonitos. Um deles dirigia e o outro, no banco de trás, parecia querer conversar. No entanto, Jeri não estava de bom humor, e depois de uns quilômetros eles a deixaram em paz. Ela olhou pela janela do passageiro, revivendo as últimas 48 horas, ainda sem acreditar que estava viva.

E Bannick ainda não tinha sido encontrado. Por muito tempo, ela havia acreditado que aquele homem era capaz de qualquer coisa, principalmente se mover nas sombras sem ser detectado. Ele tinha se gabado de que desapareceria e iria para algum lugar distante. À medida que os quilômetros e as horas passavam, uma horrível constatação começou a consumi-la. E se ele conseguisse fugir? E se nunca fosse levado à justiça? E se seus crimes monstruosos nunca fossem resolvidos? E se sua busca solitária para encontrar o assassino de seu pai tivesse sido em vão?

Ir para Mobile estava fora de questão. Ele estivera na casa dela, tocara a campainha, sabia exatamente onde ela morava. Havia rastreado Jeri até o hotel e a sequestrado sem deixar nenhum vestígio. Como sempre. Ela se perguntou se em algum momento seria capaz de voltar para casa.

Duas horas depois, eles entraram em Tallahassee e logo estavam serpenteando pelo centro da cidade. Quando pararam no armazém reformado, Lacy estava esperando na entrada da casa. Ela e Jeri se abraçaram e choraram, e em algum momento acabaram entrando.

Allie havia retornado algumas horas antes, e Lacy e Gunther, gostando do seu papel de herói, o atualizaram sobre tudo. Lacy não tinha dúvidas de que, à medida que aquela história fosse contada e recontada por ele, seu destemido ataque a um serial killer ganharia cada vez mais elementos e se tornaria lendário.

Lacy pediu a um dos agentes que fosse buscar uma pizza. O outro se sentou à porta e ficou de vigia no local. Lá dentro, os quatro descansavam na sala e contavam histórias. Acabaram conseguindo se divertir, em especial quando Gunther, sempre animado, parou no meio da frase e pôs a mão sobre as costelas. Sua mandíbula inchada não o impedia de compartilhar suas histórias.

Jeri contou a eles as conversas que teve com Bannick. Ele não havia admitido explicitamente nenhum dos homicídios, mas havia concordado, de maneira relutante, com partes da narrativa. Negou ter matado Ashley Barasso, embora aquilo não parecesse verdade. Suas afirmações de que havia matado outras pessoas que ela deixara passar a preocupavam mais.

Às cinco, eles chegaram ao escritório do FBI no prédio federal. Clay Vidovich lhes deu as boas-vindas e eles se acomodaram em torno de uma mesa na sala de reuniões principal. A boa notícia era que eles haviam recuperado duas impressões digitais da garagem de Bannick. A má notícia era que não eram de seu polegar. Ele estava confiante, no entanto, de que encontrariam mais impressões digitais, mas admitiu que ficara surpreso com os esforços de Bannick para limpar tudo. O celular dele tinha sido desligado em Crestview. Ele provavelmente havia se livrado dele. Ninguém chamado Ross Bannick tinha reservado um voo nas últimas 72 horas. A secretária dele não tivera qualquer notícia. Ele não tinha família na região, apenas uma irmã que morava longe e com quem não mantinha contato.

Mesmo assim, Vidovich tinha certeza de que o encontrariam. Uma caçada nacional estava em pleno andamento e era apenas uma questão de tempo.

Jeri não tinha tanta certeza assim, mas manteve seus pensamentos para si mesma. Quando finalmente relaxou, começou a falar sobre os últimos dois dias. Ela não estava se sentindo bem, mas se comprometeu com um interrogatório mais longo na segunda-feira.

Graças a Deus alguém invadiu o chalé.

41

A parada em Amarillo foi longa o suficiente para que ele deixasse um envelope da FedEx em uma caixa de depósito. Ele era o remetente e usava o endereço de seu gabinete no tribunal do condado de Chávez. A destinatária era Diana Zhang no mesmo endereço. Se tudo corresse conforme o planejado, o envelope seria recolhido às cinco da tarde de segunda-feira e entregue a ela às dez e meia da manhã de terça-feira.

Na segunda-feira, às oito da manhã, ele parou o carro alugado no estacionamento do Pecos Mountain Lodge e aproveitou para admirar as belas montanhas ao longe. A clínica de reabilitação de alto nível ficava escondida em uma encosta e praticamente não era visível da sinuosa estrada do condado. Bannick trocou as luvas e limpou o volante, as maçanetas, o painel e a tela da central multimídia do carro. Ele tinha usado luvas durante as últimas vinte horas e sabia que o carro estava limpo, mas não queria arriscar. Com sua pequena bolsa, entrou no saguão luxuoso e deu bom-dia para a recepcionista.

– Tenho uma consulta com o Dr. Joseph Kassabian – informou educadamente.

– Seu nome, por favor?

– Bannick, Ross Bannick.

– Por favor, sente-se que vou chamá-lo.

Ele se sentou em um sofá de couro elegante e admirou as obras de arte contemporânea nas paredes. Por cinquenta mil dólares por mês, os bêbados endinheirados certamente mereciam um ambiente agradável. O local vivia cheio de estrelas do rock, artistas de Hollywood e magnatas e, apesar de ser tão conhecido, se orgulhava de manter a discrição. O maior desafio quanto à confidencialidade era o fato de muitos de seus ex-pacientes sempre quererem tecer elogios.

O Dr. Kassabian logo apareceu e eles foram para seu consultório no final do corredor. Tinha cerca de 50 anos e era um ex-viciado. "Não somos todos?", dissera ele ao telefone. Eles se sentaram a uma mesinha e beberam água.

– Me conta a sua história – disse ele com um sorriso caloroso e acolhedor. *Seu pesadelo acabou. Você veio ao lugar certo.*

Bannick usou as mãos para enxugar o rosto e parecia prestes a chorar.

– É só bebida, nada de drogas. Vodca, pelo menos um litro por dia, há muitos anos. Sou bastante funcional. Sou juiz e o trabalho é exigente, mas preciso largar o álcool.

– É muita vodca.

– Nunca é suficiente, e está ficando cada vez pior. É por isso que estou aqui.

– Quando foi a última vez que você bebeu?

– Faz três dias. Sempre consigo parar por curtos períodos, mas não consigo largar de vez. Isso tá acabando comigo.

– Então você provavelmente não precisa de desintoxicação.

– Não sei. Já passei por isso antes, doutor. Essa é a minha terceira reabilitação nos últimos cinco anos. Eu queria ficar aqui por um mês.

– Quanto tempo duraram suas outras internações?

– Um mês.

– Trinta dias não bastam, Dr. Bannick. Confie em mim. Trinta dias vão deixar você limpo e se sentindo bem, mas você precisa de pelo menos sessenta. Noventa é a nossa estadia recomendada.

"Imagino. A cinquenta mil dólares por mês."

– Talvez. Agora só estou rezando por esses trinta dias. Me ajuda a ficar sóbrio. Por favor.

– Vamos dar um jeito nisso. Somos muito bons no que fazemos. Confie em nós.

– Obrigado.

– Vou te apresentar ao nosso diretor de admissões, que cuidará da papelada e tudo mais. Você tem seguro ou será pago no particular?

– Particular. Eu tenho dinheiro, doutor.

– Melhor ainda.

– Muito bem. Olha, sou uma autoridade eleita, então a confidencialidade é uma preocupação primordial. Ninguém pode saber que estou aqui. Sou solteiro, não tenho família, alguns poucos amigos apenas, mas não contei a ninguém. Nem mesmo pra minha secretária.

O Dr. Kassabian sorriu porque ouvia aquilo o tempo todo.

– Acredite em mim, Dr. Bannick, nós entendemos a questão da confidencialidade. O que tem na sua bolsa?

– Alguns itens pessoais, roupas, uma escova de dentes. Não trouxe telefone, computador nem nada disso.

– Ótimo. Daqui a mais ou menos uma semana você vai poder usar o telefone. Até lá, não.

– Eu sei. Não é a minha primeira vez.

– Entendo. Mas vou precisar pegar a bolsa e inventariar. Fornecemos belos pijamas de linho Ralph Lauren nas primeiras duas semanas.

– Certo.

– Você veio de carro?

– É alugado. Vim de avião.

– Muito bem. Depois de resolver a papelada, faremos um exame físico completo. Isso vai levar a maior parte da manhã. Você e eu vamos almoçar juntos, só nós dois, e conversar sobre o passado e o futuro. Depois vou te apresentar ao seu terapeuta.

Bannick assentiu como se estivesse completamente derrotado.

– Estou feliz de você ter vindo até aqui sóbrio – disse o Dr. Kassabian –, é um bom começo. Você não acreditaria se eu te dissesse que algumas pessoas chegam aqui trocando as pernas.

– Não me sinto sóbrio, doutor. Qualquer coisa menos isso.

– Você está no lugar certo.

Eles caminharam lado a lado e encontraram o diretor de admissões. Bannick pagou os primeiros dez mil dólares com cartão de crédito e assinou uma nota promissória para os outros quarenta. O Dr. Kassabian guardou a bolsa dele. Quando a admissão foi concluída, ele foi levado a um quarto bastante espaçoso no segundo andar. O Dr. Kassabian pediu licença para se retirar e disse que estava ansioso para o almoço. Quando Bannick enfim ficou sozinho, rapidamente retirou sua elegante cartucheira de náilon e removeu sacolinhas plásticas de seus bolsos escondidos. Os pacotes continham dois tipos de comprimido que seriam necessários mais adiante. Ele os escondeu embaixo de uma cômoda.

Um funcionário bateu na porta e lhe entregou uma pilha de pijamas e toalhas. Ele esperou até Bannick se despir no banheiro, então saiu com suas roupas, incluindo o cinto e os sapatos.

Ele tomou banho, vestiu um dos suaves pijamas de linho, deitou-se na cama e adormeceu.

LACY, JERI E ALLIE deixaram Gunther no aeroporto e observaram enquanto ele decolava. Quando ele já estava no céu, eles sentiram vontade de comemorar. Voltaram ao escritório do FBI e se encontraram com Clay Vidovich e dois outros agentes. Jeri assinou um depoimento que relatava os fatos de seu encontro com Bannick no fim de semana. Um mandado de prisão com base no crime de sequestro havia sido emitido e circulava nacionalmente, em todos os lugares, exceto na área de Pensacola. Eles estavam certos de que Bannick não estava no noroeste da Flórida e não queriam alertar seus amigos e conhecidos.

Vidovich os atualizou a respeito das buscas no escritório e na casa do juiz, e estava incomodado com o fato de não terem encontrado mais impressões digitais. O FBI estava vasculhando seus bens imobiliários, mas até então não havia encontrado nada útil.

A sala começou a encher quando outros agentes se juntaram a eles. Todas as gravatas foram afrouxadas, todas as mangas, arregaçadas, todos os colarinhos, desabotoados. Deixaram bem claro que tinham passado o fim de semana inteiro trabalhando. Lacy ligou para Darren e lhe pediu que se juntasse a eles. Bandejas com café, água e biscoitos foram trazidas pelas secretárias.

Às dez, Vidovich pediu a palavra e se certificou de que as duas câmeras de vídeo estavam funcionando.

— Isso é apenas para fins informativos – disse ele. – Como você não é uma suspeita, Jeri, não precisamos passar pelo Aviso de Miranda.

— Espero que não – disse ela, dando uma risada.

— Desde já, gostaria de dizer que não estaríamos aqui se não fosse por você. Seu trabalho investigativo ao longo dos últimos vinte anos é nada menos que brilhante. É um milagre, na verdade, e nunca vi nada parecido. Então, em nome das famílias e de todos os agentes da lei, eu te agradeço.

Ela assentiu, constrangida, e olhou para Lacy.

– Ele ainda não foi pego – disse Jeri.

– Nós vamos pegá-lo.

– Logo, eu espero.

– Vamos começar pelo começo. Acredito que acabe sendo um tanto repetitivo, mas, por favor, conte tudo para nós.

Ela começou com a morte do pai e suas consequências, a ausência de pistas, os meses que se arrastaram com pouco contato com a polícia e absolutamente nenhum indício de progresso ou da motivação para o crime. Ela passou anos tentando responder a essa pergunta. Quem não gostava de Bryan Burke? Nenhum parente ou colega, talvez um aluno ou dois. Ele não tinha negócios, nem parceiros, nem amantes, nem maridos ciumentos atrás dele. Ela acabou se decidindo por Ross Bannick, mas sabia desde o início que era apenas uma suposição. Era um tiro no escuro. Ela não tinha provas, nada além de sua imaginação hiperativa. Vasculhou o passado dele, acompanhou sua carreira como jovem advogado em Pensacola e, lentamente, foi ficando obcecada. Sabia onde ele morava, trabalhava, onde tinha crescido, qual igreja frequentava e onde jogava golfe nos fins de semana.

Ela esbarrou em uma velha reportagem publicada no *Ledger* sobre o assassinato de Thad Leawood, um morador da cidade que tinha se mudado em circunstâncias suspeitas. Ela o conectou a Bannick por meio de registros obtidos na sede nacional dos escoteiros. Quando finalmente viu as fotos da cena do crime, uma grande peça do quebra-cabeça se encaixou.

Jeri não conseguia parar de esfregar os pulsos.

– De acordo com a minha pesquisa – disse ela –, a próxima foi Ashley Barasso, em 1996. No entanto, Bannick disse que não a matou.

Vidovich balançava a cabeça. Ele olhou para o agente Murray, que também estava em desacordo.

– Mentira dele – disse Murray. – Nós temos o arquivo. Mesma corda, mesmo nó, mesmo método. Além disso, ele a conhecia da faculdade de direito em Miami.

– Foi o que falei pra ele – disse Jeri.

– Por que ele negaria? – perguntou Vidovich à mesa.

– Tenho uma teoria – disse Jeri, dando um gole de café.

Vidovich sorriu.

– Tenho certeza que sim. Vamos lá.

– A Ashley tinha 30 anos, é sua vítima mais jovem, e ela tinha duas crianças pequenas, com idades entre um ano e meio e três. Eles estavam em casa quando ela foi assassinada. Talvez ele as tenha visto. Talvez isso tenha feito ele sentir remorso uma vez na vida. Talvez seja o único assassinato do qual não conseguiu se perdoar.

– Faz sentido, eu acho – disse Vidovich. – Se é que alguma coisa faz sentido aqui.

– Na mente perturbada dele, é tudo muito racional. Em momento nenhum ele admitiu os assassinatos, mas disse que deixei passar alguns.

Murray revirou alguns papéis e disse:

– Pode ser que a gente tenha encontrado um deles. Em 1995, um homem chamado Preston Dill foi assassinado perto de Decatur, no Alabama. A cena do crime parece familiar. Sem testemunhas, sem pistas, a mesma corda e o mesmo nó. Ainda estamos investigando, mas parece que o sujeito já tinha vivido na região de Pensacola.

Jeri balançou a cabeça.

– Estou feliz por ter deixado um escapar.

– São pelo menos cinco vítimas que tinham conexões com a região – disse a agente Neff –, embora nenhuma delas morasse lá na época do crime.

– Com exceção de Leawood – disse Vidovich –, estavam todas apenas de passagem, moraram lá tempo suficiente pra cruzar o caminho do Bannick.

– E ao longo de um período de vinte e três anos – acrescentou Neff. – Eu me pergunto se alguém, qualquer pessoa além de você, Jeri, em algum momento relacionou esses assassinatos.

Ela não respondeu e ninguém mais arriscou um palpite. A resposta era óbvia.

42

Em sua última refeição, ele comeu sozinho. A cozinha abriu às sete e ele chegou alguns minutos depois, pediu torradas e ovos mexidos, se serviu um copo de suco de toranja e levou sua bandeja para um pátio, onde se sentou sob uma sombrinha e assistiu a um magnífico nascer do sol avançando sobre as montanhas ao longe. A manhã estava tranquila e silenciosa. Os outros pacientes, nenhum dos quais tinha feito qualquer esforço para conhecer, estavam acordando para outra gloriosa e sóbria manhã, todos limpos, em alerta.

Ele estava em paz com seu mundo, uma serenidade auxiliada por dois comprimidos de diazepam antes do café. Ele fez tudo no seu tempo e desfrutou da comida. Quando terminou, devolveu a bandeja e foi para o quarto. Um funcionário havia prendido na porta sua agenda para o dia. Uma caminhada em grupo às nove, terapia às dez e meia, depois o almoço, e assim por diante.

Ele organizou sua papelada, então deu início aos trabalhos. Colocou luvas descartáveis e limpou todas as superfícies do quarto e do banheiro. Tirou os pacotinhos de comprimido de debaixo da cômoda, voltou ao banheiro e fechou a porta. Tampou o ralo da pia, abriu a torneira, deixou a água subir até aproximadamente oito centímetros e depois despejou dois pacotes de comprimidos de ácido clorídrico. Ao tocarem a água, eles imediatamente reagiram com pequenos estouros e sibilos, e em poucos segundos a água parecia estar fervendo. De dois outros pacotes, retirou quarenta comprimidos de oxicodona, trinta miligramas cada, os colocou na boca e engoliu com água de um copo de papel. Jogou os pacotes, o copo de papel e as luvas no vaso sanitário. Pegou uma toalhinha de rosto, enfiou-a na boca para abafar qualquer reação de agonia, depois mergulhou os dedos no ácido borbulhante. A dor foi imediata e lancinante. Ele deu um gemido, seu rosto se contorceu completamente, mas mesmo assim continuou enquanto o ácido queimava a primeira camada de pele e começava a corroer a segunda. Suas mãos pareciam estar em chamas e ele começou a se sentir fraco. Quando seus joelhos amoleceram, ele se agarrou na pia, desobstruiu o ralo e abriu a porta do banheiro. Caiu na cama, cuspiu a toalha e enfiou as mãos sob os lençóis. A dor foi desaparecendo conforme ele perdia a consciência.

DIANA ESTAVA NA RECEPÇÃO quando o envelope da FedEx chegou às 10h35. Ela deu uma olhada no nome e no endereço do remetente e o levou para sua sala, fechando a porta depois de entrar. Pelo terceiro dia consecutivo, o gabinete era invadido por uma equipe de técnicos do FBI indelicados, grosseiros até, e ela precisava de privacidade.

Suas mãos tremiam quando ela abriu o pacote e tirou de dentro um dos envelopes timbrados dele. Dentro havia quatro folhas de papel tamanho ofício. A primeira era uma carta para ela. Ela leu:

Querida Diana. Quando você ler isso eu estarei morto. Desculpe fazer isso com você, mas não tenho mais ninguém. Por favor, ligue para o Dr. Joseph Kassabian no Pecos Mountain Lodge, perto de Santa Fé, e informe-o de que você é minha secretária, minha testamenteira e minha única herdeira. Conforme indicado no testamento em anexo, você deve providenciar a cremação do meu corpo imediatamente e minhas cinzas devem ser espalhadas sobre as montanhas da reserva florestal de Pecos, aqui no Novo México. Sob nenhuma circunstância entregue meu corpo ao estado da Flórida e não permita que seja realizada autópsia. Amanhã, envie o comunicado de imprensa para Jane Kemper no Pensacola Ledger. Por favor, adie a notificação à polícia o máximo possível. Ross.

Ela engasgou, abafou um grito e deixou os papéis caírem no chão. Estava chorando quando os pegou de volta. A segunda folha era um comunicado de imprensa e dizia:

O juiz federal Ross Bannick morreu esta manhã em uma instalação perto de Santa Fé, Novo México, onde estava em tratamento para câncer de cólon. Ele tinha 49 anos. O juiz Bannick serviu orgulhosamente o povo do Vigésimo Segundo Distrito durante os últimos dez anos. Nascido em Pensacola, residia na cidade de Cullman. Graduado pela Universidade da Flórida e pela Faculdade de Direito da Universidade de Miami, trabalhou em escritório particular em Pensacola por quase quinze anos antes de ser eleito para a magistratura em 2004. Solteiro, filho do Dr. e Sra. Herbert Bannick, deixa uma irmã, a Sra. Katherine LaMott, em Savannah, na Geórgia. Em vez de flores, a família solicita doações à Sociedade Norte-Americana de Combate ao Câncer. Não haverá velório.

A terceira folha de papel era intitulada Testamento de Ross L. Bannick. Dizia:

Eu, Ross L. Bannick, em pleno poder de todas as minhas faculdades mentais, declaro ser esta minha última vontade, revogando expressamente qualquer manifestação anterior no mesmo sentido. Este instrumento foi elaborado exclusivamente por mim e, para todos os efeitos, deve ser considerado meu testamento.
1. Nomeio minha fiel amiga, Diana Zhang, como minha testamenteira e a oriento a fazer o inventário deste testamento o mais rápido possível. Ela está dispensada do pagamento das custas.
2. Instruo minha testamenteira a providenciar a imediata cremação de meus restos mortais e a espalhar minhas cinzas sobre as montanhas da reserva florestal de Pecos, em Santa Fé.
3. Todos os meus bens serão herdados por Diana Zhang.
4. Além das contas mensais usuais, não há qualquer passivo. Segue em anexo uma lista dos bens.
Assinado, Ross L. Bannick.

Grampeada ao testamento estava a quarta folha, com uma lista. Oito contas bancárias e seus saldos aproximados; a casa em Cullman, avaliada em 700 mil dólares; um bangalô de praia no valor de 550 mil dólares; dois centros comerciais de propriedade de empresas; e uma carteira de ações avaliada em 240 mil dólares.

Por muito tempo ela ficou atordoada demais para se mover ou pensar com clareza. Qualquer interesse pelos bens havia desaparecido diante do horror do momento.

Por fim, ela entrou na internet e encontrou o site do Pecos Mountain Lodge. Uma clínica de reabilitação? Nada fazia sentido. Ligou para o número e foi informada de que o Dr. Kassabian não podia atender. Ela não aceitou um não como resposta e insistiu dizendo que era um assunto urgente. Quando ele finalmente atendeu, ela explicou quem era e assim por diante. Ele confirmou a morte, disse que parecia ter sido uma overdose e perguntou se ela poderia ligar mais tarde. Não, ela não podia. Ele se acomodou e eles tiveram uma conversa, que terminou com a chegada do legista.

Ela pegou o cartão de visita da agente especial Neff e ligou para o FBI.

A CLÍNICA ERA UM REFÚGIO agradável onde pessoas em péssimas condições recomeçavam suas vidas, não um lugar aonde as pessoas iam para morrer. O Dr. Kassabian nunca havia lidado com a morte de um paciente e não sabia o que fazer. A última coisa que queria era que um evento tão traumático perturbasse os outros pacientes. Em sua segunda conversa com a Sra. Zhang, ela mencionou o pedido de cremação e explicou que tinha instruções claras do falecido sobre o que fazer com seus restos mortais. O bom senso, porém, ditava a preservação do cadáver e do quarto até que as autoridades aparecessem. Quando dois agentes do FBI chegaram ao local, o médico não ficou nada feliz com a presença deles, mas ficou aliviado por outras pessoas tomarem as decisões a partir de então. Quando lhe informaram que o juiz Bannick era procurado por sequestro, ele brincou:

– Bem, acho que vocês estão atrasados.

Eles entraram no quarto e olharam para Bannick.

– Temos técnicos a caminho e precisamos tirar as impressões digitais dele – disse o primeiro agente.

– Acho que isso vai ser um problema.

O Dr. Kassabian lentamente esticou o braço, pegou uma ponta do lençol e o puxou. As mãos de Bannick estavam grotescamente inchadas, seus dedos estavam pretos por conta da corrosão e suas unhas tinham derretido e estourado. Um líquido cor de ferrugem manchava seu pijama e os lençóis abaixo.

– Parece que ele sabia que vocês estavam vindo – disse o Dr. Kassabian.

– Muito bem – disse o segundo agente. – Não toque em nada.

– Pode deixar.

43

Eles estavam terminando de almoçar em uma cafeteria no centro da cidade quando receberam uma ligação urgente de Clay Vidovich. Correram para o escritório do FBI no edifício federal e aguardaram na sala de reuniões. Vidovich e os agentes Neff e Suárez entraram apressados e era óbvio que tinham novidades.

Sem se sentar, Vidovich anunciou:

– Ross Bannick está morto. Aparentemente, uma overdose em uma clínica de reabilitação perto de Santa Fé.

Jeri desmoronou e enterrou o rosto nas mãos. Lacy estava atordoada demais para dizer qualquer coisa.

– Ele se internou ontem de manhã cedo e o encontraram morto em seu quarto há cerca de três horas – continuou Vidovich. – Nossos agentes confirmaram tudo.

– E as impressões digitais? – perguntou Allie.

– Não sei exatamente. Acabei de receber um vídeo de um dos nossos agentes de lá. Vocês querem ver?

– Vídeo do quê? – perguntou Lacy.

– De Bannick, na clínica. Há um trecho bastante forte.

Jeri secou os olhos e mordeu o lábio.

– Eu quero ver.

O agente Murray pressionou alguns botões em um tablet e o vídeo começou a ser exibido em uma tela grande atrás de Vidovich. Ele saiu da frente enquanto eles olhavam boquiabertos para a imagem gravada com um celular. Bannick não se movia e estava deitado de costas, olhos fechados, barba por fazer, boca entreaberta, um líquido branco vazando de um canto, completamente sem vida. A câmera desceu lentamente por seu corpo e parou em suas mãos, que haviam sido colocadas uma ao lado da outra sobre a virilha.

– Ele provavelmente mergulhou os dedos em algum ácido bem antes de morrer – narrou Vidovich.

– Desgraçado – murmurou Allie alto o suficiente para ser ouvido.

A câmera deu um zoom nos dedos e Lacy desviou o olhar.

– Vocês perguntaram sobre impressões digitais – disse Vidovich. – Talvez a gente tenha um problema. O dano é substancial, isso é óbvio, e as feridas não vão cicatrizar, pelo menos não agora. Parece que ele sabia exatamente o que estava fazendo.

– Você pode parar aí? – pediu Lacy.

O agente Suárez congelou o vídeo.

– Muito bem, vamos com calma. Pelo visto ele tentou mutilar os dedos pra evitar que a gente conseguisse as digitais, o que deve ser possível mesmo após alguém morrer.

– Sim, acontece o tempo todo – explicou a agente Neff –, levando em consideração que as mãos e os dedos estejam em boas condições.

– Tá. Então, supondo que ele quisesse destruir as impressões digitais, e supondo que ele já as havia alterado de alguma forma, não seria razoável supor que ele soubesse a respeito da impressão parcial?

Vidovich sorriu.

– Exatamente. De alguma forma, Bannick sabia que tínhamos uma impressão digital.

Eles olharam para Jeri e ela balançou a cabeça.

– Não faço ideia.

– Por que ele se importaria com isso? – perguntou Allie. – Se estava planejando se matar, por que se preocuparia em ser pego?

– Agora você está tentando pensar como Bannick – respondeu Jeri. – Ele tinha uma pulsão de morte, o que não é incomum entre serial killers. Eles não conseguem parar por vontade própria, então querem que alguém os impeça. A reputação arruinada. A desgraça para a memória de seus pais. A perda de tudo pelo que ele trabalhou.

– Alguns dos assassinos mais famosos manifestavam isso com intensidade. Bundy, Gacy. Não é nada incomum.

O vídeo chegou ao fim.

– Você poderia, por favor, voltar ao início? – pediu Jeri. Suárez pressionou os botões e lá estava o rosto fantasmagórico de Bannick mais uma vez. – Agora pausa aí – disse ela. – Quero ver ele morto. Esperei muito tempo por isso.

Vidovich olhou para Lacy e Allie. Depois de uma pausa, ele continuou:

– É possível que a gente esteja diante de uma situação bem complicada. Ele deixou um novo testamento e algumas instruções específicas... quer ser cremado imediatamente e que suas cinzas sejam espalhadas pelas montanhas. Que bonito. Nós, é claro, queremos preservar o corpo pra podermos dar um jeito de obter uma impressão digital. O problema é que ele não está exatamente sob nossa custódia. Não dá pra prender um cadáver. Nosso mandado expirou no momento em que ele morreu. Acabei de falar com o jurídico em Washington e eles estão quebrando a cabeça.

– Você não pode deixar que ele seja cremado – disse Lacy. – Precisa conseguir uma ordem judicial.

– Bem, não é tão simples assim. Em qual tribunal? Flórida, Novo México? Não existe nenhuma lei que exija que uma pessoa morta seja transportada de volta para casa para um enterro. Esse cara planejou tudo e ordenou que a testamenteira o cremasse sem autópsia.

Jeri olhou para a imagem imóvel do cadáver, balançou a cabeça e disse:

– Mesmo morto, ele está atrapalhando nossa vida.

– Mas acabou, Jeri – disse Lacy, tocando seu braço.

– Agora isso nunca vai acabar. O Bannick jamais será julgado. Ele se safou disso, Lacy.

– Não. Ele morreu e não vai matar de novo.

Jeri bufou e desviou o olhar.

– Vamos sair daqui.

ALLIE AS DEIXOU NO APARTAMENTO de Lacy e foi embora. Ele havia sido chamado para trabalhar em Orlando, mas, em uma conversa um tanto exaltada, informou seu supervisor de que precisava de alguns dias em casa.

Jeri e Lacy se sentaram na sala e tentaram assimilar um pouco melhor todo aquele drama. O que poderia acontecer a seguir? O que poderia superar a notícia da morte de Bannick?

Se eles nunca encontrassem uma correspondência com a impressão digital parcial, então nunca haveria uma prova concreta ligando-o aos assassinatos de Verno e Dunwoody.

Em relação aos outros crimes, eles tinham apenas a motivação e o método. Condená-lo com provas tão escassas seria impossível. E, agora que ele estava morto, nenhum departamento de polícia – local, estadual ou federal – perderia tempo indo atrás dele. De todo modo, aqueles casos estavam sem solução há décadas. Por que tentar resolvê-los agora? Jeri tinha certeza de que se contentariam com a notícia da presunção de culpa de Bannick, informariam as famílias e encerrariam os casos com prazer.

Tudo que Bannick dissera no sábado anterior naquele chalé escuro no interior do Alabama – comentários, declarações, atos que ele negou e até os momentos em que mudou de assunto – não ajudou muito a polícia. Nada do que ele disse poderia ser usado no tribunal, e ele teve o cuidado de não admitir expressamente qualquer irregularidade. Afinal, ele era um juiz federal.

Em alguns momentos, Jeri ficava emocionada, em outros, inconsolável. O trabalho da sua vida havia chegado ao fim, de modo abrupto e insatisfatório. Morto, Bannick estava saindo praticamente ileso. A acusação de sequestro, se e quando fosse relatada, apenas aumentaria a confusão e não provaria nada. Os detalhes por trás daquilo tudo nunca seriam divulgados. Ele não foi preso por nada. Seu nome jamais seria vinculado às vítimas.

Mas também houve momentos de alívio. O monstro não estava mais no seu encalço. Ela não habitaria mais o mesmo mundo que Ross Bannick, um homem que havia odiado por tanto tempo e que se tornara parte de sua vida. Ela nunca sentiria falta dele, mas como preencheria aquele vazio?

Jeri havia lido em algum lugar que muitas vezes passamos a admirar, até mesmo amar, a mesma coisa que odiamos com tamanha obsessão. Ela se torna parte da nossa vida e começamos a depender dela, a precisar dela. Essa coisa nos define.

Às duas e meia, um agente do FBI bateu na porta e informou Lacy de que o responsável por sua segurança voltaria para o escritório. O perigo agora havia desaparecido, a barra estava limpa. Ela agradeceu e se despediu.

Jeri pediu para passar mais uma noite lá. Poderia levar algum tempo para que ela conseguisse relaxar completamente, e queria dar uma longa caminhada, sozinha, pela vizinhança, pelo campus e pelo centro da cidade. Queria saborear a liberdade de se movimentar sem olhar ao redor, sem se preocupar, sem sequer pensar nele. E quando Lacy voltasse do escritório, ela, Jeri, queria entrar na cozinha e preparar o jantar junto com ela. Tinha parado de cozinhar há anos, décadas até, quando suas noites passaram a ser consumidas por sua busca.

Lacy disse que ela podia ficar. Depois que ela saiu, Jeri se sentou no sofá e ficou repetindo para si mesma que Bannick estava morto.

O mundo era um lugar melhor.

44

Diana Zhang nunca havia pensado em ser testamenteira nem responsável pelo patrimônio de alguém. Na verdade, enquanto secretária de um juiz, ela entendia o suficiente sobre direito de sucessões para saber que aquela função deveria ser evitada quando possível. Agora que seu ex-chefe havia delegado a ela uma tarefa indesejada que parecia ser complicada, se não impossível, ela lutava para aceitar seu novo papel.

A quarta página, aquela com a lista de ativos, a mantinha no jogo. Ela nunca tinha pensado na morte do juiz Bannick – ele era tão jovem – e certamente jamais imaginou que seria incluída em seu testamento. Não muito tempo depois que o choque da morte dele começou a passar, ela não pôde deixar de pensar em sua herança inesperada.

Sinceramente, ela não se importava se ele seria cremado ou enterrado, principalmente com o FBI em sua cola. Eles pediram que ela adiasse qualquer providência quanto à cremação e tudo mais. Não havia pressa. Ele seria congelado no necrotério do condado bem longe de lá, e, se o FBI queria que ela conduzisse as coisas devagar, então era isso que ela ia fazer. Eles concordaram em não mexer no corpo desde que ela permitisse que eles fotografassem as mãos e os dedos dele.

Ela foi amplamente citada na edição de quarta-feira do *Ledger*. Depois de alguns comentários elogiosos sobre seu antigo chefe, Diana disse que ele estava doente havia algum tempo, mas era muito reservado para falar sobre sua saúde. Todos no gabinete estavam "chocados e tristes", assim como seus colegas e membros da ordem. A matéria ocupava a metade inferior da primeira página, com uma bela foto de Bannick mais jovem. Não houve qualquer menção ao mandado de prisão por sequestro.

AO MEIO-DIA DE QUARTA-FEIRA, o FBI apreendeu e revistou o SUV que Bannick deixara no estacionamento do aeroporto de Birmingham, bem como o veículo alugado da Avis que eles rastrearam até o Pecos Mountain Lodge. Como já era esperado, ambos estavam completamente limpos e não havia nenhuma impressão digital. O envelope da FedEx enviado para Diana estava coberto de digitais, mas nenhuma correspondia à parcial encontrada no celular de Verno. Eles também averiguaram o chalé em Gantt Lake, mas não encontraram nada de útil. Cada centímetro quadrado de seu quarto na clínica e cada superfície que ele poderia ter tocado foram examinados duas vezes, sem sucesso. Um funcionário disse que o viu várias vezes, sempre usando luvas.

Uma equipe de especialistas em impressões digitais do FBI foi até lá e examinou os dedos de Bannick. Todos tinham sido cozidos e corroídos a ponto de serem completamente destruídos. Como o corpo seria cremado, Vidovich decidiu retirar as mãos e levá-las para o laboratório. Ele conversou com Diana Zhang, que a princípio ficou horrorizada com a ideia. No entanto, Vidovich a pressionou, deixando claro que as mãos e os dedos, bem como todo o corpo, estavam prestes a virar cinzas, então, que mal havia? Quando mesmo assim ela hesitou, ele ameaçou colocá-la diante do juiz.

Diana já estava cansada de sua nova função. Quanto mais tempo ele ficava no necrotério, mais problemas criava. Ela nunca veria seu corpo, com ou sem as mãos. Estava a mil quilômetros de distância e mesmo assim não parecia longe o suficiente. Ela finalmente autorizou as amputações e as mãos foram removidas e levadas às pressas para o laboratório forense em Clarksburg, na Virgínia Ocidental.

O que restava do juiz Ross Bannick foi transportado para um crematório em Santa Fé, reduzido a cinzas e enfiado em uma urna de plástico que o agente funerário guardou até novas ordens.

LACY CONVERSOU COM VIDOVICH ao longo do dia e contou tudo a Jeri, que, de repente, estava ansiosa para pegar suas coisas e voltar para casa.

O FBI tinha revistado o carro dela e lá também não achou nenhuma digital útil, mas encontrou o monitor GPS acoplado à lateral do tanque de gasolina. Eles o enviaram a Clarksburg para análise.

De alguma maneira, em meio ao horror e ao caos do sequestro, Bannick havia pegado a pistola e uma pequena bolsa de mão de Jeri, mas deixara seu celular e seu notebook. Ela presumiu que ele não queria arriscar ser rastreado a partir dos dispositivos dela. Ele também tinha deixado uma bolsa maior e as chaves. Ele não precisava da pequena quantia em dinheiro, nem dos cartões de crédito dentro dela, e estava dirigindo seu próprio carro, embora Jeri nunca o tivesse visto.

Os mesmos dois belos agentes que a levaram do hospital no domingo estavam agora em Tallahassee com seu Camry e seus pertences. Eles tinham ordens para levá-la até Mobile e providenciar a troca das fechaduras das portas. Ela disse não, obrigada, e eles foram embora com relutância.

Depois de jantar com Lacy e Allie, Jeri abraçou os dois, agradeceu de coração, prometeu vê-los novamente em breve e partiu para Mobile, a quatro horas de distância. Ao sair da cidade, virou o espelho retrovisor de lado para não ficar olhando para ele. Alguns hábitos seriam difíceis de abandonar.

Seus pensamentos estavam confusos e seu humor oscilava radicalmente. Ela tinha sorte de estar viva, e seus pulsos doloridos eram um lembrete constante de que havia sido por pouco. No entanto, aquele episódio, por mais aterrorizante que tivesse sido, teve um final positivo. A sorte interveio e ela escapou da morte. Estava destinada a continuar vivendo, mas com que propósito? Sentia como se seu projeto de vida estivesse incompleto, mas onde ficava a linha de chegada? Ela sorriu diante da agradável ideia de não viver no mesmo mundo com Bannick, mas em seguida quase se revoltou por ele ter escapado de seus crimes. Ele nunca enfrentaria suas vítimas, nunca seria arrastado para um tribunal, talvez até o seu próprio, usando um macacão laranja e com correntes nos tornozelos. Ele nunca sofreria a imensa humilhação de ver sua foto na primeira página de um jornal, de ser desprezado pelos amigos, expulso da tribuna, condenado por seus crimes hediondos e mandado para a cadeia. Ele não faria história como o primeiro juiz norte-americano a ser condenado por homicídio nem seria lembrado como um lendário serial killer. Nunca apodreceria na cela da prisão que tanto merecia.

Sem mais provas, as famílias de suas vítimas nunca ficariam sabendo que ele era culpado. Ela sabia seus nomes, todos eles. Os pais e irmãos de Eileen Nickleberry; os dois filhos de Ashley Barasso, ambos agora com 20 e poucos anos; a viúva e os dois filhos de Perry Kronke; a família de Mike Dunwoody, a única vítima acidental de que tinha conhecimento; os filhos de Danny Cleveland; as famílias de Lanny Verno e Mal Schnetzer.

E o que diria para sua própria família – seu irmão mais velho, Alfred, na Califórnia, e Denise, em Michigan? Contaria essa história difícil de acreditar? Ela havia encontrado o assassino, mas ele escapara da justiça?

Por que se importar com isso? As únicas ocasiões em que discutiam o assassinato de Bryan Burke eram quando ela, Jeri, tocava no assunto.

Ela conseguiu se acalmar lembrando a si mesma que o caso não estava encerrado. O FBI estava totalmente envolvido e eles precisavam de um tempo. Talvez Bannick ainda fosse condenado por um ou mais de seus assassinatos. Se um deles pudesse ser provado, certamente o FBI poderia informar os departamentos de polícia locais, que por sua vez poderiam se reunir com as famílias. A justiça permaneceria ilusória, mas talvez algumas das famílias conseguissem encontrar um desfecho se soubessem a verdade.

Para Jeri, esse desfecho parecia impossível.

45

No final da manhã de quinta-feira, Lacy e sua força-tarefa se encontraram pela última vez e, com prazer, estavam aposentando o assunto Bannick para a gaveta "Encerrados" quando Felicity os interrompeu com uma ligação urgente. Sadelle saboreava seu oxigênio e Darren debatia qual o tamanho do café com leite que sairia correndo para comprar.

— É a Betty Roe e ela diz que é importante — anunciou Felicity pelo viva-voz.

Lacy revirou os olhos e suspirou com frustração. Estava torcendo para conseguir passar alguns dias sem ouvir a voz de Jeri, mas não estava de fato surpresa. Darren correu até a porta para ir atrás do café. Sadelle fechou os olhos como se estivesse pronta para outro cochilo.

— Bom dia, Betty — disse Lacy.

— A gente já pode deixar essa história de Betty de lado agora, não pode, Lacy?

— Claro. Como vai, Jeri?

— Fenomenal. Me sinto vinte quilos mais leve e não consigo parar de sorrir. O fato de ele estar morto tirou um fardo da minha mente e do meu corpo. Não consigo descrever quão maravilhosa é a sensação.

— É ótimo ouvir isso, Jeri. Já fazia muito tempo.

— Foi uma vida inteira, Lacy. Convivo com esse maluco há décadas. Enfim, de qualquer maneira, não consegui dormir. Passei a noite inteira acordada porque tive uma ideia para mais uma pequena aventura e preciso da sua ajuda. De preferência com o Allie junto.

– O Allie foi embora hoje de manhã, pra algum destino desconhecido.

– Então leva o Darren. Imagino que ele seja o próximo branco disponível na fila.

– Acho que sim. Levar pra onde?

– Pra Pensacola.

– Estou te ouvindo, mas já estou desconfiada.

– Não fique. Confie em mim. Com certeza já ganhei a sua confiança.

– Já.

– Ótimo. Por favor, largue o que você estiver fazendo e venha pra Pensacola.

– Ok, tá difícil, mas ainda tô ouvindo. Pensacola não fica exatamente ali na esquina.

– Eu sei, eu sei. Uma hora pra mim, três pra você, mas pode ser crucial. Pode ser que isso coloque o último prego no caixão dele.

– Mais ou menos. Ele não queria um caixão.

– Certo. Olha, Lacy, eu encontrei a caminhonete.

– Que caminhonete?

– A caminhonete que o Bannick estava dirigindo no dia em que matou o Verno e o Dunwoody, em Biloxi. Ela foi vista por um senhor sentado na varanda de casa no centro de Neely, no Mississippi, quando o Bannick deixou os celulares na caixa de correio. Essa caminhonete.

– E daí? – perguntou Lacy pausadamente.

– Daí que ninguém verificou se há alguma impressão digital nela.

– Peraí. Acho que o Darren rastreou essa caminhonete.

– Sim, mais ou menos. É uma picape 2009, cinza-clara, que o Bannick comprou em 2012. Ele tinha esse carro há dois anos, usou ele nos assassinatos de Biloxi e o trocou um mês depois. Um sujeito chamado Trager comprou a caminhonete em uma loja de carros usados, dirigiu por dois meses até se envolver em um acidente causado por um motorista bêbado. A State Farm deu perda total no veículo e deu um cheque pro Trager, que assinou como titular. A State Farm vendeu a picape como sucata. Tudo isso está de acordo com o que você me disse três semanas atrás.

– Exato, eu me lembro agora. O Darren disse que era um beco sem saída.

– Bem, não exatamente. A caminhonete não foi vendida como sucata, mas pra reaproveitamento de peças. Acho que a encontrei em um ferro-velho nos arredores de Milton, ao norte de Pensacola. Você tem Google Maps aí?

– Claro.

– Tá, eu vou te mandar o link do Dusty's Salvage, nos arredores de Milton. Eles compram latarias de companhias de seguros e vendem as peças. Trinta e seis hectares de nada além de carros e caminhonetes batidos. Rastreei o corretor que cuidou do caso pro Trager e ele tem certeza de que a caminhonete foi pro Dusty's.

Esperando o pior, Lacy perguntou:

– E o que você espera que eu faça?

– Certo. Nós três, você, eu e o Darren, vamos encontrar a caminhonete e dar uma olhada. Se o Bannick foi dono desse carro por dois anos, então pode ser que haja alguma impressão digital. Ele não deve ter limpado esse carro porque não sabia sobre seu polegar inesperado no celular do Verno. Ele o vendeu meses antes disso.

– Trinta e seis hectares?

– Vamos lá, Lacy, essa pode ser a nossa grande chance. Claro, é uma agulha no palheiro, mas a agulha está lá.

– Quanto tempo sobrevivem as digitais?

– Anos, dependendo de vários fatores, como superfície, clima, o tipo da impressão...

Lacy não ficou surpresa por Jeri conhecer detalhes sobre impressões digitais.

– Vamos ligar pro FBI.

– Caramba, nunca ouvi isso antes. A gente liga pra eles mais tarde. Vamos encontrar a caminhonete primeiro e depois decidimos o que fazer.

O impulso era dizer a Jeri quanto estava sobrecarregada, como o escritório havia virado um caos em sua ausência, mas sabia que toda e qualquer desculpa seria contestada ou completamente ignorada. Jeri tinha rastreado um serial killer do qual a polícia nunca tinha ouvido falar, e ela fez isso por ser uma pessoa determinada. Lacy simplesmente não estava em posição de discutir.

Ela franziu a testa para Sadelle, que estava cochilando, e disse:

– Nós não vamos conseguir chegar lá antes das quatro.

– O Dusty's fecha às cinco. Anda. Vá com uma roupa confortável.

ERNIE ESTAVA TRABALHANDO a uma extremidade do longo balcão da frente e, quando eles entraram no departamento de peças, era o único dos quatro "associados" que não estava ao telefone. Sem dar um sorriso, ele fez um gesto indicando que ficassem à vontade. A decoração era feita com calotas amassadas e volantes velhos, e atrás do balcão havia fileiras altas de caixas cheias de peças automotivas antigas. Uma das paredes era uma assombrosa estante cheia de baterias de carro antigas. O lugar cheirava a óleo velho e todos os quatro associados tinham pelo menos duas manchas de graxa na camisa. Ernie também, além de um trapo manchado de óleo pendurado no bolso de trás. Um charuto apagado estava enfiado em um dos lados de sua boca.

– Querem ajuda? – disse ele entre dentes. Aquele obviamente não era o lugar deles.

Lacy abriu seu sorriso mais brilhante e disse:

– Sim, obrigada. Estamos procurando uma caminhonete Chevrolet 2009.

– Tem milhares dessas aqui. Precisa afunilar um pouco, querida.

Em outro momento, o uso da palavra "querida" a teria tirado do sério, mas não era o momento certo para dar uma lição nele.

– Você tá querendo alguma peça?

– Não, não exatamente – respondeu ela, ainda sorrindo.

– Olha, senhora, nós vendemos peças, peças usadas, nada além disso. Temos mais de cem mil latas-velhas por aí, e todo dia chega mais.

Lacy percebeu que eles não estavam chegando a lugar nenhum. Ela deslizou um cartão de visita e disse:

– Estamos investigando alegações de irregularidades. Trabalhamos para o estado da Flórida.

– Você é da polícia? – perguntou ele, recuando. O Dusty's parecia ser o tipo de lugar onde o dinheiro falava mais alto, impostos eram evitados e todo tipo de atividade criminosa estava logo ali embaixo do tapete. Dois outros associados, ambos ainda ao telefone, olharam na direção deles.

– Não – respondeu Lacy rapidamente. Jeri admirava algumas calotas enquanto Darren olhava para o celular. – Não mesmo. Nós só precisamos encontrar essa caminhonete. – Ela deslizou para ele uma cópia do acordo feito com o seguro, que Jeri tinha achado na internet.

Ernie pegou o documento e olhou para a tela de seu volumoso computador estilo anos 1970. Ele, também, tinha manchas de óleo. Ernie digitou alguma coisa, franziu a testa e sacudiu seu velho teclado. Por fim, murmurou:

– Chegou em janeiro. Lote sul, fileira 84. – Ele olhou para Lacy e disse: – Entendeu? Olha, senhora, aqui a gente vende peças. Não oferecemos tours gratuitos, ok?

Um pouco mais alto, ela respondeu:

– Claro. Eu sempre posso voltar com um mandado.

Era evidente, pela reação sobressaltada de Ernie, que mandados de busca e apreensão não eram bem-vindos no Dusty's. Ele acenou com a cabeça.

– Vem comigo.

Ele os conduziu por uma porta traseira. De um lado havia uma longa construção de metal com baias cheias de carros e caminhonetes em vários estágios de decomposição. Do outro, viam-se vários hectares de nada além de veículos destruídos.

– Carros ali. – disse ele apontando para a direita. Depois, acenou para a esquerda e disse: – Caminhonetes e vans ali. O lote sul é por ali, cerca de setecentos metros. Procure a fileira 84. Com um pouco de sorte você vai encontrar. Nós fechamos às cinco, e vocês não querem passar a noite trancados aqui.

Darren apontou para um garoto em um carrinho de golfe e perguntou a Ernie:

– A gente pode pegar isso aqui emprestado?

– Tudo aqui está à venda, patrão. Pergunta pro Herman. – Sem dizer mais nenhuma outra palavra, Ernie se virou e foi embora.

Por cinco dólares, Herman os levaria até a fileira 84. Eles entraram no carrinho e logo estavam passando por milhares de veículos destruídos e eviscerados, a maioria sem capô, todos sem pneus, alguns com ervas daninhas saindo pelas janelas. Ele parou na frente de uma caminhonete cinza e eles desceram.

Lacy entregou a ele outra nota de cinco dólares e disse:

– Olha, Herman, você pode voltar e buscar a gente na hora de fechar?

Ele abriu um sorriso, pegou o dinheiro, resmungou uma resposta e se afastou.

A caminhonete havia sido atingida na porta do passageiro e estava bastante destruída, mas o motor estava intacto e já havia sido removido. Enquanto eles olhavam boquiabertos, Lacy perguntou:

– Então, o que a gente faz agora?

– Vamos pegar uns pistões – disse Darren, bancando o espertinho.

– Não exatamente – disse Jeri –, mas você tá no caminho certo. Pense nas coisas em que o Bannick não tocaria, tipo o motor. Agora pense nas coisas em que ele teria tocado. Volante, painel, seta, câmbio, todos os interruptores e botões.

– E você trouxe seu pozinho pra achar as digitais? – perguntou Lacy.

– Não, mas eu sei como encontrá-las. Nosso plano B é trazer o FBI aqui pra uma busca adequada. Por enquanto eu só quero dar uma olhadinha.

– O porta-luvas – disse Darren.

– Sim, e embaixo do banco, atrás do banco. Pensa no seu carro e em todas as porcarias que caem pelas frestas. Luvas, alguém? – Ela enfiou a mão na bolsa e tirou as luvas descartáveis. Eles obedientemente as colocaram.

– Vou ver o lado de dentro – disse Jeri. – Darren, você verifica a parte de trás. Lacy, vê se você consegue olhar atrás do banco do outro lado.

– Cuidado com as cobras – disse Darren, e elas quase gritaram.

Metade do banco estava esmagada e com pedaços faltando, e a porta do passageiro estava pendurada por um fio. Lacy atravessou o matagal e conseguiu abri-la. A lateral da porta estava vazia. Ela não viu nada de interessante no lado do passageiro. Jeri delicadamente raspou o vidro do banco do motorista e se sentou ao volante. Ela estendeu a mão e tentou abrir o porta-luvas, mas estava emperrado.

Sua primeira vistoria não encontrou nada.

– Precisamos abrir o porta-luvas – disse ela. – Se tivermos sorte, lá dentro vai ter o manual e vários outros papéis, como em todos os carros, certo?

– Manual de quê?

– Típico – murmurou Darren.

Lacy foi repentinamente atingida por uma lembrança e seus joelhos fraquejaram. Ela engasgou e se curvou para a frente, com as mãos apoiadas nos joelhos, tentando respirar.

– Você tá bem? – perguntou Jeri, tocando o ombro dela.

– Não. Desculpa. Me dá só um segundo.

Darren olhou para Jeri e disse:

– É o acidente de carro que ela sofreu, o que matou o Hugo. Não faz muito tempo.

– Desculpa, Lacy – disse Jeri. – Eu não pensei nisso.

Lacy se levantou e respirou fundo.

– Devíamos ter trazido água – disse Jeri. – Sinto muito.

– Tudo bem. Eu tô bem agora. Vamos sair daqui e informar isso pro FBI. Eles podem lidar com a perícia.

– Tá, mas primeiro quero ver o que tem no porta-luvas – disse Jeri.

Estacionado a um metro e meio de distância estava um imenso Ford com o teto esmagado. Darren vasculhou ao redor dele e viu que o estribo da porta esquerda estava quebrado e tinha uma parte pendurada. Ele soltou a peça e se acomodou no banco da caminhonete Chevrolet cinza. Enfiou sua nova ferramenta no porta-luvas danificado, mas não conseguiu abrir. Ele forçou, empurrou, cavou, pressionou uma vez, duas, mas a porta não abria. O porta-luvas estava parcialmente amassado e emperrado.

– Eu achava que você fosse mais forte – comentou Lacy enquanto ela e Jeri observavam cada movimento.

Darren olhou para ela, respirou fundo, enxugou a testa e atacou o porta-luvas mais uma vez. Por fim, conseguiu abrir uma fenda estreita e em seguida quebrar a porta.

Ele sorriu para Lacy e Jeri, e jogou sua ferramenta no matagal. Ajustou as luvas, então lentamente removeu uma pastinha de plástico; um folheto indicando a garantia dos pneus; um recibo de troca de óleo, em nome do Sr. Robert Trager; uma espécie de requerimento à Associação Automobilística Norte-Americana; e duas chaves de fenda enferrujadas.

Ele entregou a pasta para Jeri e saiu da caminhonete. Os três olharam para os itens saqueados.

– Será que a gente abre? – perguntou Lacy.

Jeri segurou a pasta com as duas mãos e disse:

– Há grandes chances de o Bannick ter tocado isso daqui em algum momento e não ter limpado essa pasta. Não poderia, na verdade, pelo menos não recentemente, quando saiu por aí esfregando tudo que via pela frente.

– Vamos agir com cautela e levar isso pro FBI.

– Sim, com certeza. Mas vamos dar uma olhadinha primeiro. – Ela abriu a pasta e removeu o manual de instruções do veículo.

Enfiados dentro dele havia a papelada referente à garantia estendida, um antigo documento de registro do veículo emitido na Flórida em nome de Robert Trager e dois recibos de uma loja de autopeças. Um cartão caiu e flutuou até o chão. Lacy o pegou, leu e sorriu.

– Bingo.

Era um cartão da seguradora State Farm emitido para Waveland Shores, uma das fachadas de Bannick. Abrangia o período de seis meses entre janeiro e julho de 2013, e listava o número da apólice, limites de cobertura, o número de registro do veículo e o nome do corretor. No verso, havia instruções sobre o que fazer em caso de acidente. Ela mostrou o documento para Jeri e Darren, que estavam com medo de tocá-lo, depois o colocou de volta no manual.

Jeri disse:

– Acho que temos uma chance agora.

– Vou ligar agora pro Clay Vidovich – disse Lacy enquanto pegava o telefone.

Eles caminharam por dez minutos até verem Herman em seu carrinho de golfe. Ele os levou até a entrada, onde voltaram a falar com Ernie, que, é claro, queria dez dólares pelo manual encontrado no veículo. Lacy conseguiu negociar por cinco, a serem cobertos pelos contribuintes da Flórida, e eles foram embora do Dusty's.

Uma hora depois, estavam no centro de Pensacola tomando refrigerante na sala de reuniões com Vidovich e os agentes Neff e Suárez. Enquanto detalhavam sua aventura, dois peritos examinavam o manual, o cartão do seguro e outros itens do porta-luvas.

Vidovich dizia:

– Sim, vamos amanhã de manhã, o voo é às oito. Voltaremos pra Washington à tarde. Graças a você, Jeri, essa foi uma viagem bastante produtiva, não acha?

– É uma mistura de tudo – disse ela sem sorrir. – Encontramos nosso suspeito, mas ele escapou em seus próprios termos.

– Os homicídios acabaram, e nem sempre é assim. Podemos ter encerrado esse caso, mas temos outros.

– Quantos, se me permite perguntar? – disse Darren.

Vidovich olhou para Neff, que deu de ombros como se não soubesse dizer.

– Cerca de uma dúzia, de todas as variedades.

– Alguém parecido com o Bannick? – perguntou Lacy.

Ele sorriu e negou com a cabeça.

– Não que a gente saiba, e não fingimos ter conhecimento de todos eles. A maioria desses caras mata ao acaso e nunca conhece as vítimas. Com certeza o Bannick era diferente. Ele tinha uma lista e perseguiu suas vítimas por anos. Nós nunca o teríamos encontrado sem você, Jeri.

A porta se abriu; um perito entrou.

– Temos duas digitais muito boas, ambas do cartão do seguro – disse ele. – Acabei de enviá-las pro laboratório em Clarksburg.

Ele saiu e Vidovich o acompanhou.

– Eles darão prioridade a essa amostra e ela será jogada nos bancos de dados. A gente consegue verificar milhões de digitais em questão de minutos.

– Incrível – disse Darren.

– É, sim.

– Então, se houver uma correspondência, o que acontece? – perguntou Lacy.

– Não muita coisa – respondeu Neff. – Nós temos certeza de que o Bannick matou o Verno e o Dunwoody, mas vai ser impossível dar continuidade ao caso.

– E se ele estivesse vivo?

– Mesmo assim seria difícil. Eu não queria estar no lugar do promotor.

– E os outros homicídios? – perguntou Jeri.

– Não há muito que fazer, na verdade – explicou Suárez. – Tenho certeza de que vamos nos reunir com a polícia local e passaremos a eles as informações. Eles vão se encontrar com as famílias, se elas estiverem dispostas a isso. Alguns vão querer falar, outros não. E a sua família?

– Ah, vou contar pra eles em algum momento – respondeu ela.

A conversa foi diminuindo enquanto eles esperavam. Darren foi ao banheiro. Lacy serviu mais refrigerantes.

Vidovich voltou com um sorriso e disse:

– Temos uma correspondência clara. Parabéns. Agora pode ser provado que o juiz Bannick realmente matou Lanny Verno e Mike Dunwoody. Nesse ponto, pessoal, isso é o melhor que podíamos esperar.

– Preciso de um drinque – disse Lacy.

– Bem, eu estava pensando em drinques seguidos de um longo jantar de comemoração – sugeriu Vidovich. – Cortesia do FBI.

Jeri assentiu em aprovação enquanto secava as lágrimas.

46

Duas semanas depois, Lacy e Allie pegaram um avião para Miami, alugaram um carro e dirigiram tranquilamente pela autoestrada 1 na direção sul, passando por Key Largo até Islamorada, onde pararam para um longo almoço em um pátio à beira d'água. Eles seguiram viagem, passaram por Marathon e pararam quando a estrada terminou em Key West. Fizeram o check-in no Pier House Resort e conseguiram um quarto de frente para o mar. Mergulharam, caminharam pela areia, descansaram na praia e tomaram um coquetel assistindo a um lindo pôr do sol.

No dia seguinte, um sábado, eles deixaram Key West, dirigiram uma hora até Marathon e encontraram a casa dos Kronke, em Grassy Key, que ficava em um condomínio fechado à beira-mar. O compromisso deles estava marcado para as dez da manhã e eles chegaram alguns minutos mais cedo. Jane Kronke os cumprimentou calorosamente e os conduziu ao pátio onde seus dois filhos, Roger e Guff, os aguardavam. Eles tinham chegado de Miami no dia anterior. Minutos depois, Turnbull, o chefe de polícia de Marathon, chegou. Allie pediu licença e levou seu café para a frente da casa.

Após as apresentações e conversas amenas, Lacy disse:

– Não vamos demorar muito. Como eu disse ao telefone, sou a diretora interina da Comissão de Justiça e é nosso dever investigar denúncias de má conduta movidas contra magistrados. Em março, conhecemos uma mulher cujo pai tinha sido assassinado em 1992 e que alegava ter descoberto a identidade do assassino. Ela fez uma denúncia e fomos obrigados por lei a nos envolver. Ela alegava que o suspeito, um juiz, era responsável pela morte do Sr. Kronke, bem como de dois homens em Biloxi, no Mississippi. Normalmente não investigamos homicídios, mas não tivemos escolha. Em março, eu e um colega viemos aqui a Marathon e nos encontramos com o chefe Turnbull, que foi muito solícito. Não chegamos a lugar nenhum, na verdade, porque, como vocês sabem, foi bem difícil encontrar provas. Entramos em contato com o FBI e estivemos com a Unidade de Análise Comportamental, a equipe de elite que persegue serial killers.

Ela fez uma pausa e tomou um gole de limonada. Estavam todos atentos a cada palavra e pareciam completamente chocados. Ela quase sentiu pena deles.

– O juiz em questão é Ross Bannick, do distrito de Pensacola. Suspeitamos que ele tenha sido responsável por pelo menos dez homicídios ao longo dos últimos vinte anos, incluindo o do Sr. Kronke. Três semanas atrás, ele cometeu suicídio em uma clínica de tratamento para dependentes químicos, próximo a Santa Fé. Uma impressão digital o vincula aos dois crimes ocorridos em Biloxi, mas ainda não há evidências de que ele tenha matado Kronke. Tudo que temos são a motivação e o método.

Jane Kronke secou os olhos enquanto Guff acariciava seu braço.

– Qual é a motivação? – perguntou Roger.

– Em 1989, Bannick trabalhou no escritório do seu pai como estagiário. Por razões desconhecidas, não lhe foi oferecido o cargo de associado depois que ele se formou. Seu pai tinha supervisionado os estagiários naquele ano e escreveu a Bannick uma carta negando a vaga. Está claro que ele levou isso a sério demais.

– E ele esperou vinte e três anos para matá-lo? – perguntou Guff.

– Sim. Ele era muito paciente, muito calculista. Conhecia todas as suas vítimas e as perseguia até o momento certo. Nunca saberemos os detalhes porque Bannick destruiu tudo antes de se matar. Registros, anotações, discos rígidos, tudo. Ele sabia que o FBI estava finalmente chegando perto. Ele era extremamente meticuloso, um tanto brilhante, na verdade. O FBI está impressionado.

Eles assimilaram tudo aquilo em descrença e não disseram nada. Após uma longa pausa, o chefe Turnbull disse:

– Você mencionou o método.

– Foram todos iguais, com uma exceção. Um golpe na cabeça, em seguida o estrangulamento com uma corda. Sempre o mesmo tipo de corda, amarrada com um nó raramente usado, chamado nó fiel duplo. Às vezes é usado por marinheiros.

– O cartão de visita dele.

– Sim, o cartão de visita dele, o que não é incomum. Os analistas do FBI acreditam que ele não queria ser pego, mas queria que conhecessem seu trabalho. Eles também acreditam que ele tinha uma espécie de pulsão de morte, daí o suicídio.

– Como ele se matou? – perguntou Roger.

– Overdose. Não sabemos ao certo o que ele tomou pois não houve autópsia, por instruções dele mesmo. No fundo não era necessário. O FBI examinou os dedos dele, mas eles estavam muito danificados para fornecer qualquer impressão digital.

– Meu pai foi assassinado por um juiz? – perguntou Guff.

– É nisso que nós acreditamos, sim, mas isso jamais será provado.

– E ele nunca será exposto?

– A digital do polegar foi encontrada nos crimes de Biloxi. O xerife planeja se reunir com as famílias das vítimas e decidir o que fazer. Há uma chance de eles divulgarem a informação de que os homicídios foram solucionados e que Bannick era o assassino.

– Espero muito que isso aconteça – disse Roger.

– Mas não vai haver acusação, julgamento? – perguntou Guff.

– Não. Ele está morto e duvido seriamente que tentarão condená-lo *in absentia*. O xerife acredita que as famílias, pelo menos uma delas, não vão querer levar o assunto adiante. Qualquer processo será complicado, se não impossível, porque Bannick não estará aqui para confrontar seus acusadores.

Jane Kronke cerrou os dentes e declarou:

– Não sei o que dizer. Deveríamos ficar aliviados, irritados ou o quê?

Lacy deu de ombros e disse:

– Acho que não sei como responder a essa pergunta.

– Mas não vai haver nenhum relatório, nenhuma notícia, nada divulgando que esse cara matou meu pai. É isso?

– Não tenho como controlar o que vocês vão dizer a um repórter em algum momento, mas, sem mais evidências, acho que nada disso poderá ser publicado. Pode ser problemático acusar um homem morto sem provas suficientes.

Outra longa pausa enquanto eles lutavam para entender aquilo. Por fim, Roger perguntou:

– Essas outras vítimas, quem eram elas?

– Pessoas do passado dele, pessoas que o prejudicaram de alguma forma. Um professor da faculdade de direito, um advogado que o enganou numa negociação de honorários, duas antigas namoradas, um ex-cliente que apresentou uma queixa contra ele, um repórter que expôs um negócio duvidoso. Um chefe escoteiro. Acreditamos que Bannick tenha sido abusado sexualmente por seu chefe escoteiro quando tinha 12 anos. Talvez tenha sido aí que tudo começou. Jamais saberemos.

Guff balançou a cabeça exasperado, se levantou, enfiou as mãos nos bolsos e caminhou pelo deque.

– Se ele era tão brilhante, como vocês pegaram ele? – perguntou Jane.

– Não fomos nós. Nem a polícia. O chefe aqui pode confirmar, ele não deixou praticamente nenhuma evidência pelo caminho.

– Então, como?

– Bem, é uma história longa e inacreditável. Vou pular os detalhes e ir direto ao ponto. A segunda vítima dele, ou pelo menos o homem que acreditamos ser sua segunda vítima, foi professor de Bannick na faculdade de direito. Ele tem uma filha que ficou obcecada pelo assassinato do pai. Em determinado momento, ela começou a suspeitar do Bannick e o perseguiu por vinte anos. Quando ela se convenceu de que era ele, e quando reuniu forças suficientes, trouxe o caso pra gente. Não queríamos pegar o caso, mas não tínhamos escolha. Não demorou muito pra que o FBI fosse envolvido.

– Por favor, diga a ela que nós agradecemos – disse Jane.

– Pode deixar. Ela é uma mulher notável.

– Nós gostaríamos de conhecê-la um dia – disse Roger.

– Talvez, quem sabe. Mas ela é bastante tímida.

– Bem, ela resolveu o caso que nós não conseguimos – disse o chefe de polícia. Parece que o FBI deveria contratá-la.

– Eles adorariam. Olha, sinto muito por trazer essa notícia pra vocês, mas imaginei que gostariam de saber. Se tiverem alguma dúvida, vocês têm meu número.

– Ah, com certeza teremos milhares de perguntas – disse Guff.

– A qualquer hora, só não posso prometer todas as respostas.

Lacy estava pronta para ir. Eles lhe agradeceram várias vezes e a acompanharam até o carro onde Allie a esperava.

NO FINAL DA TARDE, o resort estava animado com a música vinda dos bares, um barulhento jogo de vôlei na areia e crianças se divertindo na piscina. Uma banda de reggae se preparava para tocar embaixo de algumas palmeiras. Veleiros cruzavam ao longe o mar azul e cristalino.

Lacy estava cansada do sol e queria dar uma volta. Nesse momento, eles depararam com um casamento sendo organizado em torno de uma pequena capela na areia. Os convidados estavam chegando e tomavam champanhe.

– Que gracinha essa capela – disse Lacy. – Não é um lugar ruim pra casar.

– É bonita – disse Allie.

– Eu reservei pra 27 de setembro. Você vai estar ocupado nesse dia?

– É, bem, não sei. Por quê?

– Você é tão devagar às vezes. Esse é o dia em que a gente vai se casar. Bem aqui. Já fiz o depósito.

Ele pegou a mão dela e a puxou para mais perto.

– Não vai ter pedido, nem nada?

– Acabei de fazer. Percebi que você não ia conseguir. Aceito um anel, tá?

Ele riu e a beijou.

– Por que você não compra logo um, já que tá assumindo o comando?

– Cheguei a pensar nisso, mas é trabalho seu. E eu gosto de diamantes ovais.

– Muito bem. Vou direto nele, então. Algo mais que eu deveria saber?

– Sim. Escolhi essa data porque nos dá quatro meses pra encerrar nossas carreiras e começar nossa nova vida. Eu peço demissão. Você também. Sou eu ou o FBI.

– Eu tenho escolha?

– Não.

Ele riu, beijou-a novamente e depois riu um pouco mais.

– Fico com você, então.

– Boa resposta.

– E tenho certeza de que a lua de mel está planejada.

– Está, sim. Vamos viajar por um mês. Começamos na Costa Amalfitana, na Itália, vamos passear por lá, pegar um trem pra Portofino, Nice, pro sul da França, talvez terminar em Paris. Vamos seguindo o fluxo e decidindo pelo caminho.

– Gostei. E quando a gente voltar?

– Se a gente voltar, aí pensamos nos próximos capítulos.

Um padrinho descalço de bermuda, camisa rosa e gravata-borboleta se aproximou com duas taças de champanhe e disse:

– Juntem-se à festa. Precisamos de mais convidados.

Eles pegaram as taças de champanhe, sentaram-se na última fileira e se sentiram em casa vendo dois completos estranhos trocarem votos.

Lacy já estava tomando notas sobre tudo que faria de maneira diferente.

Nota do autor

Quando vista pela última vez em *A delação*, Lacy Stoltz estava se recuperando de lesões e tendo dificuldades para encarar o futuro. Pensei muito nela desde então e sempre quis trazê-la de volta para mais uma aventura. Mas só consegui encontrar uma história que se igualasse a um sucesso tão dramático quanto a primeira quando pensei em um juiz que também fosse assassino.

Como não amar a ficção?

Conforme aponto em uma das poucas partes verídicas do livro, cada estado tem sua própria maneira de lidar com queixas contra juízes. Na Flórida, a Judicial Qualifications Commission vem fazendo um bom trabalho desde 1968. O Board of Judicial Conduct (traduzido aqui como Comissão de Justiça) não existe.

Muito obrigado a Mike Linden, Jim Lamb, Tim Heaphy, Lauren Powlovich, Neal Kassell, Mike Holleman, Nicholas Daniel, Bobby Moak, Wes Blank e Talmage Boston.

CONHEÇA OS LIVROS DE JOHN GRISHAM

Justiça a qualquer preço

O homem inocente

A firma

Cartada final

O Dossiê Pelicano

Acerto de contas

Tempo de matar

Tempo de perdoar

O júri

A lista do juiz

Para saber mais sobre os títulos e autores da Editora Arqueiro,
visite o nosso site e siga as nossas redes sociais.
Além de informações sobre os próximos lançamentos,
você terá acesso a conteúdos exclusivos
e poderá participar de promoções e sorteios.

editoraarqueiro.com.br